P9-BJX-658

MAURICE DRUON | La Flor de Lis y el León
Los Reyes Malditos VI

byblos

Título original: *Le Lis et le Lion*

Traducción: M.ª Guadalupe Orozco Bravo

1.ª edición: septiembre 2006

2.ª reimpresión: septiembre 2008

© 1966 by Maurice Druon, Librairie Plon et Editions Mondiales
© Ediciones B, S.A., 2006
  para el sello Javier Vergara Editor
  Bailén, 84 - 08009 Barcelona (España)
  www.edicionesb.com
  www.edicionesb.com.mx

Diseño de cubierta: Estudio Ediciones B/Leo Flores

Diseño de colección: Ignacio Ballesteros

ISBN: 84-666-1782-5

Impreso por Quebecor World.

MAURICE DRUON | La Flor de Lis y el León
Los Reyes Malditos VI

La política consiste en la voluntad de conquista y conservación del poder; ello exige una acción de coacción o ilusión sobre los espíritus... El espíritu político siempre acaba por ser obligado a falsificar.

PAUL VALÉRY

Quiero renovar mi agradecimiento a mis colaboradores Pierre de Lacretelle, Georges Kessel, Madeleine Marignac, por la ayuda preciosa que me han brindado durante la redacción de este volumen. También quiero dejar constancia de mi gratitud por la colaboración que encontré en la Biblioteca Nacional y los Archivos Nacionales, indispensable para la realización de mis investigaciones.

M. D.

PRIMERA PARTE

LOS NUEVOS REYES

1

La boda de enero

De todas las parroquias de la ciudad, tanto de una orilla como de la otra del río, de Saint-Denis, de Saint-Cuthbert, de Saint-Martin-cum-Gregory, de Saint-Mary-Senior y Saint-Mary-Junior, de los Shambles, de Tanner Row, de todas partes, el pueblo de York subía desde hacía dos horas en ininterrumpidas filas hacia Minster, hacia la gigantesca catedral todavía inacabada en su parte occidental cuya inmensa mole, alta, alargada, maciza, ocupaba la parte alta de la ciudad.

En Stonegate y Deangate, las dos tortuosas calles que desembocaban en el Yard, la muchedumbre lo cubría todo. Los adolescentes, encaramados en los muros no veían más que cabezas, nada más que cabezas en progresivo aumento, que cubrían por entero la explanada. Burgueses, mercaderes, matronas con numerosos hijos, inválidos con muletas, sirvientas, dependientes de artesanos, clérigos con capuchón, soldados con cotas de mallas y mendigos cubiertos de andrajos se confundían como briznas agavilladas de heno. Los ladrones de ágiles dedos hacían su agosto. En las ventanas que daban a la explanada se veían rostros arracimados.

Pero ¿era una luz propia del mediodía la de aquella mañana brumosa y húmeda, que despedía un frío vaho y envolvía con nubes algodonosas el enorme edificio y la multitud que chapoteaba en el barro? La muchedumbre se apretujaba para conservar su propio calor.

24 de enero de 1328. Ante monseñor Guillermo de

Melton, arzobispo de York y primado de Inglaterra, el rey Eduardo III, que no tenía aún dieciséis años, se desposaba con Felipa de Hainaut, su prima, que apenas contaba catorce.

No había ni un solo lugar vacante en la catedral, reservada para los dignatarios del reino, los miembros del alto clero, los del Parlamento, los quinientos caballeros invitados y los cien nobles escoceses con sus kilts, llegados para ratificar, aprovechando la ocasión de la boda, el tratado de paz. Enseguida se celebraría la misa solemne, cantada por ciento veinte cantores.

Pero, por el momento, la primera parte de la ceremonia, la boda propiamente dicha, se desarrollaba delante de la puerta sur, en el exterior de la iglesia y a la vista del pueblo, según el antiguo rito y las costumbres particulares de la archidiócesis de York.[1]

La niebla dejaba húmedas hilachas en el rojo terciopelo del dosel levantado junto al pórtico, se condensaba en las mitras de los obispos, se deslizaba por las pieles que cubrían los hombros de la familia real reunida en torno a la joven pareja.

—*Here I take thee, Philippa, to my wedded wife, to have and to hold at bed and at board...* Aquí te tomo, Felipa, por esposa, para tenerte y guardarte en mi lecho y en mi casa...

La voz del rey, que surgía de aquellos tiernos labios, de aquel rostro imberbe, sorprendió por su fuerza, claridad y por la intensidad de su vibración. La reina madre Isabel se emocionó, al igual que el señor Juan de Hainaut, tío de la novia, y todos los asistentes de las primeras filas, entre los cuales se podía ver a los condes Edmundo de Kent y de Norfolk, al conde de Lancaster *Cuello Torcido*, jefe del consejo de regencia y tutor del rey.

—*... for fairer for fouler, for better for worse, in sickness* *and in health*... para lo bueno y para lo malo, en la salud y en la enfermedad...

Los murmullos de la multitud iban cesando progresivamente. El silencio se extendía como una onda circular, y la resonancia de la joven voz real se propagaba por encima de los millares de cabezas, audible casi en el extremo opuesto de la plaza. El rey pronunciaba lentamente la larga fórmula del voto, que había aprendido la víspera; pero se hubiera dicho que la estaba improvisando, a juzgar por lo bien que destacaba algunas frases, como si las pensara para cargarlas con su sentido más grave y profundo. Eran como las palabras de una plegaria destinada a no ser dicha más que una vez y para toda la vida.

Por aquella boca de adolescente se expresaba un alma adulta, de hombre seguro de su compromiso ante el Cielo, de príncipe consciente de su papel entre Dios y su pueblo. El nuevo rey tomaba a sus parientes más allegados, a sus grandes oficiales y barones, a sus prelados, a la población de York y a toda Inglaterra como testigos del amor que juraba a Felipa.

Los profetas que arden de celo divino, los caudillos de naciones mantenidos por una convicción única, saben imponer a las multitudes el contagio de su fe. El amor públicamente afirmado posee también ese poder, provoca esa adhesión de todos a la emoción de uno solo.

Entre los asistentes no había mujer, cualquiera que fuera su edad, recién casada o engañada esposa, viuda, doncella o abuela, que no se sintiera en ese momento en el lugar de la nueva desposada, y no había hombre que no se identificara con el joven rey. Eduardo III se unía a todo lo que había de femenino en su pueblo, y era su reino entero el que elegía a Felipa por compañera. Todos los sueños de la juventud, todas las desilusiones de la madurez, todos los pesares de la vejez se dirigían hacia la pareja, como ofrenda surgida de cada corazón. Esa noche, en las calles sombrías, los ojos de los novios se iluminarían, e incluso las parejas desde hacía largo tiempo desunidas se estrecharían las manos después de la cena.

Si desde la lejanía de los tiempos los pueblos siguen asistiendo a las bodas de los príncipes, es para vivir una felicidad que, al ser expuesta desde tan alto, parece perfecta.

—... *Till death us do part...* ...Hasta que la muerte nos separe...

Se le hizo un nudo en la garganta; la plaza exhaló un gran suspiro de tristeza y casi de reprobación. No, no se debía hablar de muerte en ese momento; no era posible que esos dos jóvenes tuvieran que sufrir la suerte común, era inadmisible que fueran mortales.

—... *And there to I plight thee my troth...* ...Y por todo ello te prometo mi fe.

El joven rey sentía la respiración de la multitud, pero no la miraba. Sus ojos de color azul pálido, casi gris, de largas pestañas, no se apartaban de la joven pelirroja y rolliza envuelta en terciopelos y velos a la cual hacía su promesa.

Porque Felipa no parecía una princesa de cuento, ni siquiera era bonita. Tenía los rasgos regordetes de los Hainaut, la nariz corta, el cuello breve y el rostro pecoso. Carecía de gracia, pero era sencilla y no intentaba simular una actitud majestuosa que no le cuadraba. Despojada de los ornamentos reales, hubiera podido pasar por cualquier joven pelirroja de su edad; muchachas parecidas a ella se encontraban a centenares en todas las naciones del norte. Y ello precisamente aumentaba la ternura que inspiraba en la multitud. Había sido elegida por Dios y por la suerte, pero en esencia no era distinta de las mujeres sobre las que iba a reinar. Todas las pelirrojas más bien gordezuelas se sentían elevadas y honradas.

Felipa, emocionada y temblorosa, entornaba los párpados como si no pudiera sostener la intensidad de la mirada de su esposo. Lo que le sucedía era demasiado hermoso. ¡Tantas coronas y mitras alrededor de ella, y aquellos caballeros y damas que veía en el interior de la catedral, alineados detrás de los cirios como las almas del Paraíso, y aquel pueblo que la rodeaba...! ¡Reina, iba a ser reina, y elegida por amor!

¡Ah, cómo iba a mimar, servir y adorar a aquel hermoso príncipe rubio, de largas pestañas y finas manos, que había llegado milagrosamente veinte meses antes a Valenciennes, acompañando en el destierro a su madre, que iba a buscar ayuda y refugio! Sus padres los habían enviado a jugar al huerto con los otros niños; él se había enamorado de ella, y ella de él. Ahora era rey y no la había olvidado. ¡Con qué fervor le dedicaría ella su vida! Solamente temía no ser lo bastante hermosa para gustarle siempre, ni bastante instruida para poder ayudarle.

—Ofreced, señora, vuestra mano derecha —le dijo el arzobispo primado.

Inmediatamente, Felipa sacó de la manga de terciopelo una mano pequeña y rolliza y la tendió con los dedos abiertos.

Eduardo miró maravillado aquella estrella rosada que se le ofrecía.

De una bandeja que le presentó otro prelado el arzobispo tomó el anillo de oro, incrustado de rubíes, que acababa de bendecir, y lo entregó al rey. El anillo estaba húmedo, como todo lo que se hallaba expuesto a la niebla. Luego el arzobispo unió suavemente las manos de los esposos.

—En el nombre del Padre —pronunció Eduardo apoyando el anillo contra la punta del pulgar de Felipa—, del Hijo y del Espíritu Santo. —Fue repitiendo el gesto sobre el dedo índice y el corazón. Por último, deslizó el anillo en el anular, diciendo—: ¡Amén!

Ya era su mujer.

Como toda madre que casa a un hijo, la reina Isabel no pudo contener las lágrimas. Rogaba a Dios que concediera a su hijo toda clase de felicidad, pero sobre todo pensaba en ella, y sufría. El paso del tiempo la había llevado a esa situación, en la que ya no era la primera en el corazón de su hijo, ni en su casa. No es que temiera gran cosa de aquella pirámide de terciopelo y bordados en la que estaba convertida en aquel momento su nuera, ni en lo referente a su autoridad sobre la corte, ni en lo que atañía a belleza. Erguida, delgada y dorada, con las hermosas trenzas recogidas a ambos lados de su claro rostro, Isabel, de treinta y seis años, apenas aparentaba treinta. Aquella misma mañana, mientras se colocaba la corona para asistir a la ceremonia, se había observado largamente en el espejo y el resultado había sido satisfactorio. Sin embargo, a partir de ese día dejaba de ser la reina para convertirse en la reina madre. ¿Cómo había llegado eso tan deprisa? ¿Cómo se habían evaporado de tal manera veinte años de vida y tan tempestuosos?

Pensaba en su propio matrimonio, celebrado exactamente veinte años antes, a finales de enero igualmente, y también con niebla, en Boulogne, Francia. También ella se había casado pensando en la felicidad, también había pronunciado sus promesas matrimoniales con fervor. ¿Sabía entonces a quién la unían para satisfacer los intereses de los reinos? ¿Sabía que en pago del amor y de la dedicación que aportaba no recibiría más que humillaciones, odio y desprecio; que se vería suplantada en el lecho de su esposo no por amantes femeninos, sino por hombres ávidos y escandalosos; que su dote sería saqueada, sus bienes confiscados; que debería desterrarse para salvar su vida amenazada, y que tendría que reunir un ejército para abatir al mismo hombre que le había puesto la alianza?

¡Ah, la joven Felipa tenía mucha suerte, ya que no solamente era desposada, sino amada!

Sólo las primeras uniones pueden ser plenamente puras y felices. Nada es capaz de reemplazarlas. Los segundos amores no alcanzan esa límpida perfección. Aunque parezcan sólidos como el mármol, poseen vetas de otro color que son como la sangre seca del pasado.

La reina Isabel volvió los ojos hacia Rogelio Mortimer, barón de Wigmore, su amante; el hombre que, gracias a ella tanto como a sí mismo, gobernaba como dueño y señor de Inglaterra en nombre del joven rey. En el mismo instante, Mortimer, ceñudo, con facciones severas y los brazos cruzados sobre el suntuoso manto, la miró malévolamente.

«Adivina mis pensamientos —se dijo Isabel—. Cree que cometo una falta porque en este momento no pienso en él.»

Conocía su carácter suspicaz e intentó apaciguarlo con una sonrisa. ¿Qué más quería? Vivían como marido y mujer, a pesar de ser ella reina y él casado, y el reino aceptaba sus públicos amores. Le había ayudado a ostentar por entero el poder, nombraba a sus amigos para los cargos, se había apoderado de todos los privilegios de los antiguos favoritos de Eduardo II, y el consejo de regencia sólo intervenía para ratificar sus deseos. Incluso había logrado que ella autorizara la ejecución de su cónyuge caído. Sabía que debido a esto la llamaban la Loba de Francia. ¿Podía impedir que ella pensara un día de boda en su esposo asesinado, y más estando presente el ejecutor, Juan Maltravers, ascendido recientemente a senescal de Inglaterra, cuyo largo y siniestro rostro aparecía entre los grandes señores, como para recordar el crimen?

Isabel no era la única a quien molestaba esta presencia. Juan Maltravers había sido guardián del caído rey, y su repentino ascenso al cargo de senescal denunciaba claramente que sus servicios le habían sido recompensados. Oficialmente, Eduardo II había muerto de muerte natural, pero ¿quién creía en la corte semejante fábula?

El conde de Kent, hermanastro del muerto, se inclinó hacia su primo Enrique *Cuello Torcido* y le susurró:

—Parece que ahora el regicidio da derecho a ocupar un puesto en la familia.

Edmundo de Kent tiritaba. La ceremonia le parecía demasiado larga; y el ritual de York, complicado. ¿Por qué no se había celebrado la boda en la capilla de la Torre de Londres o en cualquier castillo real, en lugar de convertirla en una verbena popular? La multitud le causaba un malestar que la presencia de Maltravers aumentaba. ¿No era vergonzoso que el hombre que había asesinado al padre estuviera presente, y en lugar tan destacado, en la boda del hijo?

Cuello Torcido, con la cabeza apoyada sobre el hombro derecho, defecto al que debía su apodo, murmuró:

—En nuestra casa se entra más fácilmente por el pecado. Nuestro amigo nos lo prueba...

Ese «nuestro amigo» se refería a Mortimer, hacia el cual habían cambiado mucho los sentimientos de los ingleses desde que dieciocho meses antes había desembarcado al mando del ejército de la reina y había sido escogido como libertador.

«Después de todo, la mano que obedece no es más horrenda que la cabeza que ordena —pensó Cuello Torcido—. Y Mortimer es seguramente más culpable, junto con Isabel, que Maltravers. Pero todos somos un poco culpables, todos contribuimos a destronar a Eduardo. Eso no podía acabar de otra manera.»

El arzobispo presentó al joven rey tres monedas de oro acuñadas por una cara con las armas de Inglaterra y de Hainaut, y por la otra con un sembrado de rosas, flores emblemáticas de la felicidad conyugal. Esas monedas eran las arras matrimoniales, símbolo de la dotación de rentas, tierras y castillos del marido a su esposa. Las donaciones habían sido precisadas por escrito, lo cual daba cierta garantía al señor Juan de Hainaut, tío de la desposada, a quien se le debían quince mil libras de la soldada de sus caballeros durante la campaña de Escocia.

—Prosternaos, señora, a los pies de vuestro esposo, para recibir las arras —dijo el arzobispo.

Todos los habitantes de York esperaban ese instante, curiosos por saber si su ritual sería respetado hasta el final; si lo que era válido para cualquier súbdita lo era también para la reina.

Pero nadie había previsto que la señora Felipa no sólo se arrodillaría, sino que, en un arranque de amor y de gratitud, abrazaría las piernas de su esposo y besaría las rodillas de quien la hacía reina. Aquella redonda flamenca era, pues, capaz de improvisar llevada por el impulso de su corazón.

La multitud le dedicó una ovación inmensa.

—Me parece que serán muy felices —dijo Cuello Torcido a Juan de Hainaut.

—El pueblo la querrá —dijo Isabel a Mortimer, que acababa de acercarse a ella.

La reina madre se sentía herida; la ovación no era para ella. «Ahora la reina es Felipa —pensó—. Aquí mi tiempo se ha acabado. Sí, pero ahora, tal vez, tenga Francia...»

Porque un jinete con la flor de lis había llegado al galope hasta York una semana antes para informarle de que su hermano menor, el rey Carlos IV, estaba moribundo.

NOTAS

1. La Iglesia nunca impuso normas fijas o uniformes al ritual del matrimonio, sino que se contentó más bien con ratificar los usos particulares.

La diversidad de ritos y la tolerancia de la Iglesia a este respecto se basa en que el matrimonio es por esencia un contrato entre individuos y un sacramento cuyos ministros son mutuamente, el uno respecto al otro, los mismos contratantes. En la primitiva Iglesia cristiana no se requería en absoluto la presencia del sacerdote, ni siquiera de los testigos.

La bendición empezó a ser obligatoria a partir de un decreto de Carlomagno. Antes de la reforma del Concilio de Trento, en el siglo XVI, los esponsales, por su carácter vincular, tenían casi tanta importancia como el matrimonio mismo.

Cada región tenía sus propios usos, que variaban de una diócesis a otra. Así, el rito de Hereford era distinto del rito de York. Pero, por regla general, el intercambio de promesas, que constituye el sacramento propiamente dicho, tenía lugar en público fuera de la iglesia. Eduardo I casó de esta forma con Margarita de Francia en septiembre de 1299, a la puerta de la catedral de Canterbury. La obligación existente hoy en día de mantener abiertas las puertas del templo durante la ceremonia, y cuyo incumplimiento puede constituir motivo de anulación, es un vestigio de esta tradición.

El rito nupcial de la archidiócesis de York tenía ciertas similitudes con el de Reims, especialmente en la aplicación sucesiva del anillo a los cuatro dedos, si bien en Reims se pronunciaba al mismo tiempo la siguiente fórmula:

> *Por este anillo la Iglesia ordena*
> *que el verdadero amor y la fe leal*
> *junten nuestros dos corazones en uno solo,*
> *por lo cual en este dedo te lo pongo.*

2

La conquista de una corona

Carlos IV el Hermoso había caído enfermo el día de Navidad. Para la Epifanía, los médicos que lo cuidaban no ocultaban su convicción de que se trataba de un caso perdido. ¿Cuál era la causa de la fiebre que lo consumía, de la tos desgarradora que sacudía su pecho enjuto, de los esputos sanguinolentos? Los médicos se encogían de hombros en un gesto de impotencia. La maldición, eso era, la maldición que perseguía a la descendencia de Felipe el Hermoso. Los remedios nada podían contra una maldición. Y la corte y el pueblo compartían esta opinión.

Luis el Obstinado había muerto a los veintisiete años, por una mano criminal. Felipe el Largo había fallecido a los veintinueve, por haber bebido en Pitou agua de pozos envenenados. Carlos IV había resistido hasta los treinta y tres; era el límite. ¡Es bien sabido que los malditos no pueden sobrepasar la edad de Cristo!

—A nosotros, hermano mío, nos corresponde ahora tomar el gobierno del reino, y tenerlo con mano firme —había dicho el conde de Beaumont, Roberto de Artois, a su primo y cuñado Felipe de Valois—. Y esta vez —añadió— no nos dejaremos ganar la partida por mi tía Mahaut. Por otra parte, ya no le queda ningún yerno a quien empujar.

Aquellos dos gozaban de buena salud. Roberto de Artois, de cuarenta y un años, seguía siendo el mismo coloso que debía bajar la cabeza para entrar por las puertas y que podía derribar un buey sujetándolo por las astas. Maestro en juicios, en embrollos, en intrigas, había demostrado durante veinte años de lo que era capaz, tanto en lo referente a su proceso del Artois como en la guerra de la Guyena y en otras muchas ocasiones. A él se debía que se hubiera hecho público el escándalo de la torre de Nesle. En parte gracias a él, lord Mortimer y la reina Isabel habían podido reunir un ejército en Hainaut, sublevar a Inglaterra y destronar a Eduardo II. Y no sentía turbación al ver sus manos tintas en la sangre de Margarita de Borgoña. En el consejo del débil Carlos IV, su voz, en los últimos años, se había elevado con más firmeza que la del soberano.

Felipe de Valois, seis años menor que el anterior, no poseía tanto genio. Sin embargo, alto y fuerte, ancho de espaldas, de paso solemne y considerado un gigante cuando Roberto no estaba a su lado, tenía hermosa prestancia de caballero, cualidad que predisponía en su favor. Y sobre todo se beneficiaba del recuerdo que había dejado su padre, el famoso Carlos de Valois, el hombre más turbulento y aventurero de su tiempo, siempre detrás de tronos fantasma y de cruzadas fallidas, pero gran guerrero, y cuya prodigalidad y magnificencia se esforzaba el hijo en imitar.

Si bien Felipe de Valois hasta el momento no había asombrado a Europa por su talento, se le concedía, sin embargo, un margen de confianza. Brillaba en los torneos, que eran su pasión, y el valor que demostraba en ellos no era desdeñable.

—Serás regente, Felipe; me comprometo a ello —decía Roberto de Artois—. Regente y quizá rey, si Dios quiere…, es decir, si dentro de dos meses la reina, mi sobrina,[1] que ya está gruesa hasta la barbilla, no da a luz un hijo. ¡Pobre primo Carlos! No verá al hijo que tanto deseaba. Y si es varón, no por eso dejarás de ejercer la regencia durante veinte años. Ahora bien, en veinte años… —Recalcaba sus palabras con un amplio gesto del brazo que parecía reclamar todos los azares posibles, desde la mortalidad infantil hasta los accidentes de caza y los inescrutables designios de la providencia—. ¡Y tú, leal como eres —continuaba—, me devolverás por fin mi condado de Artois, retenido injustamente por la ladrona y envenenadora Mahaut desde la muerte de mi noble abuelo, así como la dignidad de par que lleva aparejada! ¡Piensa en que ni siquiera soy par! ¿No es una burla? Me avergüenzo de ello sobre todo por tu hermana, que es mi esposa.

Felipe había bajado por dos veces la cabeza y había entornado los ojos, comprensivo.

—Roberto, te haré justicia si llega ese momento. Puedes contar con mi ayuda.

Las mejores amistades son las que se fundan en intereses comunes y en la construcción de un mismo porvenir.

Roberto de Artois, a quien no repugnaba ninguna tarea, se encargó de ir a Vincennes para dar a entender a Carlos el Hermoso que sus días estaban contados y que debía tomar algunas medidas, como la de disponer la regencia. Y, con el fin de dejar bien sentada su elección, ¿por qué no confiar a Felipe, desde aquel momento, la administración del reino, delegando en él los poderes?

—Todos somos mortales, todos, mi buen primo —decía Roberto, rebosante de salud, haciendo temblar con su imponente paso el lecho del agonizante.

Carlos IV no estaba en condiciones de negarse, incluso sentía alivio de descargarse de toda preocupación. No pensaba más que en retener la vida que se le escapaba por la boca.

El monarca delegó por tanto en Felipe de Valois, el cual convocó a los pares.

Roberto de Artois se puso en campaña de inmediato. En primer lugar se dirigió a su sobrino de Evreux, muchacho de veintiún años, de buen porte aunque poco emprendedor. Estaba casado con la hija de Margarita de

Borgoña: Juana *la Pequeña*, como se la seguía llamando aunque ya tenía diecisiete años, y que había sido apartada de la sucesión de Francia a la muerte del Obstinado.

Se habían sacado de la manga la ley sálica contra ella, y la habían aplicado tanto más fácilmente cuanto que la mala conducta de su madre suscitaba serias dudas sobre su legitimidad. En compensación, y para apaciguar a la casa de Borgoña, le habían reconocido la herencia de Navarra. Sin embargo, no se habían apresurado a mantener esta promesa, y los dos últimos reyes de Francia habían conservado el título de rey de Navarra.

Habría sido una buena ocasión para Felipe de Evreux, si se hubiera parecido un poco a su tío Roberto de Artois, para iniciar un pleito, negar la ley sucesoria y reclamar en nombre de su esposa las dos coronas.

Roberto de Artois, aprovechando la influencia que tenía sobre su sobrino, se metió enseguida en el bolsillo a aquel posible competidor.

—Tendrás esa Navarra que se te debe, mi buen sobrino, en cuanto mi cuñado Felipe de Valois sea regente. Lo considero como un asunto de familia y se lo he puesto como condición a Felipe para darle mi apoyo. ¡Serás rey de Navarra! Es una corona que no es de desdeñar y que, por mi parte, te aconsejo que te ciñas en cuanto puedas, antes de que te la discutan. Porque, entre nosotros, la pequeña Juana, tu esposa, estaría más segura de sus derechos si su madre no hubiera tenido los muslos tan retozones. En la gran disputa que va a plantearse, has de contar con apoyos; ya tienes el nuestro. Y no escuches a tu tío de Borgoña, que te inducirá, para su propio provecho, a cometer tonterías. ¡Fundamenta tus esperanzas en que Felipe sea regente!

Así, mediante el abandono definitivo de Navarra, Felipe de Valois disponía ya de dos votos.

Luis de Borbón acababa de ser hecho duque unas semanas antes y había recibido como patrimonio el condado de La Marche.² Era el primogénito de la familia. En caso de una gran confusión con respecto a la regencia, su condición de nieto de san Luis podía servirle para reunir varios sufragios. Su decisión, de todas formas, pesaría sobre el Consejo de los Pares. Pero aquel cojo era cobarde. Rivalizar con el poderoso partido Valois era empresa que requería a un hombre de más empuje. Además, su hijo estaba casado con una hermana de Felipe de Valois.

Roberto dio a entender a Luis de Borbón que, cuanto antes se uniera a la facción Valois, tanto más pronto le serían garantizados todos los privilegios en tierra y títulos que había acumulado durante los reinados anteriores. Tres votos.

El duque de Bretaña, recién llegado de Vannes y con los cofres todavía por deshacer, recibió en su residencia la visita de Roberto de Artois.

—Nosotros apoyamos a Felipe, ¿verdad? Estás de acuerdo... Con Felipe, tan piadoso, tan leal, se puede estar seguro de contar con un buen rey. Es decir, con un buen regente.

Juan de Bretaña no podía más que declararse partidario de Felipe de Valois. ¿Acaso no se había casado con Isabel, una hermana de Felipe? Cierto que ella había fallecido a la edad de ocho años, pero no por eso dejaban de subsistir los lazos de afecto. Roberto, para dar mayor fuerza a su misión, se había hecho acompañar por su madre, Blanca de Bretaña, familiar del duque, muy vieja, muy pequeña, muy arrugada, sin idea de política, pero que aprobaba todo lo que quería su gigantesco hijo. Juan de Bretaña se ocupaba más de los asuntos de su ducado que de los de Francia. Pues sí, Felipe, ¿por qué no? Todo el mundo parecía tener mucha prisa por designarlo.

Aquella era, en cierto modo, la campaña de los cuñados. Se buscó el apoyo de Guy de Châtillon, conde de Blois, que no era par, y hasta el del conde Guillermo de Hainaut, simplemente porque se habían casado con otras tantas hermanas de Felipe. La gran parentela de Valois comenzaba a dibujarse como la verdadera familia de Francia.

Guillermo de Hainaut, casaba en ese momento a su hija con el joven rey de Inglaterra; de acuerdo, no veía ningún inconveniente; incluso podía sacar de ello ventaja algún día. Pero había tenido la precaución de hacerse representar en la boda por su hermano Juan, en vez de ir él mismo, ya que era en París donde iban a tener lugar los acontecimientos importantes. ¿No deseaba Guillermo *el Bueno*, desde hacía mucho tiempo, que le fueran cedidas las tierras de Blaton, patrimonio de la corona de Francia, enclavadas en sus Estados? Le darían Blaton a cambio de casi nada, de un rescate simbólico, si Felipe se convertía en regente.

En cuanto a Guy de Blois, se trataba de uno de los últimos barones que conservaban el derecho de acuñar moneda. Desgraciadamente, y a pesar de este derecho, no tenía dinero y las deudas lo ahogaban.

—Guy, mi amado pariente, la regencia te comprará de nuevo tu derecho. Ésa será nuestra primera preocupación.

En pocos días, Roberto había realizado un sólido trabajo.

—Ya ves, Felipe —decía a su candidato—, ya ves lo mucho que nos ayudan ahora los matrimonios concertados por tu padre. ¡Y dicen que la abundancia de hijas es un gran pesar para las familias! Aquel hombre prudente, que Dios tenga en la gloria, supo sacar muy buen provecho de todas tus hermanas.

—Sí, pero habrá que acabar de pagar las dotes —respondió Felipe—. De algunas sólo se ha entregado la cuarta parte...

—Comenzando por la dote de la querida Juana, mi esposa —recordó Roberto de Artois—. Pero en cuanto tengamos poder sobre el Tesoro...

Más difícil de convencer fue el conde de Flandes, Luis de Crécy y de Nevers. Porque él no era cuñado y no exigía un patrimonio ni dinero; quería recuperar su condado, del cual sus súbditos lo habían expulsado. Para atraerlo, pues, hubo que prometerle una guerra.

—Luis, primo, os devolveremos Flandes por las armas, os lo juramos.

Después de esto, Roberto, que pensaba en todo, corrió de nuevo a Vincennes a dar prisas a Carlos IV para que redactara su testamento.

Carlos no era más que la sombra de un rey, que expectoraba lo que le quedaba de pulmones.

Sin embargo, a pesar de que estaba agonizando, se acordó en aquel momento del proyecto de Cruzada que su tío Carlos de Valois le había metido en la cabeza en otro tiempo. Un proyecto aplazado año tras año. Los subsidios de la Iglesia se habían utilizado para otros fines y Carlos de Valois había muerto. Su enfermedad y los sufrimientos que le ocasionaba, ¿no eran tal vez el castigo por no haber mantenido su promesa? La sangre que iba manchando las sábanas le recordaba la cruz de color rojo que no había cosido a su manto.

Entonces, para obtener la divina clemencia, Carlos IV hizo constar en su testamento la preocupación que sentía por Tierra Santa: «Porque mi intención es ir allí en vida, y si en vida no puedo, que se entreguen cincuenta mil libras a la primera expedición general que se haga.»

No se le pedía que gravase con semejante hipoteca la fortuna real, necesaria para otros fines más urgentes. Roberto estaba furioso. ¡Ese bobo de Carlos seguía con su estúpida terquedad hasta el final!

Le pedían simplemente que legara tres mil libras al canciller Juan de Cherchemont, otro tanto al mariscal de Trye y al señor Miles de Noyers, presidente de la Cámara de Cuentas, por sus leales servicios prestados a la corona... y porque sus funciones les permitían sentarse con pleno derecho en el Consejo de los Pares.

—¿Y el condestable? —murmuró el rey moribundo.

Roberto se encogió de hombros. El condestable Gaucher de Châtillon tenía setenta y ocho años, era sordo como una tapia y poseía tantos bienes que no sabía qué hacer con ellos. ¡A su edad no había apetito de oro! Tachado pues el condestable.

Ahora bien, Roberto ayudó con gran cuidado a Carlos IV a hacer la lista de los ejecutores testamentarios, ya que eso era como un orden de precedencia entre los grandes del reino: primero el conde Felipe de Valois, luego el conde Felipe de Evreux y después él, Roberto de Artois, conde de Beaumont-le-Roger.

Hecho esto, convenía ganarse a los pares eclesiásticos.

Guillermo de Trye, duque-arzobispo de Reims, había sido preceptor de Felipe de Valois; además, Roberto acababa de hacer inscribir a su hermano, el mariscal, en el testamento real, con tres mil libras que le entregarían contantes y sonantes. Por este lado no quedaría descontento.

El duque-arzobispo de Langres era afecto desde hacía mucho a los Valois, igual que el conde-obispo de Beauvais, Juan de Marigny, único hermano superviviente del gran Enguerrando. Viejas traiciones, antiguos remordimientos y mutuos favores habían tejido sólidos lazos.

Quedaban los obispos de Chalons, de Laon y de Noyon; se sabía que estarían de parte del duque Eudes de Borgoña.

—¡Ah! El borgoñón es asunto tuyo, Felipe —exclamó Roberto de Artois abriendo los brazos—. No tengo ningún poder sobre él, nos llevamos como el perro y el gato. Pero tú te has casado con su hermana; debes de tener sobre él cierta influencia.

Eudes IV no era un águila en el gobierno. Sin embargo, recordaba las lecciones de su difunta madre, la duquesa Inés, última hija de san Luis, y también que él mismo, al aceptar la regencia de Felipe el Largo, había logrado la anexión del condado de Borgoña al ducado de Borgoña. Eudes se había casado entonces con la nieta de Mahaut de Artois, catorce años más joven que él, lo cual no lamentaba ahora que ella era núbil.

La cuestión de la herencia del Artois fue la primera que planteó cuando, al llegar de Dijon, se encerró con Felipe de Valois.

—Quede bien entendido que el día de la muerte de Mahaut, el condado de Artois irá a manos de su hija, la reina Juana la Viuda, para pasar luego a las de la duquesa, mi esposa. Insisto mucho en este punto, primo, ya que conozco las pretensiones de Roberto sobre el Artois. ¡Bastante las ha proclamado!

Aquellos grandes príncipes no defendían con menor vehemencia sus derechos hereditarios sobre los pedazos del reino que las comadres cuando se peleaban por los cacharros y trapos de una herencia mísera.

—En dos juicios se ha atribuido por sentencia el Artois a la condesa Mahaut. Si Roberto no apoya su demanda en algún hecho nuevo, el Artois pasará a vuestra esposa, hermano.

—¿No veis en ello ningún impedimento?

—No veo ninguno.

De esta forma, el leal Valois, el valiente caballero, el héroe de torneo hacía a sus dos primos y cuñados dos promesas contradictorias.

Sin embargo, honrado hasta en su hipocresía, informó a Roberto de Artois de su conversación con Eudes, y Roberto la aprobó.

—Lo importante —dijo— es obtener el voto del borgoñón, y poco importa que se le meta en la cabeza un derecho que no tiene. ¿Hechos nuevos, le has dicho? Los tendremos, y haré que no faltes a tu palabra. En fin, todo marcha inmejorablemente.

No quedaba más que esperar la muerte del rey, confiando en que se produjera pronto, antes de que se disolviera aquella hermosa conjunción de príncipes reunidos alrededor de Felipe de Valois.

El último hijo del Rey de Hierro entregó el alma la víspera de la Candelaria, y la noticia se difundió por París al día siguiente por la mañana, al mismo tiempo que el olor de las calientes hojuelas.

Todo parecía desarrollarse según el plan perfectamente preparado por Roberto de Artois, cuando, la mañana misma del día fijado para la reunión del Consejo de los Pares, llegó un obispo inglés, de enjuto rostro y ojos fatigados, quien, al salir de una litera cubierta de barro, declaró que venía a representar los derechos de la reina Isabel.

NOTAS

1. Juana de Evreux, tercera esposa de Carlos IV. Tras la anulación de su matrimonio con Blanca de Borgoña (véase el anterior volumen, *La Loba de Francia*), Carlos IV contrajo matrimonio, sucesivamente, con María de Luxemburgo, que murió de parto, y con Juana de Evreux. Esta última, sobrina de Felipe el Hermoso por parte de su padre, Luis de Francia, conde de Evreux, era asimismo sobrina de Roberto de Artois por parte de su madre, Margarita de Artois, hermana de Roberto.

2. Por un tratado firmado a fines de 1327, Carlos IV había permutado el condado de La Marche, su feudo en usufructo, por el condado de Clermont-en-Beauvaisis, que Luis de Borbón había heredado de su padre, Roberto de Clermont. Fue entonces cuando el señorío de Borbón fue elevado a ducado.

3

Consejo ante un cadáver

Era un rey vacío, sin cerebro en la cabeza, sin corazón en el pecho, sin entrañas en el vientre. Los embalsamadores habían terminado, la noche anterior, su trabajo en el cadáver de Carlos IV; pero en realidad no había demasiada diferencia entre lo que era ahora y lo que aquel débil, indiferente e inactivo monarca había sido en vida. Niño retrasado a quien su propia madre llamaba «ganso», marido engañado, padre desgraciado empeñado en asegurar su descendencia en tres matrimonios, soberano gobernado constantemente, primero por su tío y luego por sus primos, no había sido más que la encarnación fugitiva de la entidad real. Y lo seguía siendo.

En un extremo de la gran sala de pilares del castillo de Vincennes, sus despojos yacían sobre un suntuoso lecho ceremonial, revestidos con una túnica azulada, cubiertos los hombros con el manto flordelisado y con la corona encajada en la cabeza.

Los pares y los barones, reunidos en el otro extremo de la sala, veían brillar, iluminados por innumerables cirios, los dorados zapatos del muerto.

Carlos IV iba a presidir su último consejo, llamado «de la cámara real», ya que se consideraba que gobernaba todavía; su reinado terminaría oficialmente al día siguiente, en el momento en que su cuerpo bajara a la tumba, en Saint-Denis.

Roberto de Artois tomó al obispo inglés bajo su protección mientras esperaban a los rezagados.

—¿En cuánto tiempo habéis venido? ¿Doce días desde York? No os habéis detenido a cantar misa durante vuestro viaje. ¡Verdaderamente a paso de jinete! ¿Ha sido jubilosa la boda de vuestro joven rey?

—Así lo creo, yo no pude asistir; estaba ya en camino —respondió el obispo Orleton.

—¿Y lord Mortimer se encontraba bien? Gran amigo, lord Mortimer, gran amigo que, cuando estaba refugiado en París, hablaba frecuentemente de monseñor Orleton.

»Él me contó cómo le ayudasteis a evadirse de la Torre de Londres. Por mi parte, yo lo acogí en Francia y le proporcioné los medios para que regresara un poco más armado de lo que había llegado. Así, cada uno de nosotros hizo la mitad de la tarea.

»¿Y la reina Isabel? ¡Ah, la querida prima! ¿Seguía tan hermosa como siempre?

De esta forma, Roberto entretenía a Orleton para impedir que se uniera a los grupos y que hablara con el conde de Hainaut o con el de Flandes. Conocía bien la reputación de Orleton y desconfiaba. ¿No era éste el hombre que la corte de Westminster utilizaba para sus embajadas ante la Santa Sede, y el autor, según se decía, de la famosa carta ambigua: «*Eduardum occidere nolite bonum est*», de la que Isabel y Mortimer se habían servido para ordenar el asesinato de Eduardo II?

Mientras que los prelados franceses iban tocados con la mitra para asistir al consejo, Orleton llevaba solamente su gorro de viaje, de seda violeta y con orejeras forradas de armiño. Roberto observó este detalle con satisfacción, pues restaría autoridad al obispo inglés cuando tomara la palabra.

—Mi señor de Valois será regente —le murmuró a Orleton, como si confiara un secreto a un amigo.

El otro no respondió.

Por fin entró la última persona a la que se esperaba para que el consejo estuviera reunido en pleno. Era la condesa Mahaut de Artois, la única mujer convocada. Había envejecido; parecía llevar con dificultad el peso de su macizo cuerpo. Se apoyaba en un bastón y su rostro colorado estaba enmarcado por cabellos blancos. Dirigió vagos saludos a su alrededor. Fue a asperjar al muerto y se sentó pesadamente al lado del duque de Borgoña. Se oía su jadeo.[1]

El arzobispo primado Guillermo de Trye se levantó, se volvió primero hacia el cadáver real, hizo lentamente el signo de la cruz, y luego permaneció un momento en meditación con los ojos levantados hacia las bóvedas, como si implorara la inspiración divina. Cesaron los murmullos.

—Mis nobles señores —comenzó—, cuando falla la sucesión natural del poder real, éste vuelve a su fuente, que es el consentimiento de los pares. Tal es la voluntad de Dios y de la Santa Iglesia, que nos da ejemplo con la elección del soberano pontífice.

Monseñor de Trye hablaba bien, con elocuencia de sermón. Los pares y barones convocados iban a tener que decidir sobre la adjudicación del poder temporal en el reino de Francia, primero para el ejercicio de la regencia y, luego, en previsión, el de la propia realeza, en caso de que la muy noble señora la reina no diera a luz un hijo.

El primero entre los iguales, *primus inter pares*, era el que convenía elegir, y el más próximo, por la sangre, a la corona. ¿No se habían dado en otro tiempo circunstancias parecidas que habían llevado a los pares barones y a los pares obispos a entregar el cetro al más prudente y fuerte de ellos, al duque de Francia y conde de París, Hugo Capeto, fundador de la gloriosa dinastía?

—Nuestro soberano difunto, que aún está con nosotros —continuó el arzobispo, inclinando ligeramente la mitra hacia el lecho—, quiso ayudarnos, y en su testamento recomendó que eligiéramos a su primo más próximo, príncipe muy cristiano y muy valiente, digno en todo de gobernarnos y dirigirnos, mi señor Felipe, conde de Valois, de Anjou y del Maine.

El príncipe muy cristiano y muy valiente, a quien le zumbaban los oídos de emoción, no sabía qué actitud adoptar. Le pareció que bajar la cabeza con aire modesto sería demostrar que dudaba de sí mismo y de su derecho a reinar. Erguirse con aire arrogante y orgulloso podría indisponerlo ante los pares. Decidió, pues, permanecer rígido, con las facciones inmóviles y la mirada fija en los dorados zapatos del cadáver.

—Que cada uno medite —concluyó el arzobispo de Reims— y exprese su opinión para bien de todos.

Monseñor Adán Orleton ya se había puesto en pie.

—Ya lo tengo meditado —dijo—. He venido aquí a hablar en nombre del rey de Inglaterra, duque de Guyena.

Tenía experiencia en esa clase de asambleas, en las que todo estaba preparado bajo mano y en las que, sin embargo, todo el mundo vacilaba en ser el primero en intervenir. Se apresuró a sacar ventaja de ello.

—En nombre de mi dueño tengo que declarar —prosiguió— que la persona de parentesco más próximo al difunto rey Carlos de Francia es la reina Isabel, su hermana y que, por ello, le corresponde la regencia.

A excepción de Roberto de Artois, que esperaba algo parecido, todos los presentes se quedaron momentáneamente estupefactos. Nadie se había acordado de la reina Isabel durante las negociaciones preliminares; a nadie se le había ocurrido que pudiera tener la menor pretensión. Sencillamente, la habían olvidado. Y de pronto surgía de sus brumas nórdicas en la voz de un pequeño obispo de bonete forrado. ¿Tenía realmente algún derecho? Los asistentes se interrogaban con la mirada, se consultaban. Evidentemente lo tenía, si se atendía a las estrictas consideraciones del linaje; pero parecía una locura que quisiera hacer uso de él.

Al cabo de cinco minutos el consejo era un gallinero.

Todo el mundo hablaba a la vez y el tono de las voces subía. Nadie respetaba la presencia del cadáver.

¿Había olvidado el rey de Inglaterra, duque de Guyena, en la persona de su embajador, que las mujeres no podían reinar en Francia, según la costumbre confirmada dos veces por los pares en los últimos años?

—¿No es verdad, tía? —preguntó con malicia Roberto de Artois, recordando a Mahaut la época en que se habían enfrentado tan fieramente acerca de esta ley de sucesión establecida para favorecer a Felipe el Largo, yerno de la condesa.

No, Monseñor Orleton no había olvidado nada; en especial no había olvidado que el duque de Guyena no se encontraba presente ni representado —sin duda porque se había tenido buen cuidado de avisarle demasiado tarde— en las reuniones de los pares que habían decidido arbitrariamente la extensión de la llamada ley sálica al derecho real y que, por consiguiente, no la había ratificado.

Orleton carecía de la elocuencia untuosa de Monseñor Guillermo de Trye; hablaba un francés un poco duro, con giros arcaicos un poco cómicos. Pero, en contrapartida, era muy hábil para las discusiones jurídicas, y sus respuestas eran rápidas.

El señor Miles de Noyers, consejero de cuatro reinados, principal redactor y hasta quizás inventor de la ley sálica, tuvo que dar la réplica.

Puesto que el rey Eduardo II había rendido homenaje al rey Felipe el Largo, se debía admitir que había reconocido a éste como legítimo y había ratificado implícitamente la ley de sucesión.

Orleton no lo entendía de la misma manera. ¡No señor! Al prestar homenaje, Eduardo II había confirmado que el ducado de Guyena era vasallo de la corona de Francia, lo que nadie pretendía negar, pese a que los límites de este vasallaje estaban por precisar desde hacía cien años. Pero dicho homenaje nada tenía que ver con la ley del trono. Y en primer lugar, ¿de qué estaban tratando, de la regencia o de la corona?

—De ambas cosas —intervino el obispo Juan de Marigny—. Como ha dicho con toda justeza Monseñor Guillermo de Trye, la prudencia requiere previsión, y no debemos exponernos a reabrir dentro de dos meses el mismo debate.

Mahaut de Artois sentía un malestar, un zumbido en la cabeza que le impedía pensar con claridad. No le convenía nada de lo que decían. Era contraria a Felipe de Valois porque apoyar a Valois era apoyar a Roberto; era contraria a Isabel por un antiguo odio, ya que Isabel había denunciado en otro tiempo a sus hijas. Intervino con estudiado retraso.

—Si la corona puede pasar a una mujer, no será para vuestra reina, señor obispo, sino para la señora Juana *la Pequeña*, y la regencia será ejercida por su esposo, que está aquí, el señor de Evreux, o por su tío el duque Eudes, que se encuentra a mi lado.

Se observó un cierto desconcierto en el duque de Borgoña, en el conde de Flandes, en los obispos de Laon y de Noyon, e incluso en la actitud del joven conde de Evreux.

Parecía que la corona estuviera colgada de las bóvedas, indecisa del lugar de su caída, y que varias cabezas se aprestaban a recibirla.

Felipe de Valois abandonó su noble inmovilidad, mantenida durante largo rato, e hizo signos a su primo Roberto de Artois. Éste se incorporó.

—¡Bien! —exclamó—. Veo que ahora todo el mundo se apresura a desdecirse. Veo a mi bien amada tía, la señora Mahaut, dispuesta a reconocer a la señora de Navarra... —y acentuó la palabra «Navarra» mientras miraba a Felipe de Evreux, para recordarle su compromiso— derechos que precisamente le quitó en otro tiempo; veo al noble obispo de Inglaterra prevalerse de los actos de un rey a quien se preocupó de apartar del trono por debilidad, incuria y traición. ¡Vamos, señor Orleton! No se puede modificar una ley cada vez que haya que aplicarla, y a gusto de cada uno. En una ocasión sirve para uno y en la siguiente para otro. Amamos y respetamos a la señora Isabel, nuestra parienta, a la que muchos de los presentes hemos ayudado y servido; pero su petición, que vos habéis defendido tan bien, resulta inadmisible. ¿No sois de la misma opinión, mis señores? —concluyó tomando como testigos a los pares.

Obtuvo una amplia aprobación, la más fervorosa la del duque de Borbón, el conde de Blois y los pares obispos de Reims y de Beauvais.

Pero Orleton no había empleado todas sus armas. Si se admitía, pues, que se trataba no sólo de la regencia, sino también, posiblemente, de la corona; si incluso se admitía, para no volver sobre una ley ya aplicada, que las mujeres no podían reinar en Francia, entonces hacía su reclamación no en nombre de la reina Isabel, sino en el de su hijo, el rey Eduardo III, único descendiente varón por línea directa.

—Si una mujer no puede reinar, con mayor razón no puede transmitir la corona —dijo Felipe de Valois.

—¿Por qué no, mi señor? ¿No nacen de mujer los reyes de Francia?

Esta respuesta provocó algunas sonrisas. El gran Felipe se encontraba maniatado. Al fin y al cabo, aquel pequeño obispo inglés no estaba equivocado. La oscura costumbre invocada para suceder a Luis X quedaba ahora arrinconada. Y, en buena lógica, puesto que sucesivamente habían reinado tres hermanos sin tener descendencia masculina, ¿no debía pasar el poder al hijo de la hermana superviviente, en lugar de hacerlo a un primo?

El conde de Hainaut, partidario de Valois hasta este momento, comenzó a reflexionar al vislumbrar de repente para su hija un porvenir inesperado.

El viejo condestable Gaucher, con los párpados

arrugados como los de una tortuga y puesta la mano a manera de trompeta junto a la oreja, preguntó a su vecino Miles de Noyers:

—¿Qué? ¿Qué dicen?

El giro demasiado complicado del debate lo irritaba. Tenía su opinión sobre la cuestión de la sucesión de las mujeres, y no había cambiado en los últimos once años. Había proclamado la ley de los varones, agrupando a los pares bajo su famosa frase: «Las flores de lis no hilan la lana, y Francia es un reino demasiado noble para entregarlo a una mujer.»

Orleton prosiguió su discurso intentando conmover. Invitó a los pares a aprovechar aquella ocasión, que tal vez en siglos no volvería a presentarse, de reunir los dos reinos bajo un mismo cetro. Su pensamiento íntimo era éste: acabar con los litigios incesantes, los homenajes mal definidos y las guerras de Aquitania, que causaban sufrimiento a las dos naciones, y resolver, además, la inútil rivalidad comercial creada por los problemas de Flandes. Un solo y mismo pueblo a ambos lados del mar. ¿No era toda la nobleza inglesa de origen francés? ¿No era la lengua francesa común a las dos cortes? ¿No tenían numerosos señores franceses bienes en Inglaterra, al igual que barones ingleses propiedades en Francia?

—Pues bien, dadnos Inglaterra; no la rechazaremos —ironizó Felipe de Valois.

El condestable Gaucher escuchaba las explicaciones que Miles de Noyers le daba al oído, y de repente su rostro enrojeció. ¡Cómo! ¿El rey de Inglaterra reclamaba la regencia y la corona? ¿Qué vendría después? Entonces, todas las campañas que había dirigido él bajo el fuerte sol de Gascuña; todas las cabalgatas por el barro del norte contra los malvados pañeros flamencos, siempre apoyados por Inglaterra; todos los buenos caballeros muertos y los grandes gastos del Tesoro, ¿no habían servido más que para llegar a eso? Lo consideraba una burla.

Sin levantarse, con profunda voz de viejo enronque-cida por la cólera, exclamó:

—¡Jamás Francia será del inglés, y no es cuestión de varón o de hembra, ni de saber si la corona se transmite por el vientre! ¡Francia no será del inglés porque los barones no lo tolerarán! ¡Vamos, Bretaña! ¡Vamos, Blois! ¡Vamos, Nevers! ¡Vamos Borgoña! ¿Permitís que digan esto? Tenemos que enterrar a un rey, el sexto que he visto pasar en mi vida, y todos ellos tuvieron que dirigir su ejército contra Inglaterra, o contra aquellos a los que ella apoyaba. El que mande en Francia ha de ser de sangre francesa. Y basta de escuchar esas tonterías que harían reír a mi caballo.

»Con el derecho que me concede ser el más viejo, aconsejo que el conde de Valois, el pariente más próximo del trono, sea regente, guardián y gobernador del reino. —Levantó la mano para apoyar su voto.

—¡Bien dicho! —se apresuró a aprobar Roberto de Artois, mientras levantaba su larga mano y miraba a los partidarios de Felipe invitándolos a imitarlo.

Casi lamentaba no haber incluido en el testamento real al viejo condestable.

—¡Bien dicho! —repitieron los duques de Borbón y de Bretaña; los condes de Blois, de Flandes y de Evreux; los obispos, los grandes oficiales y el conde de Hainaut.

Mahaut de Artois interrogaba con la mirada al duque de Borgoña, y al ver que éste iba a levantar la mano, se apresuró a dar su aprobación para no ser la última.

Sólo Orleton no levantó la mano.

Felipe de Valois, que se sentía de pronto agotado, se decía: «Es cosa hecha, es cosa hecha.» Oyó que el arzobispo Guillermo de Trye, su antiguo preceptor decía:

—Viva el regente del reino de Francia, para bien del pueblo y de la Santa Iglesia.

El canciller Juan de Cherchemont había preparado el documento por el que se debía clausurar el consejo y ratificar la decisión; sólo faltaba escribir el nombre. El canciller trazó con grandes letras el del «muy poderoso, muy noble y muy temido señor Felipe, conde de Valois», y luego dio lectura al acta en virtud de la cual quedaba asignada la regencia; más aún, estipulaba que el regente se convertiría en rey de Francia si la reina daba a luz una hija.

Todos los asistentes pusieron su firma y sello privado al pie del documento; todos, salvo el representante del duque de Guyena, Monseñor Adán Orleton, que rehusó hacerlo con estas palabras:

—Nada se pierde con defender el propio derecho, aunque se sepa que no va a triunfar. El porvenir es largo y está en manos de Dios.

Felipe de Valois se acercó al lecho y miró el cuerpo de su primo, que tenía la corona sobre la cérea frente, colocado el cetro a lo largo del manto y las botas relucientes.

Parecía estar orando, lo cual le valió el respeto de todos.

Roberto de Artois se acercó a Felipe y le murmuró:

—Si tu padre te viera en este momento... sería bien feliz el querido hombre... Aún hay que esperar dos meses.

NOTAS

1. El de 1328 fue año de enfermedades para Mahaut de Artois. Las cuentas de la casa indican que tuvo que hacerse sangrar después de este consejo, el 6 de febrero de 1328, y de nuevo el 9 de mayo, el 17 de septiembre y el 19 de octubre.

4

El rey encontrado

Los príncipes de aquel tiempo necesitaban un enano. Para una pareja de gente pobre, casi era una suerte dar vida a un engendro de esta índole; tenía la seguridad de venderlo un día a cualquier gran señor o al propio rey.

Porque el enano —nadie intentaba ponerlo en duda— era un ser intermedio entre el hombre y el animal doméstico. Animal, porque se le podía poner un collar y vestidos grotescos como a un perro amaestrado, y darle puntapiés en las nalgas; hombre, porque hablaba y se ofrecía voluntariamente, mediante salario y alimentación, a este papel degradante. Tenía que hacer payasadas, burlas, saltar, llorar o tontear como un niño, aunque sus cabellos fueran ya blancos. Su pequeñez hacía resaltar la grandeza de su dueño. Era dejado en herencia, como si fuera un bien de propiedad. Era el símbolo de la «sujeción», del individuo sometido a otro por naturaleza y, al parecer, creado expresamente para testimoniar que la especie humana estaba compuesta de razas diferentes, algunas de las cuales tenían poder absoluto sobre las otras.

La humillación tenía sus ventajas, ya que el más pequeño, el más débil, el más deforme, se encontraba entre los mejor alimentados y vestidos. A estos desgraciados se les permitía, e incluso se les ordenaba, decir a los personajes de la raza superior lo que no hubiera sido tolerado a ningún otro.

Las burlas, incluso los insultos, que todo hombre, hasta el más fiel, suele dirigir mentalmente al que lo manda, los profería el enano en nombre de todos y como por delegación.

Hay dos clases de enanos: los de nariz larga, cara triste y doble joroba, y los de cara grande, nariz corta y torso de gigante sobre minúsculos miembros. El enano de Felipe de Valois, Juan *el Loco*, pertenecía a esta segunda clase. Su cabeza llegaba a la altura de las mesas. Llevaba cascabeles en el gorro y en la espalda de su brillante traje de seda.

Este enano, con rodeos y risas burlonas, le dijo un día a Felipe:

—¿Sabes, señor, cómo te llama el pueblo? Te llama «el rey encontrado».

El viernes santo, 1 de abril de 1328, la señora Juana de Evreux, viuda de Carlos IV, había dado a luz. Pocas veces en la historia se observó con mayor atención el sexo de un hijo al salir del seno materno. Y cuando vieron que era una niña, todo el mundo comprendió que se había expresado la voluntad divina y experimentó por ello un gran alivio.

Los barones no tenían que rechazar la elección hecha el día de la Candelaria. En una reunión inmediata en la que sólo el representante de Inglaterra manifestó por principio su voto en contra, los barones confirmaron la corona a Felipe.

El pueblo suspiró. La maldición del gran maestre Jacobo de Molay parecía haberse acabado. La rama primogénita del linaje capetino desaparecía por tres retoños secos.

La falta de un hijo varón es considerada en todas las familias como una desgracia o, al menos, como signo de inferioridad. Con más razón en una casa real. Esta incapacidad de los hijos de Felipe el Hermoso para tener descendencia masculina se consideraba como la manifestación de un castigo: el árbol iba a arrancar de nuevo desde la raíz.

Los pueblos se ven arrebatados por fiebres repentinas, cuya causa habría que buscar en las conjunciones de los astros, ya que no tienen otra explicación: oleadas de histeria cruel, como la cruzada de los pastorcillos y la matanza de los leprosos, u oleadas de euforia delirante como la que siguió al advenimiento de Felipe de Valois.

El nuevo monarca era de buena talla y poseía la apostura que requieren los fundadores de dinastías. Su primogénito era un varón de nueve años, de apariencia robusta; tenía también una hija, y se sabía (no hay misterio en las cortes para estas cosas) que honraba casi todas las noches el lecho de su coja esposa con un ánimo que los años no disminuían.

Tenía una voz fuerte y sonora, y no era tartajoso como sus primos Luis el Obstinado y Carlos IV, ni era silencioso como Felipe el Hermoso o Felipe V. ¿Qué o quién podía oponérsele? ¿Quién estaba dispuesto a escuchar, en medio de la alegría que desplegaba Francia, la voz de algunos doctores en derecho pagados por Inglaterra para que formularan, sin convicción, ciertas objeciones?

Realmente, Felipe VI accedía el trono con el consentimiento unánime.

Sin embargo, no era rey más que por casualidad; sobrino y primo de rey como tantos otros; un hombre afortunado de la familia real; no un rey nacido de rey y para ser rey; ni un rey designado por Dios al nacer; ni un rey «recibido», sino un rey «encontrado» cuando había hecho falta uno.

Esta idea, surgida de la calle, no disminuía en modo alguno la confianza y el júbilo; era solamente una de esas expresiones de ironía con las que el pueblo gusta de matizar sus pasiones y que le dan la ilusión de familiaridad con el poder. Juan *el Loco*, cuando repitió esta palabra a Felipe, se ganó un puntapié, cuya dureza exageró él frotándose las nalgas entre agudos gritos; no obstante, acababa de pronunciar la palabra clave de un destino.

Porque Felipe de Valois, como todo advenedizo, intentó demostrar que era digno, por méritos propios, de la posición en que había sido colocado, y responder en todo a la idea que uno puede formarse de un rey.

Debido a que el rey tiene el ejercicio soberano de la justicia, ordenó que colgaran al tesorero del último reinado, Pedro Rémy, de quien se aseguraba que había negociado con el Tesoro. Un ministro de Finanzas en la horca es algo que siempre regocija al pueblo. Los franceses se felicitaron; tenían un rey justo.

El príncipe es, por deber y función, defensor de la fe. Felipe promulgó un edicto que endurecía las penas contra los blasfemos y aumentaba el poder de la Inquisición. De esta forma, el alto y bajo clero, la pequeña nobleza y los santurrones de parroquia se tranquilizaron: tenían un rey piadoso.

Un soberano ha de recompensar los servicios que le han prestado. ¡Y cuántos servicios había necesitado Felipe para asegurarse su elección! Un rey debe procurar igualmente no crearse enemigos entre los que se han mostrado, bajo los reinados anteriores, buenos servidores del interés público. Por lo tanto, además de mantener en sus cargos a casi todos los antiguos dignatarios y oficiales reales, creó nuevas funciones o duplicó las que ya existían para hacer sitio a los sostenedores del nuevo reinado y satisfacer las recomendaciones de los grandes electores. Y como la casa de Valois hacía ya gala de un boato real, aquel boato se superpuso al de la antigua dinastía, y todos se abalanzaron sobre los empleos y beneficios, ampliamente distribuidos. Tenían un rey generoso.

Aún más, un rey debe llevar la prosperidad a sus súbditos. Felipe VI se apresuró a rebajar, e incluso, en ciertos casos, a suprimir las tasas que Felipe IV y Felipe V habían puesto sobre los negocios, los mercados y las transacciones de los extranjeros, tasas de las que se decía que dificultaban las ferias y el comercio.

¡Ah, qué buen rey, que hacía desaparecer los enredos de los recaudadores de contribuciones! Los lombardos, prestamistas habituales de su padre, y a quienes él mismo debía una gran cantidad, lo bendecían. Nadie pensaba que la política fiscal de los anteriores reinados producía sus efectos a largo plazo y que si Francia era rica, si se vivía en ella mejor que en cualquier otra parte del mundo, si la gente vestía con buen paño y frecuentemente hasta con pieles, si había baños y estufas incluso en las aldeas, se debía a los últimos Felipes, que habían sabido mantener el orden en el reino, la unidad monetaria y la seguridad en el trabajo.

Un rey... un rey debe también ser prudente, el hombre más prudente de su pueblo. Felipe comenzó adoptando un tono sentencioso para enunciar con su hermosa voz grave principios en los que se reconocía ligeramente el estilo de su antiguo preceptor, el arzobispo Guillermo de Trye.

«Nosotros, que deseamos siempre mantener el derecho...», decía cada vez que no sabía qué partido tomar.

Y cuando adoptaba una decisión equivocada, cosa frecuente, y se veía obligado a prohibir lo ordenado la antevíspera, declaraba con igual aplomo: «Razonable cosa es cambiar de pensamiento», o bien «En todas las cosas vale más prevenir que ser prevenido». Pomposos enunciados de este rey que, en veintidós años de reinado, iba a ir de una sorpresa desagradable a otra más desagradable aún.

Nunca monarca alguno dijo tantas vulgaridades. Los demás creían que reflexionaba; lo cierto es que sólo pensaba en la frase que iba a pronunciar para darse aires de reflexivo. Su cabeza estaba tan vacía como una nuez seca.

No olvidemos que un rey, un verdadero rey, debe ser bravo, valiente y fastuoso. La verdad es que Felipe no tenía aptitud más que para las armas. No para la guerra, sino para las armas, las justas, los torneos. Como instructor de jóvenes caballeros hubiera hecho maravillas en la corte de un pequeño barón. Como soberano, su residencia se parecía a cualquier castillo de las novelas de la Tabla Redonda, muy leídas en aquella época, con las que había nutrido su imaginación. Se sucedían allí torneos, fiestas, banquetes, partidas de caza, diversiones y nuevos torneos con profusión de plumas en los yelmos y caballos más emperifollados que mujeres.

Felipe se ocupaba seriamente del reino una hora al día, después de una justa de la que llegaba sudoroso o de un banquete del que salía con la panza llena y la mente turbia. Su canciller, su tesorero, sus innumerables oficiales, tomaban las decisiones por él, o bien solicitaban la decisión de Roberto de Artois, que gobernaba más que el monarca.

No se presentaba dificultad sin que Felipe le pidiera consejo a Roberto, y todo el mundo obedecía al conde de Artois, sabiendo que todos sus decretos serían aprobados por el rey.

De esta manera llegó el día de la coronación, en la que el arzobispo Guillermo de Trye iba a colocar la corona en la cabeza de su antiguo alumno y cuyas fiestas, a finales de mayo, durarían cinco días.

Parecía que todo el reino se había reunido en Reims. Y no solamente el reino, sino parte de Europa, como el soberbio y arruinado rey Juan de Bohemia, el conde Guillermo de Hainaut, el marqués de Namur y el duque de Lorena. Cinco días de regocijo y comilonas; una profusión y un gasto desconocidos por los burgueses de Reims; ellos, que corrían con la cuenta de los festejos, y que habían puesto mala cara a los dispendios de las últimas consagraciones, esta vez proporcionaban el doble, el triple, con júbilo. Hacía cien años que no se bebía tanto en el reino de Francia: se servía a caballo en los patios y en las plazas.

La víspera de la coronación, el rey armó caballero a

Luis de Crécy, conde de Flandes y de Nevers, con la máxima pompa. Se había decidido que en la ceremonia el conde de Flandes sostendría la espada de Carlomagno y la entregaría al rey. Todo el mundo admiraba que el condestable hubiera consentido ceder esta función suya tradicional. Pero antes era preciso que el conde de Flandes fuera armado caballero, Felipe VI no podía mostrarle de manera más clara su amistad a su primo flamenco.

Ahora bien, al día siguiente, durante la ceremonia en la catedral, cuando Luis de Borbón, gran camarero de Francia, después de calzar al rey las botas flordelisadas, llamó al conde de Flandes para que presentara la espada, éste no hizo ningún movimiento.

Luis de Borbón repitió:

—¡Mi señor conde de Flandes! —Luis de Crécy permaneció inmóvil, en pie, de brazos cruzados—. Mi señor conde de Flandes —repitió el duque de Borbón—, si estás aquí, o hay alguna persona que os represente, venid a cumplir vuestro deber. Requerimos que os presentéis bajo pena de desacato.

Siguió un gran silencio, y en los rostros de los prelados, barones y dignatarios apareció una expresión de asombro y temor; el rey permaneció impasible, y Roberto de Artois tenía la cabeza levantada hacia la bóveda, como si le interesara el juego de colores que hacía el sol al atravesar las vidrieras.

Por fin el conde de Flandes se decidió a acercarse al rey, se detuvo delante de él, se inclinó y dijo:

—Señor, si me hubieran llamado conde de Nevers o señor de Crécy me habría presentado enseguida.

—¿Por qué, mi señor? —dijo Felipe VI—. ¿No sois conde de Flandes?

—Señor, tengo el título, pero no sus beneficios.

Felipe VI adoptó entonces su mejor aire real, hinchó el pecho, mantuvo vaga la mirada, apuntó su larga nariz hacia el interlocutor, y dijo con calma:

—¿Qué me decís, primo?

—Señor —prosiguió Luis de Nevers—, la gente de Brujas, de Ypres, de Poperingue y de Cassel me ha echado de mi feudo, y no me consideran ni su conde ni su señor; el país está en tan clara rebeldía que apenas puedo llegar furtivamente a Gante.

Entonces Felipe de Valois colocó su larga mano sobre el brazo del trono, gesto que había visto hacer con frecuencia a Felipe el Hermoso y que imitaba inconscientemente, ya que para él su tío había sido la verdadera encarnación de la majestad.

—Luis, mi buen primo —declaró firme y pausadamente—, os consideramos conde de Flandes, y por la santa unión y coronación que hoy recibimos os prometemos que no tendremos paz ni reposo hasta que recuperéis vuestro condado.

Luis de Nevers se arrodilló y dijo:

—Gracias, señor.

La ceremonia continuó.

Roberto de Artois guiñó un ojo a sus vecinos, quienes comprendieron que aquel escándalo estaba preparado. Felipe VI cumplía las promesas hechas por Roberto para asegurar su elección. Felipe de Evreux aparecía ese mismo día con el manto de rey de Navarra.

Inmediatamente después de la ceremonia, el rey reunió a los pares y grandes barones, a los príncipes de su familia, a los señores de más allá del reino que habían llegado para asistir a su consagración, y como si el asunto no admitiese espera, deliberó con ellos sobre el momento de atacar a los rebeldes de Flandes. El deber de un rey valiente es defender los derechos de sus vasallos. Algunos espíritus prudentes, considerando que la primavera estaba ya muy avanzada y que se corría el riesgo de finalizar los preparativos en la mala estación —aún se acordaban del «ejército embarrado» de Luis el Obstinado—, aconsejaron postergar un año la expedición. El viejo condestable Gaucher los avergonzó, exclamando en alta voz:

—¡Quien tiene corazón para la batalla siempre encuentra apropiado el tiempo! —A sus setenta y ocho años sentía cierta prisa en dirigir su última campaña—. Así aprenderá el inglés, que es el instigador de esta rebelión —añadió con una especie de gruñido.

¿No se leían en los libros de caballerías las hazañas de héroes de ochenta años, capaces de derribar al enemigo en la batalla y de hundirle el yelmo en el cráneo? ¿Iban los barones a mostrar menos valentía que aquel viejo veterano impaciente por partir a la guerra con su sexto rey?

Felipe de Valois se levantó y exclamó:

—¡Quien bien me quiera me seguirá!

Con el impulso general de entusiasmo que suscitaron estas palabras, se decidió reunir el ejército para finales de julio, y en Arras, como por casualidad. Roberto podría aprovechar la ocasión para remover un poco el condado de su tía Mahaut.

Así pues, a comienzos de octubre entraron en Flandes con el ejército.

Un burgués llamado Zannequin mandaba los quince mil hombres de las milicias de Furnes, de Dixmude, de Poperingue y de Cassel. Zannequin, para mostrar que conocía las costumbres, envió al rey de Francia un mensaje en el que le solicitaba día de batalla.

Felipe despreció a este campesino que adoptaba aires de príncipe, e hizo responder a los flamencos que, como eran gente sin jefe, tendrían que defenderse del modo que pudieran. Luego envió a sus dos mariscales, Mateo de Trye y Roberto Bertrand, *el Caballero del Verde León*, a incendiar los alrededores de Brujas.

Cuando regresaron, los mariscales fueron recibidos con grandes felicitaciones; todos se regocijaban de ver a lo lejos las pobres casas en llamas. Los caballeros, desarmados, vestidos con lujo, se visitaban de una tienda a otra, comían bajo pabellones de seda bordada y jugaban al ajedrez con sus familiares. El campamento francés se asemeja al del rey Arturo de los libros ilustrados, y los barones se tenían por Lanzarote, Héctor y Galahad.

Ocurrió que el valiente rey, que prefería prevenir a ser prevenido, se encontraba comiendo alegremente en compañía cuando los quince mil hombres de Flandes invadieron su campamento. Llevaban estandartes en los que se había pintado un gallo con la siguiente leyenda: «El rey encontrado entrará aquí el día en que este gallo cante.»

En un momento arrasaron la mitad del campamento, cortaron las cuerdas de los pabellones, derribaron los tableros de ajedrez y las mesas de los banquetes y mataron a gran número de señores.

Las tropas de la infantería francesa se dieron a la fuga; su asombro las hizo retroceder sin parar hasta Saint-Omer, a cuarenta leguas.

El rey no tuvo tiempo más que para ponerse una cota con las armas de Francia, cubrirse la cabeza con un bacinete de cuero blanco y montar a caballo para reunir a sus héroes. Ambos adversarios habían cometido una grave falta por vanidad. Los caballeros franceses habían despreciado a los comuneros de Flandes; pero éstos, para demostrar que eran tan guerreros como los señores, se habían equipado con armaduras, ¡pero avanzaban a pie!

El conde de Hainaut y su hermano Juan, cuyos acantonamientos se encontraban un poco apartados, fueron los primeros en atacar de flanco a los flamencos y desorganizar su ataque. Los caballeros franceses, agrupados por el rey, pudieron entonces lanzarse sobre la infantería flamenca, entorpecida bajo el peso de su ostentoso equipo, y derribarla, pisotearla y hacer en ella una carnicería. Los Lanzarotes y Galahads se contentaban con dar tajos y acogotar al adversario, dejando a sus criados de armas que terminaran a cuchillo con los vencidos. Quien intentaba huir era derribado por la carga de un caballo; quien ofrecía rendirse era degollado al instante. En el terreno quedaron trece mil flamencos formando un fabuloso montón de hierro y cadáveres; no se podía tocar nada, hierba, arneses, hombre o animal, que no estuviera pringoso de sangre.

La batalla del monte Cassel, comenzada en derrota, acabó en completa victoria para Francia. Se hablaba ya de ella como de un nuevo Bouvines.

Ahora bien, el verdadero vencedor no era el rey, ni siquiera el viejo condestable Gaucher, ni Roberto de Artois, por más valor que desplegaron lanzándose como una avalancha sobre las filas adversarias. Quien salvó la situación fue el conde Guillermo de Hainaut. Sin embargo, Felipe VI se llevó la gloria.

Un rey tan poderoso como Felipe no podía tolerar ninguna falta de sus vasallos. Requirió, pues, al rey inglés, duque de Guyena, que se apresurara a rendirle homenaje.

No hay derrotas saludables, pero hay victorias desgraciadas. Pocas jornadas iban a costar tan caras a Francia como la de Cassel, ya que sentó varios principios falsos: en primer lugar, que el nuevo rey era invencible, y luego, que la gente de a pie no valía nada en la guerra. Crécy, veinte años después, sería la consecuencia de esta ilusión.

Mientras tanto, todo el que tenía pendón, todo el que llevaba lanza, incluso el más humilde escudero, miraba con compasión, desde lo alto de su silla de montar, a las especies inferiores que marchaban a pie.

Aquel otoño, hacia mediados de octubre, la señora Clemencia de Hungría, desafortunada reina que había sido la segunda esposa de Luis el Obstinado, murió a los treinta y cinco años en su residencia, el antiguo caserón del Temple. Dejó tantas deudas que una semana después de su muerte, todo cuanto poseía, anillos, coronas, muebles, ropa blanca, orfebrería y hasta los utensilios de cocina, fue subastado a petición de los prestamistas italianos, los Bardi y los Tolomei.

El viejo Spinello Tolomei, arrastrando una pierna y con un ojo abierto y otro cerrado, asistió a esta subasta, en la que seis tasadores orfebres, por encargo del rey, hicieron las evaluaciones. Y quedó repartido todo lo que había recibido la reina Clemencia en un año de precaria felicidad.

Durante cuatro días se oyó gritar a los tasadores Simón de Clokettes, Juan Pascon, Pedro de Besançon y Juan de Lille:

—Un sombrero de oro[1] con cuatro grandes rubíes, cuatro grandes esmeraldas, dieciséis esmeraldas pequeñas y ocho rubíes de Alejandría, tasado en seiscientas libras. ¡Vendido al rey!

—Un anillo con cuatro zafiros, tres de ellos cuadrados, y un cabujón, tasado en cuarenta libras. ¡Vendido al rey!

—Un anillo con seis rubíes de Oriente, tres esmeraldas cuadradas y tres diamantes de esmeralda, tasado en doscientas libras. ¡Vendido al rey!

—Una escudilla de plata sobredorada, veinticinco jarros, dos bandejas y una fuente, tasados en doscientas libras. ¡Vendidos a mi señor de Artois, conde de Beaumont!

—Doce jarros de plata sobredorada esmaltados con las armas de Francia y de Hungría, y un gran salero igualmente de plata sobredorada sostenido por cuatro monitos. Todo por cuatrocientas quince libras. ¡Vendido a mi señor de Artois, conde de Beaumont!

—Una bolsita bordada en oro, recamada de perlas, en la que se guarda un zafiro de Oriente. Valorada en dieciséis libras. ¡Vendida al rey!

Y la subasta proseguía.

La compañía de los Bardi compró la pieza más cara: una sortija con el rubí más grande que poseía Clemencia de Hungría, valorado en mil libras. No tuvieron que pagarla, ya que la adquirieron a cuenta de lo que Clemencia les debía. Estaban seguros de poderla vender de nuevo al Papa, quien, después de haber sido deudor de ellos durante largo tiempo, poseía ahora una fabulosa riqueza.

Roberto de Artois, como para demostrar que los jarros y otros objetos para beber no eran su única preocupación, adquirió una Biblia en francés por treinta libras.

Los ornamentos de capilla, túnicas y dalmáticas fueron comprados por el obispo de Chartres.

Un orfebre, Guillermo le Flament, compró los cubiertos de oro de la difunta reina.

Por los caballos se obtuvieron seiscientas noventa y dos libras. El carruaje de la señora Clemencia y el de las damas de compañía fueron vendidos también en pública subasta.

Y cuando todo fue sacado del Temple, la gente tuvo la sensación de que se cerraba una casa maldita.

Aquel año parecía verdaderamente que el pasado se extinguía, para dejar paso al nuevo reinado. El obispo de Arras, Thierry de Hirson, canciller de la condesa Mahaut, murió el mes de noviembre. Durante treinta años había sido el consejero de la condesa, un poco su amante, y su servidor en todas las intrigas. Mahaut se quedaba sola. Roberto de Artois hizo nombrar obispo de Arras a Pedro Roger, eclesiástico del partido Valois.[2]

Todo era desfavorable para Mahaut, todo era propicio para Roberto, cuyo crédito no dejaba de aumentar y que ascendía a los supremos honores.

En enero de 1329, Felipe VI concedió la categoría de par al condado de Beaumont-le-Roger; Roberto pasaba a ser par del reino.

Como el rey de Inglaterra tardaba en ir a prestar homenaje, se decidió ocupar de nuevo el ducado de la Guyena. Sin embargo, antes de cumplir la amenaza, Roberto de Artois fue enviado a Aviñón con el fin de obtener la intercesión del papa Juan XXII.

A orillas del Ródano, Roberto pasó dos semanas de ensueño. Porque Aviñón, lugar adonde afluía todo el oro de la cristiandad, se había convertido, para los amantes de la buena mesa, del juego y de las bellas cortesanas, en una ciudad en continua fiesta bajo el gobierno de un Papa octogenario y asceta concentrado en los problemas de la administración financiera, la política y la teología.

El Santo Padre concedió varias audiencias al nuevo par de Francia; se dio un banquete en su honor en el castillo pontificio y Roberto conversó doctamente con muchos cardenales. Pero, fiel a los gustos de su tumultuosa juventud, se relacionó también con gente dudosa. Dondequiera que estuviera, Roberto atraía a la muchacha ligera, al joven depravado, al fugitivo de la justicia. Aunque en la ciudad no hubiera más que un solo alcahuete, lo descubría al cuarto de hora. El monje expulsado de su orden por algún escándalo, el clérigo acusado de latrocinio o de jurar en falso esperaban en su antecámara en demanda de apoyo. En las calles era saludado con frecuencia por personas de mal aspecto, de las que intentaba vanamente recordar en qué burdel de qué ciudad las había conocido. Inspiraba confianza a los truhanes, y el hecho de que se hubiera convertido en el segundo príncipe del reino no disminuía en absoluto esa confianza.

Su viejo criado, Lormet, de demasiados años ahora para emprender largos viajes, no lo acompañaba. Un buen mozo más joven pero formado en la misma escuela, llamado Gillet de Nelle, se encargaba de las mismas tareas. Gillet llevó ante Roberto a un tal Maciot *el Alemán*, originario de Arras, sargento de armas sin empleo y dispuesto a todo. Este Maciot había tratado mucho al obispo Thierry de Hirson. En sus últimos años, el obispo Thierry había tenido una amiga, una tal Juana de Divion, veinte años más joven que él, la cual, desde la muerte del obispo, se quejaba de las molestias que le causaba la condesa Mahaut. Si el conde quería escuchar a esa dama...

Roberto de Artois comprobó, una vez más, que se aprende mucho de las personas de mala reputación. Desde luego, no eran las manos del sargento Maciot las más seguras para que se les confiara una bolsa; pero el hombre sabía cosas muy interesantes. Con un traje nuevo y cabalgando un buen caballo lo envió hacia el norte.

Cuando regresó a París en el mes de marzo, Roberto se frotaba las manos y afirmaba que algo nuevo iba a ocurrir en el Artois. Hablaba de actas reales robadas en otro tiempo por el obispo Thierry, por encargo de Mahaut. Una mujer encapuchada entró varias veces en el gabinete de Roberto y mantuvo con éste largas conversaciones secretas. Cada semana estaba más confiado, más alegre y anunciaba con mayor certeza la confusión de sus enemigos.

En el mes de abril, la corte de Inglaterra, cediendo a las recomendaciones del Papa, envió de nuevo a París al obispo Orleton con un séquito de setenta y dos personas, señores, prelados, doctores, empleados y criados, para negociar la fórmula de homenaje. Se disponían a estipular un verdadero tratado.

Los asuntos de Inglaterra no estaban en su mejor momento. Lord Mortimer no había aumentado su prestigio al hacerse conferir la calidad de par y obligado al Parlamento a reunirse bajo la amenaza de las tropas. Tuvo que reprimir una revuelta armada de los barones agrupados alrededor de Enrique de Lancaster, *Cuello Torcido*, y tenía grandes dificultades para gobernar.

A comienzos de mayo murió el valiente Gaucher de Châtillon, cuando acababa de cumplir ochenta años. Había nacido durante el reinado de san Luis y ejercido durante veintisiete años el cargo de condestable. Su ruda voz había cambiado con frecuencia el curso de una batalla y se había impuesto en los consejos reales.

El 26 de mayo, el joven rey Eduardo III, después de pedir un préstamo de cinco mil libras a los banqueros lombardos para cubrir los gastos de viaje, al igual que había hecho en otro tiempo su padre, se embarcó en Douvres con el fin de rendir homenaje a su primo de Francia.

No lo acompañaron ni su madre, ni lord Mortimer, ya que temían que, en su ausencia, el poder pasara a otras manos. Un soberano de dieciséis años, confiado a la vigilancia de dos obispos, iba a hacer frente a la más impresionante corte del mundo.

Porque Inglaterra estaba débil y dividida, y Francia lo era todo. No había nación más poderosa en el universo cristiano. Aquel reino próspero, abundante en hombres, rico en industria, colmado por la agricultura, dirigido por una administración todavía competente y por una nobleza activa aún, parecía el más envidiable, y el rey encontrado que lo gobernaba desde hacía un año, obteniendo éxito tras éxito, era el más envidiado de todos los reyes de la Tierra.

NOTAS

1. Término con que solía designarse en la Edad Media a las coronas.

2. Pedro Roger, abad de Fécamp, formó parte de la embajada encargada de las negociaciones entre la corte de París y la de Londres, antes del homenaje de Amiens. Fue nombrado obispo de Arras el 3 de diciembre de 1328 para sustituir a Thierry de Hirson; luego fue, sucesivamente, arzobispo de Sens, arzobispo de Ruan y, finalmente, Papa, en 1342, a la muerte de Benedicto XII, con el nombre de Clemente VI.

5

El gigante ante los espejos

Deseaba mostrarse tanto como verse. Deseaba que su esposa, la condesa, y sus tres hijos, Juan, Jacobo y Roberto —de los cuales el primogénito de ocho años prometía llegar a ser un hombre fuerte—, sus escuderos, los criados de su casa y la servidumbre que había llevado con él desde París pudieran contemplarlo en todo su esplendor; deseaba también poder admirarse a sí mismo.

Para ello había solicitado todos los espejos que se hallaban en el equipaje de su escolta: espejos de plata pulida, redondos como platos; espejos de mano; espejos de vidrio sobre hojas de estaño, cortados en forma octogonal con marco de plata dorada. Los había hecho colgar uno junto a otro en la tapicería de la habitación que ocupaba.[1] ¡Buena cara iba a poner el obispo de Amiens cuando viera su hermoso tapiz de figuras claveteado para colgar los espejos! ¡Pero qué importaba! Un príncipe de Francia podía permitirse este lujo. Roberto de Artois, señor de Conches y conde de Beaumont-le-Roger, deseaba contemplarse con su traje de par, que llevaba por vez primera.

Giraba, se daba la vuelta, avanzaba dos pasos, retrocedía, pero no lograba captar su propia imagen más que a trozos, como fragmentos de una vidriera: a la izquierda, la guarnición de oro de la larga espada y, un poco más arriba, a la derecha, un fragmento del pecho en el que, sobre la cota de seda, estaban bordadas sus armas; allí el hombro del que pendía enganchado por un resplandeciente broche, el gran manto de par, y cerca del suelo las franjas de la larga túnica arremangada por las espuelas de oro; luego, en la cabeza, la corona de par, monumental, con ocho florones iguales, en la que había hecho engastar todos los rubíes adquiridos en la subasta de los bienes de la difunta reina Clemencia.

—Bien, estoy dignamente vestido —dijo—. Hubiera sido una verdadera lástima que no fuera par, ya que este traje me sienta bien.

La condesa de Beaumont, vestida también de gala, parecía compartir sólo a medias la orgullosa alegría de su esposo.

—¿Estáis bien seguro, Roberto, de que esa dama llegará a tiempo? —preguntó preocupada.

—Seguro —respondió—. Y si no llega hoy temprano, no por eso dejaré de plantear mi demanda y presentaré las pruebas mañana.

La única incomodidad que le causaba a Roberto su hermoso traje era tenerlo que llevar con el calor de un verano precoz. Sudaba bajo el arnés de oro, los terciopelos y las gruesas sedas y, aunque se había bañado aquella mañana, comenzaba a esparcirse a su alrededor un fuerte olor de fiera.

Por la ventana, abierta a un cielo de resplandeciente luminosidad, llegaba el toque de las campanas de la catedral, que dominaba el ruido producido por el paso de cinco reyes con su respectivo séquito.

Efectivamente, aquel 6 de junio de 1329 se habían reunido en Amiens cinco reyes. Ningún canciller recordaba una reunión de monarcas tan numerosa. Para recibir el homenaje de su joven primo de Inglaterra, Felipe VI había invitado a sus parientes o aliados, los reyes de Bohemia, de Navarra y de Mallorca, así como al conde de Hainaut, al duque de Atenas y a todos los pares, duques, condes, obispos, barones y mariscales.

Seis mil caballos por la parte francesa y seiscientos

por la inglesa. ¡Ah, Carlos de Valois no hubiera desaprobado a su hijo ni a su yerno Roberto de Artois si hubiera visto semejante asamblea!

El nuevo condestable, Raúl de Brienne, inició sus funciones con el encargo de organizar el alojamiento de los huéspedes. Lo hizo espléndidamente, pero adelgazó dos kilos.

El rey de Francia ocupaba con su familia el Palacio Episcopal, una de cuyas alas estaba reservada a Roberto de Artois.

El rey de Inglaterra estaba instalado en la Malmaison,[2] y los otros reyes en casas burguesas. Los servidores dormían en los pasillos, los escuderos acampaban en los aledaños de la ciudad con los caballos y los carros de equipajes.

Una gran multitud había llegado de la provincia, de los condados vecinos e incluso de París. Los mirones pasaban la noche bajo los pórticos.

Mientras los cancilleres de los dos reinos discutían una vez más los términos del homenaje y comprobaban que, después de tantas palabras, no habían llegado a nada concreto, desde hacía seis días toda la nobleza de Occidente se divertía en justas y torneos, con juegos de manos y bailes, y se daba opíparos banquetes servidos en los jardines de los palacios, que comenzaban a pleno sol y acababan bajo la luz de las estrellas.

De las huertas de Amiens, llegaban, en barcazas empujadas con pértigas por los estrechos canales, montones de lirios, ranúnculos, jacintos y azucenas que se descargaban en los muelles del mercado y se repartían después por las calles, los patios y las salas por donde tenían que pasar los reyes.[3] La ciudad estaba saturada del perfume de todas esas flores aplastadas, del polen que se pegaba a las suelas y que se mezclaba con el fuerte olor de los caballos y de la multitud.

¡Vino, carne, harina, especias! Rebaños de bueyes,

carneros y cerdos iban hacia los mataderos, que funcionaban permanentemente; las carretas llevaban a las cocinas de los palacios, en incesante tráfago, gamos, ciervos, jabalíes, corzos, liebres, esturiones, salmones, róbalos, largos lucios, bremas, percas, cangrejos, los más finos capones, los más gordos gansos, faisanes de vivos colores, cisnes, blancas garzas y pavos reales de vistoso plumaje. Y los toneles estaban abiertos en todas partes.

Cualquiera que llevara la librea de un señor, aunque fuera el último lacayo, se daba importancia. Las jóvenes estaban como enloquecidas. Los mercaderes italianos habían llegado de todas partes para asistir a esta fabulosa feria que organizaba el rey. Las fachadas de las casas de Amiens desaparecían bajo las sedas, los brocados, los tapices colgados de las ventanas como adorno.

Había repique de campanas, charanga y gritos en exceso; demasiados palafrenes y perros; demasiada comida y bebida; demasiados príncipes, ladrones y prostitutas; demasiado lujo y oro; demasiados reyes; era mareante.

El reino se embriagaba al contemplarse en pleno poder, al igual que le ocurría a Roberto de Artois ante sus espejos.

Su viejo criado Lormet, con traje nuevo también, gruñón por tanta fiesta, o porque Gillet de Nelle iba adquiriendo demasiada importancia en la casa y porque no dejaba de ver caras nuevas alrededor de su dueño, se acercó a Roberto y le dijo en voz baja:

—Aquí está la dama que esperáis.

El gigante dio media vuelta.

—Hazla pasar —respondió.

Guiñó el ojo a su mujer la condesa, y luego, con grandes gestos, empujó a los criados hacia la puerta gritando:

—Salid todos, formad el cortejo en el patio.

Permaneció solo un momento delante de la ventana, contemplando a la multitud que se apiñaba en torno a la catedral para admirar la entrada de los grandes personajes, contenida con dificultad por un cordón de arqueros. Las campanas continuaban repicando; el aroma de los barquillos calientes ascendía del canasto de un vendedor ambulante; las calles de alrededor estaban atestadas de gente, y apenas se veía espejear el canal del Hocquet, dada la cantidad de barcas que había en él.

Roberto de Artois se sentía exultante, y aún lo estaría más cuando dentro de poco avanzara hacia su primo Felipe en la catedral y pronunciara ciertas palabras que iban a hacer temblar de sorpresa a la asamblea de reyes, duques y barones. No todos volverían tan alegres como habían ido. Empezando por su querida tía Mahaut y por el duque borgoñón.

¡Iba a estrenar bien su traje de par! Más de veinte años de obstinada lucha recibirían ese día su recompensa. Sin embargo, a pesar de la ufana alegría que experimentaba, sentía una inquietud, un pesar. ¿De dónde podía provenir ese sentimiento, ahora que todo le sonreía, que todo se ajustaba a sus deseos? De pronto lo comprendió: el perfume de los barquillos. Un par de Francia, que va a reclamar el condado de sus padres, no puede bajar a la calle con corona de ocho florones para comerse un barquillo. Un par de Francia no puede bribonear, mezclarse con la multitud, pellizcar el seno de las muchachas e ir por la noche a juerguear con cuatro rameras, como hacía cuando era pobre y tenía veinte años. Esta nostalgia lo serenó: «¡Bien —pensó—, la sangre todavía me hierve!»

La visitante permanecía cerca de la puerta, intimidada, sin atreverse a turbar las meditaciones de un señor que llevaba una corona tan grande.

Era una mujer de unos treinta y cinco años, de rostro triangular y pómulos salientes. Sobre sus cabellos trenzados llevaba doblada la caperuza de una capa de viaje, y la respiración le levantaba el pecho, redondo y lleno, bajo el griñón de lino blanco.

«¡Caray. No se aburría el muy bribón del obispo!», pensó Roberto al verla.

Ella dobló la rodilla en un gesto de reverencia. Él tendió su gran mano enguantada y cargada de rubíes.

—Dádmelas —dijo.

—No las tengo, mi señor —respondió la mujer.

—¿Cómo, no las tenéis? —exclamó—. Me habíais asegurado que las traeríais hoy.

—Vengo del castillo de Hirson, mi señor, adonde llegué ayer en compañía del sargento Maciot. Fuimos a abrir con la llave falsa el cofre de hierro empotrado en la pared.

—¿Y qué?

—Ya lo habían abierto. Lo encontramos vacío.

—¡Muy bien, buena noticia! —exclamó Roberto, cuyas mejillas palidecieron un poco—. Hace un mes que me estáis haciendo perder el tiempo: «Mi señor, puedo entregaros las actas que os darán posesión de vuestro condado. Sé dónde se encuentran. Dadme una tierra y rentas, y os las traeré la próxima semana...» Pasa una semana y otra... «La familia de Hirson se halla en el castillo; no puedo presentarme mientras están allí...» «Ahora he ido, mi señor, pero mi llave no valía. Tened un poco de paciencia...» Y llega el día en que he de mostrar los dos documentos al rey...

—Los tres, mi señor: el contrato de matrimonio del conde Felipe, vuestro padre; la carta del conde Roberto, vuestro abuelo, y la de monseñor Thierry...

—¡Mejor aún! ¡Los tres! Y venís para decirme estúpidamente: «No los tengo, el cofre estaba vacío.» ¿Pensáis que voy a creeros?

—Preguntad al sargento Maciot, que me acompañaba. ¿No veis, mi señor, que a mí me han agraviado aún más que a vos?

Roberto de Artois le dirigió una maligna mirada de sospecha. Cambió de tono y preguntó:

—Decidme, Divion, ¿no queréis engañarme? ¿Intentáis sonsacarme, o me habéis traicionado a favor de Mahaut?

—¡Mi señor! ¡No penséis eso! —exclamó la mujer con lágrimas en los ojos—. ¡Todas las penas y privaciones que sufro se deben a la condesa Mahaut, que me ha robado todo cuanto mi querido Thierry me dejó en su testamento. A la señora Mahaut le deseo todo el mal que podáis hacerle. Pensad, mi señor: durante doce años he sido buena amiga de Thierry, por lo cual mucha gente me señala con el dedo. Sin embargo, un obispo es un hombre igual a los demás; pero la gente es mala...

Divion comenzaba de nuevo su historia, que Roberto había escuchado por lo menos tres veces. Hablaba deprisa; su mirada parecía retraerse, como les ocurre a quienes rumian sin cesar sus propios problemas y no están atentos más que a sí mismos.

Desde luego, no podía esperar nada de su marido, de quien se había separado para vivir en la casa del obispo Thierry. Reconocía que su marido se había mostrado más bien complaciente, tal vez porque había dejado pronto de ser un hombre... Mi señor comprendía lo que ella quería decir. Para ponerla a cubierto de cualquier necesidad, en agradecimiento a los buenos años que le había hecho pasar, el obispo Thierry le había dejado en su testamento varias casas, una suma en oro y rentas. Pero Thierry desconfiaba de la señora Mahaut, a quien se vio obligado a nombrar albacea testamentaria.

—Siempre me ha mirado con malos ojos debido a que yo era más joven que ella y a que en otro tiempo Thierry tuvo que pasar por el lecho de la condesa, según me confió él mismo. Él sabía que Mahaut me jugaría una mala pasada cuando él muriera, y que todos los Hirson, que están contra mí, empezando por Beatriz, la peor de todos, que es dama de compañía de la condesa, se las arreglarían para echarme de la casa y privarme de todo...

Roberto ya no escuchaba la inagotable charla. Había colocado sobre un cofre la pesada corona y reflexionaba frotándose los cabellos. Su bella maquinación se derrumbaba. «Enséñame la menor prueba, hermano, y autorizaré de inmediato la apelación de los juicios de 1309 y 1318 —le había dicho Felipe VI—. Comprende que no puedo hacer otra cosa, por mucha voluntad que tenga en servirte, sin retractarme delante de Eudes de Borgoña con las consecuencias que puedes adivinar.» Ahora bien, no se trataba de una prueba menor, sino de pruebas concluyentes, las propias actas que había hecho desaparecer Mahaut para heredar el Artois y que él se había vanagloriado de que presentaría.

—Y dentro de unos minutos he de estar en la catedral, para el homenaje —dijo Roberto.

—¿Qué homenaje? —preguntó Divion.

—¡El del rey de Inglaterra!

—¡Ah! Por eso hay tantos empujones en la ciudad que apenas se puede andar.

Aquella tonta, obsesionada con sus pequeños dramas personales, no veía nada, no se enteraba ni se informaba de nada.

Roberto se preguntó si no había obrado ligeramente al conceder crédito a las palabras de aquella mujer, y si los documentos, el cofre de Hesdin y la confesión del obispo eran algo más que pura imaginación. ¿Y estaba engañado también Maciot *el Alemán* o compinchado con ella?

—¡Decid la verdad, mujer! ¡Jamás habéis visto esas cartas!

—¡Sí, mi señor! —exclamó la Divion, apretándose con ambas manos los prominentes pómulos—. Fue en el castillo de Hirson, el día en que Thierry se sintió enfermo, antes de hacerse llevar a su casa de Arras. «Mi Juana, quiero prevenirte contra Mahaut, al igual que me previne yo mismo —me dijo—. Mahaut cree que fueron quemadas las cartas que hizo sacar de los registros para robar a mi señor Roberto. Pero las únicas quemadas fueron las de los registros de París. Las copias guardadas en los registros del Artois... —son las propias palabras de Thierry, mi señor—, le aseguré que las había hecho cenizas, pero las tengo aquí, y les he añadido una carta mía.» Y Thierry me llevó al cofre escondido en un hueco de la pared de su gabinete, y me hizo leer las hojas cargadas de sellos; mis ojos no daban crédito a tanta villanía. Había también ochocientas libras de oro en el cofre. Y me entregó la llave por si a él le ocurría alguna desgracia...

—Y cuando fuisteis por primera vez a Hirson...

—Confundí la llave por otra; estoy segura de que la he perdido. Verdaderamente, la calamidad se ceba en mí. Cuando todo empieza a ir mal...

¡Y se enredaba, encima! Debía de decir la verdad. No se inventa de manera tan torpe cuando se quiere engañar a alguien. Roberto la hubiera estrangulado de buena gana si eso hubiera servido para algo.

—Mi visita debió de dar la alarma —agregó ella—; han descubierto el cofre y han forzado los cerrojos. Seguro que ha sido Beatriz... —Se entreabrió la puerta y Lormet asomó la cabeza. Roberto lo despidió con un gesto de la mano—. Pero, al fin y al cabo, mi señor —continuó Juana de Divion, como si intentara enmendar su falta—, esas cartas se podrían volver a escribir fácilmente. ¿No creéis?

—¿Reescribirlas?

—¡Claro, ya que se conoce su contenido! Yo lo sé bien y puedo repetir, casi palabra por palabra, la carta de Thierry.

Con mirada ausente y el índice extendido como para puntuar las frases, comenzó a recitar:

—«Me siento grandemente culpable de haber hecho tanto para ocultar que los derechos del condado de Artois pertenecen a mi señor Roberto, debido a los tratos hechos en el matrimonio de mi señor Felipe de Artois con la señora Blanca de Bretaña, tratos establecidos en un par de cartas selladas, de las que tengo una, pues la otra fuera retirada de los registros de la corte por uno de nuestros grandes señores... Y siempre he deseado que, después de la muerte de la señora condesa, bajo cuyas órdenes he actuado para complacerla, en caso de que Dios la llame antes que a mí, sea devuelto a mi señor Roberto lo que yo guardo...»

La Divion perdía la llave, pero podía acordarse de un texto que había leído una sola vez. ¡Hay cerebros así! Proponía a Roberto, como la cosa más natural del mundo, hacer una falsificación. Estaba claro que no tenía sentido del bien ni del mal, que no establecía ninguna distinción entre lo moral y lo inmoral, entre lo autorizado y lo prohibido. Consideraba moral lo que le convenía. En sus cuarenta y dos años de vida, Roberto había cometido casi todos los pecados posibles: había matado, mentido, denunciado, saqueado, violado; pero nunca había sido falsificador.

—El antiguo baile de Béthune, Guillermo de la Planche, debe de acordarse y podría ayudarnos, ya que en aquel tiempo era empleado en casa de mi señor Thierry.

—¿Dónde está ese antiguo baile? —preguntó Roberto.

—En prisión.

Roberto se encogió de hombros. ¡De mal en peor! Había cometido un error al apresurarse. Debería haber esperado a tener los documentos y no contentarse con promesas. Pero, al mismo tiempo, se presentaba la ocasión del homenaje que el propio rey le había aconsejado que aprovechara.

El viejo Lormet asomó de nuevo la cabeza por la puerta entreabierta.

—Sí, ya lo sé, ya voy —le gritó Roberto con impaciencia—. Sólo tengo que atravesar la plaza.

—Es que el rey se apresta a bajar —contestó Lormet en tono de reproche.

—Bien, ya voy.

El rey, después de todo, no era más que su cuñado, y monarca porque Roberto había hecho lo necesario. ¡Y qué calor! Sentía correr el sudor bajo su manto de par.

Se acercó a la ventana y miró la catedral, con sus dos desiguales torres labradas. El sol daba de lado en el gran rosetón. Las campanas seguían tañendo y tapaban el rumor de la multitud.

El duque de Bretaña, seguido de su escolta, subía los escalones del pórtico central.

Luego, a veinte pasos de distancia, avanzaba cojeando el duque de Borbón, seguido de dos escuderos que sostenían la cola de su manto.

Después venía el cortejo de Mahaut de Artois. ¡Podía pisar firme ese día la señora Mahaut! Era más alta que la mayoría de los hombres, tenía la cara enrojecida, y saludaba al pueblo con breves inclinaciones de cabeza, con gesto imperial. ¡Ella era la ladrona, la embustera, la envenenadora de reyes, la criminal que sustraía de los registros reales las actas selladas! Tan cerca como estaba de confundirla, de alcanzar finalmente sobre ella la victoria por la que había bregado durante veinte años... Sin embargo, Roberto se veía obligado a renunciar... ¿Y por qué? Por una llave extraviada por la concubina de un obispo.

¿Es que no hay que usar con los malos sus mismas maldades? ¿Por qué mostrarse tan considerado en la elección de los medios cuando se trata de hacer triunfar el justo derecho?

Pensándolo bien, si Mahaut ya estaba en posesión de las actas reencontradas en el cofre forzado del castillo de Hirson —y suponiendo que no las hubiera destruido inmediatamente, como todo indicaba—, se vería obligada a no hacer jamás alusión a su existencia, ya que esas actas eran la prueba de su culpabilidad. Mahaut quedaría confundida si se le presentaban cartas iguales a los documentos desaparecidos. Era una lástima que no dispusiera de un día para reflexionar e informarse mejor... Tenía que tomar una decisión antes de una hora, y por sí solo.

—Os volveré a ver —le dijo a la mujer.

De todas formas, falsificando documentos se corría un gran riesgo...

Tomó la monumental corona, se la ciñó, lanzó una mirada a los espejos, que le devolvieron su imagen dividida en treinta trozos, y partió hacia la catedral.

NOTAS

1. Antes del siglo XVI no existían los espejos grandes para mirarse el busto o de cuerpo entero; no había más que espejos de pequeñas dimensiones que se colgaban o se colocaban sobre los muebles, o simplemente espejos de bolsillo. Eran de metal pulido, como los de la Antigüedad, o bien, a partir del siglo XIII, fabricados con una lámina de vidrio a cuyo reverso se aplicaba una hoja de estaño con cola transparente. El azogamiento de los cristales mediante una aleación de mercurio y estaño no se inventó hasta el siglo XVI.

2. La mansión de Malmaison, de dimensiones palaciegas, se convertiría posteriormente en el Ayuntamiento de Amiens.

3. Se practicaban, y aún se practican, en el pantanoso valle del Somme, métodos de horticultura muy especiales. Huertos creados artificialmente mediante el limo dragado del fondo del valle están surcados por canales que drenan el agua del subsuelo y por los cuales los pantaneros se desplazan en largas barcas negras y planas empujadas por una pértiga hasta el Marché d'Eau de Amiens.

Estos cultivos (*hortillonnages*) cubren un territorio de casi trescientas hectáreas. El origen latino del nombre (*hortus*, «jardín») sugiere que dichos cultivos se remontan a la época de la colonización romana.

6

El homenaje y el perjurio

«¡El hijo de un rey no puede arrodillarse ante el hijo de un conde!»

Un soberano de dieciséis años había dado él solo con esta fórmula y la había impuesto a sus consejeros para que, a su vez, la impusieran a los legistas de Francia.

—Veamos, monseñor Orleton —dijo el joven Eduardo III al llegar a Amiens—; el año pasado estabais aquí para sostener que yo tenía más derechos al trono de Francia que mi primo de Valois. ¿Vais a aceptar ahora que me arrodille ante él?

Quizá porque en su infancia había tenido que presenciar los desórdenes provocados por la indecisión y la debilidad de su padre, Eduardo III, desde el momento en que fue dueño de sus actos, quiso volver a principios claros y sanos. Y durante los seis días pasados en Amiens hizo reconsiderar todo el asunto.

—Pero lord Mortimer está muy interesado en la paz con Francia... —dijo Juan Maltravers.

—Milord —le interrumpió Eduardo—, me parece que estáis aquí para protegerme, no para aconsejarme. —Sentía una mal disimulada aversión hacia el barón de larga cara que había sido carcelero y, con toda seguridad, asesino de Eduardo II. Tener que sufrir la vigilancia, mejor dicho, el espionaje de Maltravers ponía de mal humor al soberano, que prosiguió—: Lord Mortimer es nuestro gran amigo, pero no es el rey, y no es él quien va a rendir homenaje. Y el conde de Lancaster, que preside el con-

71

sejo de regencia, y sólo por eso puede tomar decisiones en mi nombre, no me aconsejó, antes de mi partida, que rindiera ningún tipo de homenaje. No prestaré el homenaje ligio.

El obispo de Lincoln, Enrique de Burghersh, canciller de Inglaterra, perteneciente también al partido de Mortimer, pero menos comprometido que Maltravers y de mayor inteligencia, aprobaba, a pesar de la inquietud que le causaba, la preocupación del joven rey por defender su dignidad al mismo tiempo que los intereses de su reino.

Porque el homenaje ligio no solamente obligaba al vasallo a presentarse sin armas ni corona, sino que implicaba, por el juramento pronunciado de rodillas, que el vasallo se convertía, como primer deber, en hombre de su señor.

—Como primer deber —insistía Eduardo—. Entonces, mis señores, si mientras estamos en guerra con Escocia el rey de Francia me requiere para su guerra en Flandes, en Lombardía o en otra parte, me vería obligado a dejarlo todo para correr a su lado, ya que, en caso contrario, tendría derecho a apoderarse de mi ducado. Eso es inadmisible.

Uno de los barones de la escolta, lord Montaigu, quedó admirado de un soberano que mostraba tan precoz prudencia y no menos precoz firmeza. Montaigu tenía veintiocho años.

—Me parece que vamos a tener un buen rey —declaró—. Me complace servirlo.

En adelante estuvo siempre al lado de Eduardo, dándole consejo y apoyo.

Y finalmente el rey de dieciséis años logró su propósito. También los consejeros de Felipe VI deseaban la paz, y sobre todo terminar con tanta discusión. ¿No era lo importante que hubiera venido el rey de Inglaterra? No habían reunido al reino y a la mitad de Europa para que la entrevista terminara en fracaso.

—Sea, que rinda simplemente homenaje —dijo Felipe VI a su canciller, como si se tratara de reglamentar una figura de danza o una entrada en torneo—. Le doy la razón; en su lugar yo haría lo mismo.

Por eso, en la catedral llena de señores hasta los topes de las capillas laterales, Eduardo III avanzó con la espada al cinto, el manto real sembrado de leones que caía en largos pliegues sobre sus hombros y la cabeza tocada por la corona. La emoción aumentaba la habitual palidez de su rostro. Su extrema juventud aún emocionaba más bajo los pesados ornamentos. Parecía un arcángel, y hubo un momento en que todas las mujeres de la asistencia, con el corazón sobrecogido de ternura, estuvieron enamoradas de él.

Lo seguían dos obispos y diez barones.

El rey de Francia, con manto tachonado de flores de lis, estaba sentado en el coro, un poco por encima de los demás reyes, reinas y príncipes soberanos que lo rodeaban y formaban una especie de pirámide de coronas. Se levantó, majestuoso y cortés, para recibir a su vasallo, que se detuvo a tres pasos de distancia.

A través de las vidrieras, un gran rayo de sol caía sobre ellos como una espada celeste.

El señor Miles de Noyers, chambelán, maestro en el Parlamento y en la Cámara de Cuentas, se adelantó del grupo de pares y grandes oficiales y fue a colocarse entre los dos soberanos. Era hombre de unos sesenta años, de cara seria, a quien ni su cargo ni su traje de gala parecían impresionar. Con voz fuerte y bien timbrada, dijo:

—Señor Eduardo, el rey nuestro dueño y poderoso señor no entiende recibiros aquí por todas las cosas que posee y debe poseer en Gascuña y en Agenais, como las poseía y debía poseer el rey Carlos IV, y que no figuran contenidas en el homenaje.

Entonces Enrique de Burghersh, canciller de Eduardo, fue a colocarse a la altura de Miles de Noyers, y respondió:

—Señor Felipe, nuestro dueño y señor el rey de Inglaterra, o cualquier otro por él y para él, no entiende renunciar a ningún derecho que le corresponda en el ducado de Guyena y sus pertenencias, y juzga que por este homenaje ningún nuevo derecho adquiere el rey de Francia.

Éstas eran las fórmulas de compromiso, intencionadamente ambiguas, sobre las que se habían puesto de acuerdo, que nada precisaban ni reglamentaban. Cada palabra comportaba algo sobrentendido.

Por la parte francesa, se quería dar a entender que las tierras de los confines, conquistadas bajo el reinado anterior, durante la campaña dirigida por Carlos de Valois, serían agregadas a la corona de Francia. No era más que la confirmación de una situación de hecho.

Por la parte inglesa, con «cualquier otro por él y para él» se aludía a la minoría de edad del rey y a la existencia del consejo de regencia; pero «por él» podía referirse igualmente, en un futuro, a las atribuciones del senescal de Guyena o de cualquier lugarteniente real. En cuanto a la expresión «ningún nuevo derecho», significaba una ratificación de los derechos adquiridos hasta ese día, comprendido el tratado de 1327. Pero nada de eso se decía explícitamente.

Estas declaraciones, como las de todos los tratados de paz o alianza desde el comienzo de los tiempos y entre todas las naciones, dependían enteramente para su aplicación de los buenos o malos deseos de los gobiernos. En aquel momento, la presencia de los dos príncipes, frente a frente, testimoniaba un recíproco deseo de vivir en buena armonía.

El canciller Burghersh desenrolló un pergamino del que pendía el sello de Inglaterra, y leyó en nombre del vasallo:

—«Señor, me convierto en vuestro hombre del ducado de Guyena y de sus pertenencias, que yo proclamo poseer de vos como duque de Guyena y par de Francia, según la forma de las paces hechas entre vuestros antepasados y los nuestros, y según lo que nosotros y nuestros antecesores, reyes de Inglaterra y duques de Guyena, hemos hecho por el mismo ducado hacia vuestros antepasados los reyes de Francia.»

Y el obispo tendió a Miles de Noyers la fórmula que acababa de leer, cuyo texto era mucho más breve que el del homenaje ligio.

Miles de Noyers contestó:

—Señor, os convertís en hombre del rey de Francia, mi señor, por el ducado de Guyena y sus pertenencias, que vos reconocéis poseer de él, como duque de Guyena y par de Francia, según la fórmula de las paces hechas entre sus antepasados, reyes de Francia, y los vuestros, y según lo que vos y vuestros antecesores, reyes de Inglaterra y duques de Guyena, habéis hecho por el mismo ducado hacia sus antepasados los reyes de Francia.

Todo aquello suministraría una buena materia para el litigio el día en que empezaran los desacuerdos.

Eduardo III dijo entonces:

—En verdad.

Miles de Noyers lo confirmó con estas palabras:

—El rey, nuestro señor, os recibe, salvo sus protestas y reservas antedichas.

Eduardo avanzó los tres pasos que lo separaban de su soberano, se quitó los guantes y se los entregó a lord Montaigu, y tendiendo sus finas y blancas manos, las puso sobre las grandes manos del rey de Francia. Luego los dos reyes se besaron en la boca.

Se pudo ver que Felipe VI no tuvo que inclinarse mucho para alcanzar el rostro de su joven primo. La corpulencia era lo que más diferenciaba a los dos. Pero el rey de Inglaterra, que todavía estaba en edad de crecer, sería seguramente tan alto como su primo.

En la torre más alta comenzaron a sonar de nuevo las

campanas y todo el mundo se sentía contento. Pares y dignatarios se saludaban con inclinaciones de cabeza. El rey Juan de Bohemia, con su hermosa barba castaña que le caía sobre el pecho, tenía una actitud de noble ensoñación. El conde Guillermo *el Bueno* y su hermano Juan de Hainaut intercambiaban sonrisas con los señores ingleses. La verdad era que se había realizado una buena obra.

¿Para qué disputar, agriarse, amenazarse, querellarse ante los Parlamentos, confiscar los feudos, asediar las ciudades, batirse con saña, gastar oro, esfuerzos y sangre de los caballeros, cuando con un poco de buena voluntad podían ponerse de acuerdo?

El rey de Inglaterra ocupó el trono que le habían destinado un poco por debajo del trono del rey de Francia. Ya sólo les quedaba oír misa.

Sin embargo, Felipe VI parecía esperar todavía algo, pues volvía la cabeza hacia sus pares, sentados en las sillas del coro, y buscaba con la mirada a Roberto de Artois, cuya corona sobrepasaba a todas las demás.

Roberto tenía los ojos entornados. Con su guante rojo se enjugaba el sudor que le corría por las sienes, a pesar de que en la catedral la temperatura era fresca. En ese momento el corazón le palpitaba con fuerza, y como no se había dado cuenta de que su guante desteñía, le corría por la mejilla como un hililló de sangre.

De repente se levantó del asiento. Su decisión estaba tomada.

—Señor —exclamó deteniéndose ante el trono de Felipe—, puesto que todos vuestros vasallos están aquí reunidos... —Miles de Noyers y el obispo Burghersh habían hablado un momento antes con voz clara y firme, audible en todo el edificio; pero cuando Roberto abrió la boca, los asistentes tuvieron la impresión de que las voces anteriores habían sido de pajarillos—. Y puesto que a todos debéis vuestra justicia —continuó—, justicia os vengo a solicitar.

—¿Quién os ha agraviado, mi señor de Beaumont, primo? —preguntó gravemente Felipe VI.

—He sido agraviado, Señor, por vuestra vasalla la señora Mahaut de Borgoña, que posee indebidamente, con engaño y felonía, los títulos y posesiones del condado de Artois, que me pertenecen por derecho de mis padres.

Se oyó exclamar entonces una voz casi tan fuerte:

—¡Vaya, esto tenía que ocurrir!

Era la voz de Mahaut de Artois.

Se produjo cierto movimiento de sorpresa en la asistencia, pero no de estupor. Roberto obraba como lo había hecho el conde de Flandes en la consagración. Parecía que cuando un par se consideraba lesionado se había implantado la costumbre de presentar la querella en ocasiones solemnes y, manifiestamente, con el acuerdo previo del rey.

El duque Eudes de Borgoña interrogó con la mirada a su hermana la reina de Francia, quien le dio a entender con un gesto que estaba sorprendida y que no se hallaba al corriente de nada.

—¿Podéis, primo, presentar documentos y testimonios para certificar vuestro derecho? —preguntó Felipe.

—Puedo —respondió con firmeza Roberto.

—¡No puede, miente! —exclamó Mahaut al tiempo que abandonaba su puesto para situarse al lado de su sobrino, delante del rey.

¡Cómo se parecían Roberto y Mahaut, bajo sus coronas y mantos idénticos! ¡Los animaba el mismo furor! Mahaut llevaba a su flanco de gigantesca guerrera la gran espada guarnecida de oro de par de Francia. De haber sido madre e hijo, seguramente habrían mostrado menos los signos evidentes de su parentesco.

—¿Negáis, tía, que el contrato matrimonial del noble conde Felipe de Artois, mi padre, me hacía heredero del Artois, como primogénito, y que os aprovechasteis de mi infancia, al morir mi padre, para despojarme de mi derecho? —dijo Roberto.

—Niego todo lo que decís, mal sobrino que queréis infamarme.

—¿Negáis que hubo contrato de matrimonio?

—¡Lo niego! —respondió Mahaut.

Se oyó un amplio murmullo de reprobación, e incluso un «¡oh!» escandalizado del viejo conde de Bouville, antiguo chambelán de Felipe el Hermoso. Aunque nadie tenía las razones de Bouville, curador del vientre de la reina Clemencia en el momento del nacimiento de Juan I el Póstumo, para conocer la capacidad de Mahaut de Artois para la mentira y su aplomo en el crimen, era claro que ella negaba la evidencia. El matrimonio entre un hijo del Artois, príncipe de la flor de lis,[1] y una hija de Bretaña no pudo celebrarse sin un contrato ratificado por el rey y los pares de la época. El duque Juan de Bretaña lo decía a sus vecinos. Esta vez Mahaut se había pasado de la raya. Cabía aceptar que alegara, como lo había hecho en sus dos procesos, la vieja costumbre del Artois, que la favorecía debido a la muerte prematura de su hermano; pero no podía negar que había existido un contrato. Su actitud confirmaba todas las sospechas y, en primer lugar, la de haber hecho desaparecer los documentos.

Felipe VI se dirigió al obispo de Amiens.

—Monseñor, os ruego que traigáis los Santos Evangelios y los presentéis al querellante... —Hizo una pausa y añadió—: Y a la parte contraria.

Una vez traídos los Evangelios, añadió:

—¿Estáis dispuestos, tanto el uno como la otra, mi primo y mi prima, a ratificar vuestras afirmaciones con un juramento pronunciado sobre los Santos Evangelios de la fe, ante nos, vuestro señor y los reyes nuestros parientes y todos vuestros pares aquí reunidos?

Felipe estaba verdaderamente majestuoso al pronunciar estas palabras, y su hijo, el joven príncipe Juan, de diez años, lo miraba con los ojos muy abiertos, la mandíbula un poco caída, con profunda admiración. Pero la reina de

Francia, Juana la Coja, tenía un pliegue cruel en la comisura de los labios, y le temblaban las manos. La hija de Mahaut, Juana la Viuda, esposa de Felipe el Largo, delgada y seca, tenía el rostro tan blanco como su blanco vestido de reina viuda. La misma palidez tenía la nieta de Mahaut, la joven duquesa de Borgoña, al igual que el duque Eudes, su esposo.

Parecía que iban a lanzarse a impedir el juramento de Mahaut. Todos los cuellos se estiraron en medio de un gran silencio.

—¡Acepto! —dijeron al unísono Mahaut y Roberto.

—Quitaos los guantes —les indicó en consecuencia el obispo de Amiens.

Mahaut llevaba guantes verdes, desteñidos igualmente por el calor. Así pues, las enormes manos que se posaron sobre el libro santo eran roja como la sangre una y verde como la hiel la otra.

—Juro —expresó Roberto— que el condado de Artois es mío y que presentaré cartas y testimonios que establecerán mis derechos y posesiones.

—¿Os atrevéis, sobrino, a jurar que habéis visto o tenido alguna vez tales cartas?

Se desafiaban con sus ojos grises y sus mandíbulas cuadradas llenas de grasa, el rostro de uno casi junto al de la otra. «Zorra —pensó Roberto—, entonces eres tú quien las ha robado.» Y como en tales circunstancias hay que decidirse, respondió con claridad:

—Sí, lo juro. Pero vos, tía, ¿os atrevéis a jurar que tales cartas no han existido, y que no habéis tenido conocimiento de ellas ni han estado nunca en vuestras manos?

—Lo juro —respondió con la misma decisión y mirando a Roberto con igual odio.

Ninguno de los dos había podido ganar un punto al otro. El fiel de la balanza permanecía en el centro, y en cada platillo estaba el peso del falso juramento que se habían obligado mutuamente a pronunciar.

—A partir de mañana serán nombrados comisarios que se encargarán de la investigación y de esclarecer mi justicia. Quien haya mentido será castigado por Dios; a quien haya dicho la verdad se le reconocerá su derecho —concluyó Felipe, haciendo ademán al obispo de que se llevara los Evangelios.

Dios no está obligado a intervenir directamente para castigar el perjurio, y el cielo puede permanecer mudo. Las malas almas encierran en sí mismas la suficiente semilla de su propia desgracia.

NOTAS

1. Se llamaba «príncipes de la flor de lis» a todos los miembros de la familia real capetina, porque su escudo de armas consistía en un campo de Francia (azul sembrado de flores de lis de oro) con una orla que variaba según se tratara de un feudo o de un usufructo.

SEGUNDA PARTE

LOS JUEGOS DEL DIABLO

1

Los testigos

Una pera temprana, no más grande que el pulgar, sobresalía de la espaldera.

En un banco de piedra se hallaban sentados tres personajes: el viejo conde de Bouville, a quien estaban interrogando, en el centro; a su derecha el caballero de Villebresme, comisario del rey y, a su izquierda, el notario Pedro Tesson, que tomaba la declaración por escrito.

El notario Tesson llevaba un bonete que cubría su enorme cráneo abombado y del que colgaban sus cabellos lisos; tenía la nariz puntiaguda, la barbilla larga y afilada, y su perfil recordaba la luna en cuarto menguante.

—Mi señor —dijo muy respetuoso—, ¿puedo leeros ahora vuestro testimonio?

—Hacedlo, señor, hacedlo —respondió Bouville.

Y su mano se dirigió, a tientas, hacia la pequeña fruta verde para comprobar su dureza: «El jardinero debería haber atado la rama», pensó.

El notario se inclinó hacia la escribanía colocada en sus rodillas y comenzó:

—«El decimoséptimo día del mes de junio del año 1329, nos, Pedro de Villebresme, caballero...»

El rey Felipe VI no había dejado que el asunto se demorara. Dos días después del escándalo de Amiens y de los juramentos pronunciados en la catedral, nombró una comisión para investigar el asunto y, menos de una semana después de la vuelta de la corte a París, había comenzado la investigación.

—«... Y nos, Pedro Tesson, notario del rey, hemos venido a escuchar...»

—Maestro Tesson —dijo Bouville—, ¿sois vos el mismo que se encontraba antes agregado a la casa de mi señor de Artois?

—El mismo, señor.

—Y ahora sois notario del rey... Muy bien, muy bien, os felicito.

Bouville se incorporó ligeramente y cruzó las manos por encima de su redondo vientre. Llevaba un viejo traje de terciopelo, demasiado largo y pasado de moda, como se usaba en tiempos de Felipe el Hermoso, y que solía ponerse para estar en el jardín.

Giraba los pulgares, tres veces en un sentido y tres en el otro. El día sería hermoso y cálido, pero la mañana conservaba todavía algo del frescor de la noche.

—«... Hemos venido a escuchar al alto y poderoso señor conde Hugo de Bouville y lo hemos escuchado en su mansión situada no lejos del Pré-aux-Clercs...»

—¡Cómo ha cambiado este barrio desde que mi padre hizo construir esta casa! —dijo Bouville—. En aquel tiempo, desde la abadía de Saint-Germain-des-Prés hasta Saint-André-des-Arts no había más que tres palacios: el de Nesle, a orillas del río; el de Navarra, apartado, y el de los condes de Artois, que les servía de casa de campo, ya que alrededor no había más que campos y prados... ¡Y ved lo edificado que está ahora! Todas las nuevas fortunas han querido establecerse de este lado; los caminos se han convertido en calles. Antes, por encima de estas paredes no se veía más que hierba; ahora, con la poca luz que les queda a mis ojos no veo más que tejados. ¡Y el ruido! ¡El ruido que hay en este barrio! Como si estuviéramos en el corazón de la Cité. Si me quedaran algunos años de vida, vendería esta casa y construiría mi residencia en otro lugar. Pero sólo es cuestión de...

Y su mano fue en busca de la pequeña pera verde.

Esperar a que madurara una fruta, eso era lo único que le quedaba. Iba perdiendo la vista desde hacía varios meses; el mundo, los seres, los árboles se le presentaban como a través de una pared de agua. Había sido activo e importante, había viajado, se había sentado en los consejos reales, había participado en grandes acontecimientos, y acababa la vida en su jardín, con el pensamiento detenido y la vista turbia, solo y casi olvidado, salvo cuando las personas más jóvenes necesitaban sus recuerdos...

El maestro Pedro Tesson y el caballero de Villebresme intercambiaron una mirada de cansancio. No era testigo fácil el viejo conde de Bouville, cuya conversación caía constantemente en vagas trivialidades; pero era un hombre demasiado noble y viejo para darle prisa. El notario prosiguió:

—«... Quien nos ha declarado, por su propia voz, las cosas abajo escritas. A saber: que cuando era chambelán de nuestro señor Felipe el Hermoso, antes de que éste fuera rey, tuvo conocimiento del contrato matrimonial estipulado entre el difunto conde Felipe de Artois y la señora Blanca de Bretaña, y que tuvo dicho contrato entre las manos, y que en dicho contrato estaba precisamente escrito que el condado de Artois iría por derecho de herencia al dicho conde Felipe de Artois, y después de él, a sus herederos varones habidos de dicho matrimonio...»

Bouville movió la mano:

—Yo no he asegurado esto. Tuve el contrato en las manos, como os he dicho, y como indiqué al propio conde Roberto de Artois cuando vino a visitarme el otro día, pero no tengo el menor recuerdo de haberlo leído.

—¿Y para qué, mi señor, ibais a tener ese contrato si no es para leerlo? —preguntó Villebresme.

—Para llevarlo al canciller de mi señor, con el fin de que lo sellara, ya que el contrato fue avalado, me acuerdo bien, por el sello de todos los pares, uno de los cuales era mi dueño Felipe el Hermoso como primer hijo de la corona.

—Eso es digno de mención, Tesson —dijo Villebresme—. Todos los pares pusieron su sello... Pero, aun sin haber leído el texto, mi señor, ¿sabíais vos que la herencia del Artois estaba asegurada al conde Felipe y a sus herederos varones?

—Lo oí decir —respondió Bouville—, y no puedo certificar otra cosa.

Lo irritaba un poco la manera que empleaba aquel joven Villebresme para hacerle declarar más de lo que quería. ¡Ese muchacho aún no había nacido y su padre estaba muy lejos de engendrarlo cuando ocurrieron los hechos sobre los que investigaba! Había que ver a esos pequeños oficiales reales, hinchados con su nuevo cargo. También ellos se encontrarían un día viejos y solos, apoyados en el espaldar de su jardín... Sí, Bouville se acordaba de las cosas escritas en el contrato de matrimonio de Felipe de Artois. Pero ¿cuándo había oído hablar de eso por primera vez? ¿En el momento del matrimonio, el año 1282, o cuando murió el conde Felipe, en 1298, a consecuencia de las heridas sufridas en la batalla de Furnes? O quizá tras la muerte del viejo conde Roberto II en la batalla de Courtrai, en 1302, que sobrevivió cuatro años a su hijo, hecho del que se derivaba el proceso entre su hija Mahaut y su nieto, el actual Roberto III.

Le pedían a Bouville que fijara un acuerdo que podía situarse en cualquier momento de un período de veinte años. Y no eran solamente el notario Tesson y aquel señor de Villebresme los que habían ido a estrujarle el cerebro, sino el propio Roberto de Artois, lleno de cortesía y reverencia, sin ninguna duda, pero no por eso dejando de hablar a gritos, agitándose mucho y aplastando con sus botas las flores del jardín.

—Rectifiquemos, pues, de esta manera —dijo el notario después de corregir su texto—: «... Y que tuvo dicho contrato entre las manos, pero por poco tiempo, y también recuerda que estaba sellado con el sello de todos los pares; además, el conde de Bouville nos ha declarado haber oído decir entonces que en dicho contrato estaba precisamente escrito que el condado de Artois...»

Bouville aprobó con la cabeza. Hubiera preferido que se suprimiera ese «entonces» introducido por el notario en la frase. Pero estaba cansado de luchar y, ¿tanta importancia tiene una palabra?

—«... Iría a sus herederos varones nacidos de dicho matrimonio; y además nos ha certificado que el contrato fue debidamente inscrito en los registros de la corte, y tiene por cierto que fue sustraído después de dichos registros con maliciosas maniobras por orden de la señora Mahaut de Artois...»

—Tampoco he dicho eso —lo interrumpió Bouville.

—No lo habéis dicho de esa manera, mi señor —replicó Villebresme—, pero se desprende de vuestra declaración. Repasemos lo que habéis certificado. En primer lugar, que ha existido el contrato matrimonial; en segundo lugar, que lo habéis visto; en tercer lugar, que fue inscrito en los registros...

—Avalado por el sello de los pares...

Villebresme intercambió una nueva mirada de fatiga con el notario.

—Avalado por el sello de los pares —repitió para complacer al testigo—. Certificáis también que ese contrato excluía de la herencia a la condesa Mahaut y que desapareció de los registros, de manera que no pudo ser presentado en el proceso que intentó monseñor Roberto de Artois iniciarle a su tía. ¿Quién pensáis, pues, que lo hizo sustraer? ¿Creéis que fue el rey Felipe el Hermoso quien dio la orden?

La pregunta era pérfida. ¿No se había dicho repetidas veces que Felipe el Hermoso, para contentar a la suegra de sus dos últimos hijos, había dictado en su favor una sentencia complaciente? ¡De ahí a pretender que el propio Bouville se había encargado de hacer desaparecer los documentos no había más que un paso!

—No mezcléis, señor, la memoria del rey Felipe el Hermoso, mi señor, con un acto tan vil —respondió con dignidad.

Por encima de los tejados y de las copas de los árboles llegó el tañido de la campana de Saint-Germain-des-Prés. Bouville pensó que era la hora en que le traían su escudilla de requesón; su médico le había recomendado que lo tomara tres veces al día.

—Por lo tanto —prosiguió Villebresme—, el contrato tuvo que ser sustraído sin que lo supiera el rey... ¿Y quién podía tener interés en robarlo sino la condesa Mahaut?

El joven comisario tamborileó con la punta de los dedos sobre la piedra del banco; no estaba descontento de su demostración.

—¡Oh, cierto! —dijo Bouville—. Mahaut es capaz de todo.

Sobre este punto, Bouville no era difícil de convencer. Sabía que Mahaut era culpable de dos crímenes, y mucho más graves que el robo de un pergamino. Seguramente había matado al rey Luis X; ante los propios ojos de Bouville había matado a un niño de cinco días al que creía el pequeño rey póstumo... y siempre para conservar su condado de Artois. ¡Verdaderamente, era una preocupación muy tonta ese escrúpulo suyo de exactitud! Sin duda había robado el contrato matrimonial de su hermano, ese contrato cuya existencia se había atrevido a negar, y bajo juramento. ¡Horrible mujer...! Por causa de ella, el verdadero heredero de los reyes de Francia crecía lejos de su reino, en una pequeña ciudad de Italia, en casa de un mercader lombardo que lo creía su hijo... Bien, no había que pensar en eso. Bouville había susurrado ese secreto, que sólo él sabía, en el oído del Papa. No quería pensar en ello por temor a sentirse tentado a hablar. Además, ¡que los investigadores se fueran cuanto antes!

—Tenéis razón, dejad lo que habéis escrito —dijo con voz ligeramente temblorosa—. ¿Dónde debo firmar?

El notario le tendió la pluma. Bouville distinguía mal el borde del papel, y su firma se salió un poco de la página. Aún le oyeron decir:

—Dios acabará por hacerle expiar sus culpas, antes de entregarla a los cuidados del diablo.

Extendieron polvos secantes sobre la firma. El notario volvió a colocar las hojas y la escribanía en su cartera de cuero, y los dos investigadores se levantaron para despedirse. Bouville los saludó con la mano, sin levantarse. Apenas se habían alejado cinco pasos y ya no eran para él más que dos sombras vagas que se disolvían detrás de la cortina de agua.

El antiguo chambelán hizo sonar una campanilla para pedir su requesón. Lo inquietaban varios pensamientos. ¿Cómo su dueño venerado, el rey Felipe el Hermoso, había podido olvidar, en su sentencia sobre el Artois, el acta que había ratificado antes? ¿Cómo no se había preocupado de la desaparición de aquel documento? ¡Ah, los mejores reyes no llevan a cabo solamente hermosas acciones...!

Bouville se decía también que uno de esos días haría una visita al banquero Tolomei para informarse sobre Guccio Baglioni... y el niño, sin insistir, como si se tratara de simple cortesía. El viejo Tolomei casi no se movía de su lecho; las piernas no lo sostenían. La vida se va así; para uno es la oreja que se cierra; para otro, los ojos que se empañan o los miembros que dejan de moverse... El pasado se cuenta por años; pero se emplean meses o semanas para hacer cálculos sobre el porvenir.

«¿Viviré para cuando haya madurado esta fruta y la podré recoger?», pensaba el conde de Bouville mientras miraba la pera de la espaldera.

El señor Pedro de Machaut, señor de Montargis, era hombre que no perdonaba nunca las injurias, ni siquiera a los muertos. La desaparición de sus enemigos no bastaba para apaciguar su resentimiento.

Su padre, que ocupaba un alto cargo en tiempos del Rey de Hierro, había sido destituido por Enguerrando de Marigny y la fortuna de la familia había sufrido un duro golpe. La caída del todopoderoso Enguerrando había sido para Pedro de Machaut un desquite personal; el día más grande de su vida había sido aquel en que, en calidad de escudero de Luis el Obstinado, condujo a Marigny al patíbulo. Condujo es una manera de decir: lo acompañó, más bien, y no en primera fila, sino entre numerosos dignatarios más importantes que él. Sin embargo, con el correr de los años, esos señores habían muerto uno tras otro, lo que permitía al señor Pedro de Machaut, cada vez que contaba ese trayecto memorable, avanzar un lugar en la jerarquía del cortejo.

Al principio se había contentado con desafiar con la mirada al señor Enguerrando, que iba de pie en la carreta, y demostrarle con la expresión de su rostro que quien perjudicaba a los Machaut, por alto que estuviera, acababa mal.

Luego, el recuerdo había embellecido las cosas, y Machaut aseguraba que durante ese último paseo, Marigny no sólo lo había reconocido, sino que se había dirigido a él, diciendo tristemente estas palabras: «¡Ah, sois vos, Machaut! Ahora triunfáis; os he perjudicado y me arrepiento.»

Catorce años después, parecía que Enguerrando de Marigny, al ir al suplicio, no había tenido palabras más que para Pedro de Machaut y que, desde la prisión a Monfaucon, no le había ocultado nada del estado de su conciencia.

Pequeño, de cejas grises y con una pierna rígida por una mala caída en torneo, Pedro de Machaut seguía haciendo engrasar cuidadosamente corazas que nunca usaría. Era tan vanidoso como rencoroso, y Roberto de Artois, que lo conocía bien, se había tomado la molestia de ir a visitarlo dos veces para que le hablara de aquel famoso recorrido junto a la carreta del señor Enguerrando.

—Pues bien, contad todo eso a los comisarios del rey que vendrán a solicitar vuestro testimonio sobre mi asunto —le dijo Roberto—. Las opiniones de un hombre tan valeroso como vos son de importancia; contribuiréis a la justicia del rey y os ganaréis su gratitud y la mía. ¿Os han recompensado por los servicios que vuestro padre y vos mismo rendisteis al reino?

—Nunca...

¡Qué injusticia! ¿Cómo habían podido olvidar a un hombre de tan grandes méritos como el señor de Machaut, cuando tantos intrigantes habían logrado que los pusieran en las listas de las donaciones de la corte durante los últimos reinados? Olvido voluntario, sin duda, e inspirado por la condesa Mahaut, que siempre había estado de parte de Enguerrando de Marigny.

Roberto de Artois se preocuparía personalmente de que esa iniquidad fuera reparada.

Así pues, cuando el caballero de Villebresme, siempre acompañado por el notario Tesson, se presentó en casa del antiguo escudero, éste puso tanto celo en contestar a las preguntas como el comisario en formularlas.

El interrogatorio se realizó en un jardín próximo, ya que, según los usos de la justicia, las declaraciones debían hacerse en lugar abierto y al aire libre.

A juzgar por las palabras de Pedro de Machaut, parecía que la ejecución de Marigny había tenido lugar la antevíspera.

—Así pues —dijo Villebresme—, vos estabais delante de la carreta cuando bajaron de ella al señor Enguerrando para llevarlo a la horca.

—Subí a la carreta —respondió Machaut—, y por orden de Luis X pregunté al condenado de qué faltas de gobierno quería acusarse antes de comparecer ante Dios. —Fue Tomás de Marfontaine, en realidad, el encargado de esta tarea, pero como había muerto hacía mucho tiempo...—. Y Marigny siguió declarándose inocente de todas las faltas que le habían imputado durante su proceso; sin embargo, reconoció (son sus propias palabras, por las que se comprende bien la iniquidad del personaje) «haber realizado acciones injustas en causas justas». Entonces le pregunté cuáles eran esas acciones, y me citó varias: por ejemplo, haber destituido a mi padre, el señor de Montargis, y también haber sustraído de los registros reales el contrato matrimonial del difunto conde de Artois, con el fin de servir a los intereses de la señora Mahaut y de sus hijas, las nueras del rey.

—¡Ah, entonces fue él quien hizo sustraer el contrato! ¡Se acusó de haberlo hecho! —exclamó Villebresme—. Eso es importante. Anotadlo, Tesson, anotadlo.

El notario no necesitaba esta indicación para escribir animosamente. ¡Buen testigo era ese señor de Machaut!

—¿Sabéis, señor, si le pagaron al señor Enguerrando por ordenar que se cometiera ese acto? —preguntó Tesson.

Machaut vaciló ligeramente y frunció el entrecejo.

—Cierto, le pagaron —respondió—. Porque le pregunté también si era verdad que había recibido, como se decía, cuarenta mil libras de la señora Mahaut por sacarla triunfante en su proceso ante el rey. Y Enguerrando bajó la cabeza en señal de asentimiento y de gran vergüenza, y me respondió: «Señor de Machaut, rogad a Dios por mí», lo que suponía una confesión.

Y Pedro de Machaut cruzó los brazos con aire de triunfante desprecio.

—Ahora todo está claro —dijo Villebresme con satisfacción.

El notario transcribía las últimas frases de la declaración.

—¿Habéis interrogado ya a muchos testigos? —preguntó el antiguo escudero.

—Catorce, señor, y todavía tenemos que escuchar al doble —dijo Villebresme—. Pero nos repartimos la tarea entre ocho comisarios y dos notarios.

2

El querellante dirige la investigación

El gabinete de trabajo de Roberto de Artois estaba decorado con cuatro grandes frescos piadosos, pintados de forma bastante vulgar, en los que predominaban el ocre y el azul. Cuatro figuras de santos «para inspirar confianza», según decía el dueño de la casa. A la derecha, san Jorge derribaba el dragón; enfrente de él, san Mauricio, el otro patrono de los caballeros, se erguía con coraza y cota azulada; sobre la pared del fondo, san Pedro sacaba del mar sus inagotables redes, y santa Magdalena, patrona de las pecadoras, vestida solamente con sus cabellos de oro, ocupaba la cuarta pared. Roberto de Artois prefería dirigir la mirada hacia esta última.

Las vigas del techo también estaban pintadas de ocre, de amarillo y de azul, y de trecho en trecho se veían los blasones del Artois, de Beaumont y de Valois. La pieza estaba amueblada con mesas cubiertas de brocados, cofres con armas suntuosas y pesados hacheros de hierro dorado. Roberto se levantó de su gran asiento y devolvió al notario las actas de las declaraciones que acababa de leer.

—Muy bien, muy buenas piezas —declaró—, sobre todo la declaración del señor de Machaut, que parece muy espontánea y completa, y muy en concordancia con la del conde de Bouville. Decididamente, sois hombre hábil, maestro Tesson de la Chicane, y no lamento haberos elevado al puesto que tenéis. En vuestra cara de Cuaresma se oculta mucha más astucia que en la cabeza vacía de muchos árbitros del Parlamento. Hay que reconocer que Dios os ha dotado de un gran espacio para colocar vuestro cerebro.

El notario sonrió amablemente e inclinó su desmesurado cráneo, cubierto con un bonete que parecía una enorme col negra. Los burlones cumplidos de Roberto de Artois tal vez encerraban una promesa de ascenso.

—¿Es ésa toda vuestra cosecha? ¿Tenéis otras noticias que darme hoy? ¿Qué pasa con el antiguo baile de Béthune?

Pleitear es una pasión como el juego. Roberto de Artois vivía sólo para su proceso; no pensaba ni actuaba más que en función de su causa. Aquella quincena, el único motivo de su existencia era procurarse testimonios. Su cerebro trabajaba en ello todo el día, e incluso por la noche se despertaba, desvelado por una inspiración repentina, y llamaba a su criado Lormet, que llegaba somnoliento y ceñudo.

—Viejo roncador —le decía—, ¿no me hablaste el otro día de un tal Simón Dourin o Dourier, que fue empleado de escritorio en casa de mi abuelo? ¿Sabes si vive? Procura enterarte mañana.

En la misa, a la que asistía diariamente, por las conveniencias, se sorprendía rogando a Dios por el éxito de su proceso. De la plegaria volvía con toda naturalidad a sus maquinaciones, y durante el Evangelio se decía: «Ese Gilles Flamand, que fue en otro tiempo escudero de Mahaut y a quien ésta despidió por cometer alguna fechoría... Tal vez ese hombre podría testificar a mi favor. Es preciso que no lo olvide.»

Nunca se le había visto asistir tan asiduamente al consejo del rey, pasaba cada día varias horas en palacio y daba la impresión de ocuparse intensamente de las tareas del reino; sin embargo, lo hacía sólo para vigilar a su cuñado Felipe VI, hacerse indispensable y velar para que no nombrara para los altos cargos más que a personas elegidas por él. Seguía muy de cerca los decretos con el fin de sacar alguna idea para una nueva maniobra. Todo lo demás le daba igual.

Que en Italia güelfos y gibelinos continuaran matándose; que Azzo Visconti hubiera hecho asesinar a su tío Marco y levantado barricadas en la ciudad de Milán contra las tropas del emperador Luis de Baviera, mientras que, en desquite, Verona, Vicenza, Padua y Treviso se sustraían a la autoridad del Papa protegido por Francia; Roberto de Artois lo sabía, lo escuchaba, pero apenas pensaba en ello.

Que en Inglaterra el partido de la reina se encontrara en dificultades y que la impopularidad de Rogelio Mortimer aumentara día a día, al señor de Artois no le importaba un ápice. Inglaterra no le interesaba en aquellos días, ni tampoco los comerciantes de lanas de Flandes, que, por el interés de su negocio, multiplicaban los acuerdos con las compañías inglesas.

Pero que el maestro Andrés de Florencia, canónigo tesorero de Bourges, obtuviera un nuevo beneficio eclesiástico, o que el caballero de Villebresme pasara a la Cámara de Cuentas, ¡ah!, eso era importante y no admitía aplazamiento. Porque el maestro Andrés, al igual que el señor de Villebresme, era uno de los ocho comisarios nombrados para instruir el proceso del Artois.

Roberto había propuesto esos comisarios a Felipe VI, es decir, prácticamente los había elegido... «Se podría nombrar a Bouchart de Montmorency; siempre nos ha servido lealmente... Se podría nombrar a Pedro de Cugnières; es hombre prudente a quien todos respetan...» Lo mismo hizo con los notarios, entre los cuales figuraba Pedro de Tesson, agregado durante veinte años a la casa de Valois y luego a la de Roberto.

Nunca se había sentido tan importante Pedro de Tesson; nunca había sido tratado con tanta familiaridad ni obsequiado con tantas piezas de tela para los vestidos de su mujer, ni había recibido tantos saquitos de oro para sí mismo. Sin embargo, estaba fatigado, porque Roberto lo hostigaba y la vitalidad de aquel hombre era agotadora.

En primer lugar, Roberto estaba casi siempre de pie. Se paseaba sin cesar por su gabinete, entre las altas figuras de los santos. Lógicamente, el maestro Tesson no podía sentarse en presencia de tan elevado personaje como un par de Francia. Ahora bien, los notarios trabajan normalmente sentados.

El maestro Tesson tenía, pues, que sostener siempre su cartera de cuero negro, que no se atrevía a colocar sobre los brocados, y de la que iba sacando uno tras otro los documentos. Temía acabar aquel proceso con dolor de riñones para toda su vida.

—He visto —dijo, respondiendo a la pregunta de Roberto— al antiguo baile Guillermo de la Planche, que está actualmente detenido en el Châtelet. La señora Divion había ido a verlo antes; ha declarado tal como esperábamos. Pide que no os olvidéis de interceder ante el señor Miles de Noyers para pedir clemencia, porque su asunto es delicado y corre el riesgo de que lo cuelguen.[1]

—Trataré de que lo suelten; que duerma tranquilo. ¿Habéis interrogado a Simón Dourier?

—Aún no, mi señor, pero he estado con él. Está dispuesto a declarar delante de los comisarios que se hallaba presente el día de 1302 en que el conde Roberto II, vuestro abuelo, poco antes de morir dictó la carta que confirmaba vuestro derecho a la herencia del Artois.

—¡Ah, muy bien, muy bien!

—Le he prometido también que volveríais a admitirlo en vuestra casa y que le concederíais una pensión...

—¿Por qué lo echaron? —preguntó Roberto.

El notario hizo ademán de guardarse dinero.

—¡Bah!, ahora es viejo, y ha tenido tiempo de arrepentirse —exclamó Roberto—. Le daré cien libras al año, alojamiento y ropa.

—Manessier de Lannoy confirmará que las cartas

sustraídas fueron quemadas por la señora Mahaut...
Como sabéis, iban a vender su casa para pagar sus deudas
a los lombardos; os agradece mucho el que haya podido
conservar el techo.

—Soy muy bueno, pero nadie parece enterarse —dijo Roberto—. ¿Qué me decís de Juvigny, el antiguo criado de Enguerrando?

El notario bajó la cabeza con aire de culpabilidad.

—No he conseguido nada —dijo—; se niega a declarar, alegando que no sabe nada, que no se acuerda.

—¡Cómo! —exclamó Roberto—. Yo mismo fui a verlo al Louvre, donde cobra por hacer muy poca cosa, y hablé con él. ¿Y se obstina en no acordarse? Dadle un poco de tormento. La visión de las tenazas seguramente lo ayudará a decir la verdad.

—Mi señor —respondió compungido el notario—, por el momento se atormenta a los acusados, no a los testigos.

—Entonces hacedle saber, al menos, que si no le vuelve la memoria haré que supriman su pensión. Soy bueno, pero es preciso que me ayuden a serlo. —Cogió un candelabro de bronce que pesaba sus buenos siete kilos y, mientras paseaba, se lo pasaba de una mano a otra.

El notario pensó en la injusticia de la naturaleza, que concede tanta fuerza muscular a personas que sólo la emplean para divertirse y tan poca a los pobres notarios que han de llevar su pesada cartera de cuero negro.

—¿No teméis, mi señor, que si le suprimís a Juvigny el sueldo, lo pueda obtener de la condesa Mahaut?

Roberto se detuvo.

—¿Mahaut? —exclamó—. Pero si no puede nada; se esconde, tiene miedo. ¿Se la ha visto por la corte desde hace mucho tiempo? No se mueve, tiembla, sabe que está perdida.

—Dios os oiga, mi señor, Dios os oiga. Seguro que ganaremos, pero no sin algunos contratiempos...

Tesson vacilaba en continuar, no por temor a lo que iba a decir, sino por el peso de la cartera. Aún le quedaban cinco o diez minutos de estar de pie.

—Me han informado —continuó— de que siguen a nuestros comisarios en el Artois, y que nuestros testigos reciben la visita de otras personas. Además, ha habido últimamente un cierto movimiento de mensajeros entre el palacio de la señora Mahaut y Dijon. Han visto cruzar su puerta a diversos jinetes con la librea de Borgoña...

Estaba claro que Mahaut intentaba estrechar sus lazos con el duque Eudes. Ahora bien, el partido de Borgoña contaba en la corte con el apoyo de la reina.

—Sí, pero yo tengo al rey —dijo Roberto—. La zorra perderá, Tesson, os lo aseguro.

—Al menos será necesario presentar los documentos, mi señor, porque sin documentos... A las declaraciones se pueden siempre oponer otras declaraciones. Lo mejor será hacerlo cuanto antes.

Tenía razones personales para insistir. Un notario que inspira tantos testimonios, es decir, que los arranca mediante compras y amenazas puede hacer fortuna, pero también corre el peligro de ir a parar al Châtelet e incluso a la rueda... Tesson no deseaba ocupar el puesto del antiguo baile de Béthume.

—¡Ya llegan las pruebas! —exclamó Roberto—. ¡Os digo que ya llegan! ¿Creéis que es tan fácil obtenerlas? A propósito, Tesson. —De repente señaló con el índice la cartera negra del notario y agregó—: Habéis anotado en el testimonio del conde de Bouville que el contrato de matrimonio fue sellado por los doce pares. ¿Por qué lo habéis hecho?

—Porque es lo que declaró el testigo, mi señor.

—¡Ah, sí! Es muy importante... —dijo Roberto, pensativo.

—¿Por qué, mi señor?

—¿Por qué? Porque espero la otra copia del contrato,

la de los registros del Artois, que me han de entregar... y muy cara por cierto... Si no figuran en ella los nombres de los doce pares la prueba no será válida. ¿Quiénes eran los pares en aquel tiempo? Es fácil saber quiénes eran los duques y los condes; pero ¿y los pares eclesiásticos? ¡Hay que estar en todo!

El notario miró a Roberto con una mezcla de inquietud y de admiración.

—¿Sabéis, mi señor, que si no fuerais tan gran señor, habríais sido el mejor notario del reino? Sin ánimo de ofender, mi señor; lo digo sin ánimo de ofender.

Roberto hizo sonar la campanilla para que acompañaran hasta la puerta a su visitante.

En cuanto el notario se hubo marchado, Roberto abrió una pequeña puerta que había entre las nalgas de Magdalena —una ocurrencia que le divertía mucho— y corrió a la habitación de su esposa. Después de hacer salir a las damas de compañía, dijo:

—Juana, mi buena amiga, mi querida condesa, haced saber a la Divion que interrumpa la escritura del contrato de matrimonio: es preciso poner el nombre de los doce pares del año 82. ¿Los conocéis vos? Pues yo tampoco. ¿Podríamos enterarnos sin despertar sospechas? ¡Ah, cuánto tiempo perdido! ¡Cuándo tiempo perdido!

La condesa de Beaumont contemplaba a su esposo con sus hermosos ojos azules; una vaga sonrisa se dibujaba en su rostro. Su gigante había encontrado un nuevo motivo de agitación. Dijo con toda calma:

—En Saint-Denis, mi dulce amigo, en Saint-Denis, en los registros de la abadía. Allí seguramente encontraremos los nombres de los pares. Voy a enviar al hermano Enrique, mi confesor, como si fuera a hacer alguna investigación erudita...

En el rostro de Roberto se dibujó una expresión de divertida ternura, de jubilosa gratitud.

—¿Sabéis, amiga mía —dijo inclinándose con poca

gracia—, que sino fuerais tan alta dama, hubierais sido el mejor notario del reino?

Se sonrieron, y la condesa de Beaumont, de nacimiento Juana de Valois, leyó en los ojos de Roberto la promesa de que aquella noche visitaría su lecho.

NOTAS

1. Guillermo de la Planche, baile de Béthune, luego de Calais, estaba en la cárcel por la precipitada ejecución de un tal Tassard *el Perro*, al que por su propia autoridad había condenado a ser arrastrado y colgado.

La Divion lo visitó en la cárcel y le prometió que, si declaraba tal como ella le indicaba, el conde de Artois lo sacaría del apuro por intercesión de Miles de Noyers. En un contrainterrogatorio, Guillermo de la Planche se retractó y afirmó que había declarado «por miedo a las amenazas y a tener que permanecer mucho tiempo en la cárcel y morir en ella si se negaba a obedecer al conde Roberto, que era tan grande, tan poderoso y que tanta influencia tenía sobre el rey».

3

Los falsificadores

Cuando alguien emprende el camino de la mentira, siempre cree que el trayecto será fácil y corto; se superan sin dificultad y con cierto placer los primeros obstáculos, pero pronto el bosque se espesa, la ruta se difumina y se ramifica en senderos que van a perderse en ciénagas; a cada paso uno se hunde o resbala, se irrita y dilapida sus fuerzas en vanas tentativas, cada una de las cuales viene a constituir una nueva imprudencia.

A primera vista, nada más fácil que falsificar un viejo documento. Basta una hoja de pergamino dejado al sol para que se ponga amarillo, espolvorearla con ceniza, la mano de un clérigo sobornado y algunos sellos aplicados a los lazos de seda. Todo esto requería poco tiempo y módicos gastos.

Sin embargo, Roberto de Artois tuvo que renunciar, provisionalmente, a falsificar el contrato de matrimonio de su padre. Y eso no solamente por tener que averiguar el nombre de los doce pares, sino porque el acta estaba redactada en latín y no todos los clérigos eran capaces de reproducir la fórmula empleada en otro tiempo para los contratos matrimoniales principescos. El antiguo capellán de la reina Clemencia de Hungría, entendido en tales materias, tardaba en redactar el comienzo y el final del texto, y Roberto no quería apremiarlo demasiado por temor a que la petición resultara sospechosa.

Estaba también la cuestión de los sellos.

—Hacedlos copiar por un grabador de cuños, según los antiguos modelos —había indicado Roberto.

Pero los grabadores de cuños estaban sometidos a juramento; el de la corte declaró que no se podía imitar exactamente un sello, que dos cuños no eran nunca idénticos y que la cera sellada con un cuño falso era fácilmente reconocible por los expertos. En cuanto a los cuños originales, eran destruidos siempre a la muerte de su propietario.

Era preciso, pues, procurarse antiguas actas provistas de los sellos necesarios; arrancarlos, lo que no era operación fácil, y colocarlos sobre el documento falso.

Roberto aconsejó a la Divion que concentrara sus esfuerzos en un documento menos difícil y que fuera de igual importancia.

El 28 de junio de 1302, antes de partir con las tropas hacia Flandes, donde perdería la vida atravesado por veinte lanzadas, el viejo conde Roberto II había puesto en orden sus asuntos y había confirmado por carta las disposiciones que aseguraban a su nieto la herencia del condado de Artois.

—¡Y eso es verdad, lo afirman todos los testigos! —decía Roberto a su mujer—. Simón Dourier se acuerda incluso de los vasallos de mi abuelo que estaban presentes, y de las bailías que pusieron los sellos. ¡Lo único que demostraremos con esto será la verdad!

Simón Dourier, antiguo notario del conde Roberto II, proporcionó el contenido de la declaración hasta donde llegaba su memoria. La escribió un clérigo de la condesa de Beaumont, llamado Dufour; pero el texto de Dufour tenía demasiados borrones y, además, se reconocía su letra.

La señora Divion fue a Artois a llevar el texto a un tal Roberto Rossignol, que había sido clérigo de Thierry de Hirson, y que volvió a copiar la carta, no con pluma de ganso, sino de bronce, para disimular mejor su letra.

Este Rossignol, a quien le ofrecieron en recompensa un viaje a Santiago de Compostela, adonde había prometido ir en cumplimiento de un voto hecho durante una enfermedad, tenía un yerno llamado Juan Oliette, que sabía separar bastante bien los sellos. ¡Decididamente la suya era una familia de recursos! Oliette enseñó su procedimiento a la señora Divion.

Ésta volvió a París, se encerró con la señora de Beaumont y una sola sirvienta, Juanita *la Mezquina*,[1] y las tres mujeres se dedicaron con ayuda de una navaja de afeitar calentada y de una crin de caballo empapada en un licor especial que impedía su rotura, a despegar los sellos de cera de los viejos documentos. Con la navaja partían el sello en dos, luego calentaban una de las mitades y la aplicaban sobre la otra, tomando entre ambas los lazos de seda o el extremo del pergamino del nuevo documento. Por último, calentaban un poco el borde de la cera para hacer desaparecer la huella del corte.

Juana de Beaumont, Juana de Divion y Juana *la Mezquina* falsificaron así más de cuarenta sellos; sólo lo hacían dos veces en el mismo lugar, escondiéndose ya en una habitación del palacio de Artois, ya en el de l'Aigle o en alguna de sus casas de campo.

Roberto entraba a veces en la habitación para echar una ojeada a la operación.

—Mis tres Juanas atareadas —comentaba con buen humor.

La condesa de Beaumont era la más hábil de las tres.

—Dedos de mujer, dedos de hada —decía Roberto, besando cortés la mano de su esposa.

Lo más importante no era separar los sellos, sino encontrar los apropiados.

El sello de Felipe el Hermoso era fácil de hallar; por todas partes existían actas reales. Roberto se hizo enviar por el obispo de Evreux una carta relativa a su señorío de Conches, documento que debía consultar, según dijo, pero que ya no devolvió.

En Artois, Juana de Divion encargó a sus amigos Rossignol y Oliette, así como a las otras dos «mezquinas»,

María *la Blanca* y María *la Negra*, la tarea de encontrar los antiguos sellos de las bailías y de los señoríos.

Pronto se hicieron con todos los sellos, salvo uno, el más importante, el del difunto conde Roberto II. La cosa podía parecer absurda, pero así era; todas las actas de familia estaban guardadas en los archivos del Artois, bajo la custodia de los clérigos de Mahaut, y Roberto, que era menor de edad a la muerte de su abuelo, no poseía ninguna.

Divion, gracias a una prima suya, conoció a un personaje llamado Ourson *el Tuerto*, que poseía una patente con el sello del difunto conde y que parecía dispuesto a deshacerse de ella a cambio de la suma de trescientas libras. La señora Juana de Beaumont le había dicho que comprara la pieza al precio que fuera, pero la señora Divion no tenía en el Artois tanto dinero, y el señor Ourson *el Tuerto*, desconfiado, no aceptaba desprenderse de la patente a cambio de simples promesas.

La Divion, mujer de recursos, se acordó de que tenía un marido que vivía benditamente en la castellanía de Béthune. Nunca se había mostrado demasiado celoso, y ahora que el obispo Thierry había muerto... Decidió ir a verlo. El asunto comenzaba a ser conocido por bastante gente, pero no había otro remedio. El marido no quiso prestarle dinero, pero aceptó deshacerse de un buen caballo, sobre el que había ido de torneo. La Divion consiguió que el señor Ourson lo aceptara como complemento de garantía, dejándole además las pocas joyas que llevaba encima.

¡Qué diligente se mostraba Juana de Divion! No ahorraba tiempo, esfuerzos, pasos ni viajes. Ni lengua. Y procuraba por todos los medios no volver a perder nada; dormía con un ojo abierto.

Crispada la mano por la angustia, cortó con la navaja el sello del difunto conde Roberto. ¡Un sello que valía trescientas libras! ¿Cómo encontrar otro, si por desgracia se rompía?

Monseñor Roberto se impacientaba un poco, ya que habían sido escuchados todos los testigos y el rey le preguntaba, muy amablemente y con interés, si podía presentar los documentos cuya existencia había jurado.

Dos días, un día más de paciencia y el conde Roberto se vería satisfecho.

NOTAS

1. *Mesquine* o *meschine* (del valón *eskène*, o *méquène* en la provincia de Hainaut o, en provenzal, *mesquin*) en el sentido de débil, pobre, endeble o miserable, era el calificativo aplicado generalmente a las sirvientas.

4

Los invitados de Reuilly

A Roberto de Artois, durante la estación calurosa, cuando el servicio del reino o las preocupaciones de su proceso le dejan tiempo, le gusta pasar los fines de semana en Reuilly, en un castillo que su mujer ha heredado de los Valois.

Los prados y los bosques dan un agradable frescor a la residencia. Roberto guarda allí sus aves de presa. La servidumbre es numerosa, ya que muchos jóvenes nobles, antes de obtener el grado de caballero, se colocan en casa de Roberto en calidad de escuderos, sumilleres o ayudas de cámara. Quien no logra entrar en la casa del rey procura emplearse en la del conde de Artois por recomendación de parientes influyentes y, una vez aceptado, trata de distinguirse por su celo. Tener por la brida el caballo del conde, tenderle el guante de cuero sobre el que pondrá su halcón, ponerle los cubiertos a la mesa, inclinar ante sus poderosas manos el jarro de agua antes de las comidas es avanzar un poco en la jerarquía del Estado; sacudir su almohada por la mañana para despertarlo es como sacudir la almohada del rey, ya que el conde, todo el mundo lo comenta, hace mangas y capirotes en la corte.

Ese sábado de comienzos de septiembre ha invitado a Reuilly a algunos señores amigos suyos: al señor de Brécy, al caballero de Hangest, al arcediano de Avranches e incluso al viejo conde de Bouville, medio ciego, a quien ha hecho traer en litera. A los que deseaban madrugar les ha ofrecido una partida de caza. Ahora sus huéspedes están reunidos en la sala de justicia, donde él mismo, en traje de campo, se sienta familiarmente en un gran sillón. Están presentes su esposa, la condesa de Beaumont, y el notario Tesson, que ha puesto sobre una mesa su escribanía y sus plumas.

—Mis buenos señores, amigos míos —dice—; he solicitado vuestra compañía para recabar consejo.

Las personas se sienten siempre hálagadas cuando se requiere su consejo. Los jóvenes escuderos nobles presentan a los invitados las bebidas de antes de la comida, vinos aromáticos y almendras garrapiñadas, servido todo en copas de plata sobredorada. Procuran atentamente no hacer ningún ruido ni cometer falta alguna en su servicio; abren bien los ojos, preparando sus recuerdos. Con el tiempo dirán: «Yo estaba ese día en casa de mi señor Roberto; hallábase allí el conde de Bouville, que había sido chambelán del rey Felipe el Hermoso...»

Roberto habla pausada y seriamente; una tal señora Divion, a la que no conoce mucho, le ha venido a proponer la entrega de una de las cartas que tiene del obispo Thierry de Hirson... de quien fue amiga, añade bajando un poco la voz. La Divion solicita, naturalmente, dinero; esas mujeres son todas de la misma clase. Pero el documento parece de importancia. Sin embargo, antes de adquirirlo, Roberto quiere asegurarse de que no lo engañan; de que la carta es auténtica, que puede servir como prueba en su proceso y que no es obra de algún falsificador que quiere sonsacarle dinero. Por eso ha invitado a sus amigos, que son de sabio consejo y más hábiles que él en materia de escritos, a examinar la carta.

De vez en cuando Roberto lanza una ojeada a su esposa para asegurarse del efecto producido por sus palabras. Juana aprueba casi imperceptiblemente con la cabeza; admira la malicia de su esposo, y cómo aquel gigante retorcido se hace el ingenuo cuando quiere engañar. Se muestra inquieto y suspicaz... Los otros no van a dejar de dar por buena la carta; una vez dada por buena, no van a desdecirse y, por medio de la corte y del Parlamento, se extenderá la noticia de que Roberto tiene en las manos la prueba de su derecho.

—Haced entrar a esta señora Divion —dice Roberto con aire severo.

Aparece Juana de Divion, muy provinciana, muy modesta; de la toca de lino surge su rostro singular, con los ojos rodeados de sombra. No necesita simular que está intimidada, pues en verdad lo está. De una gran bolsa de tela saca un pergamino enrollado del que penden varios sellos y lo entrega a Roberto, quien lo desenrolla, lo examina un momento y lo pasa al notario.

—Examinad los sellos, maestro Tesson.

El notario comprueba los lazos de seda, inclina sobre el pergamino su enorme bonete negro y su perfil de luna menguante.

—Es el sello del difunto conde, vuestro abuelo, mi señor —dice convencido.

—Vedlo, mis buenos señores —dice Roberto.

El documento pasa de mano en mano. El señor de Brécy confirma que los sellos de las bailías de Arras y de Béthune son excelentes; el conde de Bouville acerca el documento a sus fatigados ojos, no distingue más que la mancha verde al pie de la carta, palpa la cera, suave bajo el dedo, y se le saltan las lágrimas.

—¡Ah! —murmura—, el sello de cera verde de mi buen señor Felipe el Hermoso.

Hay un momento de gran enternecimiento, un instante de silencio en el que se respetan los recuerdos de aquel viejo servidor de la corona.

La señora Divion, que permanece apartada, intercambia una discreta mirada con la condesa de Beaumont.

—Leedlo ahora, maestro Tesson —ordena Roberto.

El notario toma de nuevo el pergamino y comienza:

—«Nos, Roberto de Francia, par y conde de Artois...»

Las fórmulas iniciales no tienen nada de particular; la asistencia escucha con calma.

—«... Y aquí declaramos, en presencia de los señores de Saint-Venant, de Saint-Paul, de Waillepayelle, caballeros, que sellarán con sus sellos, y del maestro Thierry de Hirson, mi clérigo...»

Algunas miradas se dirigen hacia la Divion, que baja la cabeza.

«Hábil, hábil, haber mencionado al obispo Thierry —piensa Roberto—; eso aporta autenticidad a los testimonios sobre su papel; todo encaja.»

—«... Que con motivo del matrimonio de nuestro hijo Felipe le entregamos nuestro condado, reservándonos su disfrute en vida, y que nuestra hija Mahaut consintió en ello y renunció a dicho condado...»

—¡Ah, pero eso es algo muy importante! —exclama Roberto—. ¡Es más de lo que esperaba! ¡Nunca me habían dicho que Mahaut hubiera renunciado! ¡Ya veis, amigos míos, su villanía! Continuad, maestro Tesson.

Los asistentes están muy impresionados. Mueven la cabeza, se miran... Sí, el documento es de importancia...

—«... Y ahora que Dios ha llamado junto a sí a nuestro querido y bienamado hijo el conde Felipe, pedimos a nuestro señor el rey, si nos ocurre que en la guerra Dios disponga de nosotros, que nuestro señor el rey vele para que los herederos de nuestro hijo no sean desheredados...»

Las cabezas continúan aprobando dignamente; el caballero de Hangest, miembro del Parlamento, se vuelve hacia Roberto y separa las manos con un gesto que significa: «Mi señor, vuestro proceso está ganado.»

El notario acaba:

—«... Y hemos sellado esto con nuestro sello, en nuestro palacio de Arras, el día veintiocho de junio del año de gracia de mil trescientos veintidós.»

Roberto no puede reprimir un sobresalto. La condesa de Beaumont palidece. La Divion se siente morir.

No son ellos los únicos que han oído mil trescientos veintidós. Las cabezas se han vuelto con sorpresa hacia el notario y él mismo parece confuso.

—¿Habéis leído mil trescientos veintidós? —pregunta el caballero de Hangest—. Querréis decir el año mil trescientos dos, el de la muerte del conde Roberto.

El maestro Tesson hubiese querido acusarse de un lapsus, pero el texto está allí, bajo sus ojos, y dice claramente mil trescientos veintidós. Le pedirán que lo lea de nuevo. ¿Cómo ha podido ocurrir esto? ¡Ah, el conde Roberto se pondrá de un humor...! Y él, Tesson, se ha dejado meter en un buen lío. ¡En el Châtelet... todo esto acabará en el Châtelet!

Hace lo que puede por reparar el desastre.

—Hay un defecto de escritura... —tartamudea—. Sí, seguro, debe de ser mil trescientos dos... —Rápidamente moja su pluma en la tinta, tacha y restablece la fecha correcta.

—¿Podéis corregir de esa manera? —le dice el caballero de Hangest con cierta sorpresa.

—Sí, señor —contesta el notario—; hay dos puntos señalados sobre la palabra, y los notarios tenemos la costumbre de corregir las palabras mal escritas sobre las que hay dos puntos...

—Eso es verdad —confirma el arcediano de Avranches.

Pero el incidente destruye la magnífica impresión producida por la lectura.

Roberto llama a un escudero, le ordena al oído que anticipe la comida y se esfuerza en reanimar la conversación.

—En suma, maestro Tesson, ¿para vos es auténtica la carta?

—Ciertamente, mi señor, ciertamente —se apresura a responder Tesson.

—¿Y para vos también, señor arcediano?

—Yo la considero auténtica.

—Tal vez debierais compararla con otras cartas del difunto conde de Artois, del mismo año —dice el señor de Brécy amistosamente.

—¿Y cómo, mi buen amigo, cómo comparar si mi tía Mahaut lo tiene todo en sus archivos? Yo considero auténtica la carta. ¡No se puede inventar algo semejante! Yo mismo no sabía tanto; particularmente, que Mahaut hubiera renunciado.

En ese momento se oye un trompetazo en el patio. Roberto palmotea.

—¡Tocan para el agua, mis señores! Pasemos a lavarnos las manos y vayamos a comer.

Estaba furioso mientras se paseaba por la habitación de la condesa, su esposa, y el suelo temblaba bajo sus pies.

—¡Y vos la leísteis! ¡Y Tesson la leyó! ¡Y la leyó la Division! Y nadie, nadie fue capaz de ver ese maldito veintidós que puede hacer que se derrumbe todo nuestro edificio.

—Vos también, amigo mío —respondió con calma Juana de Beaumont—, leísteis y releísteis esa carta, y me parece que estabais muy satisfecho.

—¡Pues sí, la leí, y tampoco vi ese defecto! No es lo mismo leer para uno que hacerlo en voz alta. ¿Cómo iba a pensar que alguien cometería semejante tontería? Ha sido necesario que ese asno de notario... y el otro asno que escribió la carta... ¿Cómo se llama? ¿Rossignol? Se cree capaz de redactar de nuevo una carta, os saca más dinero del que se necesita para construir una casa, y ni siquiera sabe poner bien la fecha. ¡Mandaré prender a ese Rossignol y lo haré azotar hasta que sangre!

—Tendréis que hacerlo prender en Santiago, amigo mío, adonde ha ido en peregrinación con vuestro dinero.

—¡Entonces, a la vuelta!

—¿No teméis que hable un poco demasiado alto mientras lo azotan?

Roberto se encogió de hombros.

—¡Y menos mal que esto ha ocurrido aquí y no en la lectura ante el Parlamento! Tendréis que poner más atención, amiga mía, en los otros documentos para que no vuelva a cometerse un error semejante.

La señora de Beaumont encontraba injusto que su esposo descargara sobre ella su cólera. Deploraba el error tanto como él, le entristecía igualmente; pero después de tanto trabajo como se había tomado, después de haberse desollado las manos cortando la cera de los sellos, consideraba que Roberto debía haberse contenido y no tratarla como si fuera culpable.

—Después de todo, Roberto, ¿por qué os importa tanto ese proceso? ¿Por qué corréis el peligro y me lo hacéis correr a mí, así como a tantas personas de vuestro círculo, de que un día nos acusen de mentira y falsificación?

—¡No son mentiras, no son falsificaciones! —gritó Roberto—. ¡Es la verdad lo que quiero hacer resplandecer a los ojos de todos, cuando se obstinan en ocultarla!

—Sea, es la verdad —dijo ella—; pero una verdad, confesadlo, que tiene mal aspecto. ¡Temo que con esa apariencia no se la reconozca! Vos lo tenéis todo, amigo mío: sois par del reino, cuñado del rey porque yo soy su hermana y todopoderoso en su consejo; vuestras rentas son grandes, y lo que os he aportado por dote y herencia hace que todos envidien vuestra fortuna. ¿Por qué no dejáis el Artois? ¿No creéis que ya hemos jugado bastante a un juego que puede costarnos muy caro?

—Amiga mía, razonáis muy mal y me asombro de oíros hablar de esa manera, ya que de ordinario sois sabia. Soy primer barón de Francia, pero un h tierra. Mi pequeño condado de Beaumo dado sólo como compensación, es do yo no lo exploto, me entregan sus rentas. Me han elevado a la categoría de par porque el rey es vuestro hermano, como acabáis de decir; pero un rey no es eterno, aunque quiera Dios guardárnoslo por largo tiempo. ¡Hemos visto morir a bastantes! ¿Ocuparía yo la regencia si Felipe muriera? Si su coja esposa, que me odia y os odia, se apoyara en Borgoña para regentar, ¿sería yo tan poderoso y el Tesoro seguiría pagando mis rentas? No tengo administración, ni justicia, ni verdaderamente grandes vasallos; no puedo sacar de mi tierra hombres que me deban total obediencia y a los que pueda colocar en los cargos. ¿Quién consigue los empleos hoy en día? Gente venida de Valois, del Maine, de Anjou, de las dotaciones y feudos del buen Carlos, vuestro padre. ¿De dónde saco yo mis propios servidores? De los tres territorios que os he dicho. Os lo repito, no tengo nada. No puedo izar pendones bastante numerosos para hacer temblar. El verdadero poderío no se cuenta más que por el número de castellanías en que mandas y de las que puedes sacar guerreros. Mi fortuna sólo se basa en mí mismo, en mis brazos, en la posición que ocupo en el consejo; mi crédito no se funda más que en el favor y el favor no dura más que lo que Dios quiere. Tenemos hijos; pues bien, pensad en ellos, amiga mía. Y como no es seguro que hayan heredado mi cerebro, querría dejarles la corona del Artois... que es su dote por justa herencia.

Nunca había expresado tan ampliamente sus íntimos pensamientos, y la condesa de Beaumont se olvidó de sus anteriores quejas y vio a su marido bajo una nueva luz, no ya sólo como el gigante astuto cuyas intrigas la divertían, como el mal súbdito capaz de todas las briboneríadas, o como el conquistador de todas las jóvenes, fueran nobles, burguesas o sirvientas, sino como un verdadero gran señor que razonaba las circunstancias de su condición. Carlos de Valois, cuando corría en otro tiempo tras un reino o una corona de emperador, y buscaba para sus hijas alianzas soberanas, justificaba sus actos con las mismas preocupaciones.

En ese momento un escudero llamó a la puerta; la señora de Divion solicitaba hablar al conde con toda urgencia.

—¿Qué querrá ahora ésa? ¿No teme que la aplaste? Hacedla entrar.

La Divion se mostraba huraña; acababa de enterarse de que sus dos «mezquinas» de Artois, María *la Blanca* y María *la Negra*, las que le habían ayudado a comprar los sellos de la falsa carta, estaban en prisión bajo la vigilancia de los sargentos de la condesa Mahaut.

5

Mahaut y Beatriz

—¡Que el diablo os seque las entrañas a todos, mala gente! —gritaba la condesa Mahaut—. Hago prender a esas dos mujeres, por las que podía enterarme de todo, y en cuanto las tengo en mi poder, van y las sueltan.

La condesa Mahaut, en su castillo de Conflans, sobre el Sena, cerca de Vincennes, acaba de enterarse de que las dos sirvientas de la Divion, detenidas por orden suya por el baile de Arras, habían sido puestas en libertad. Su cólera era grande, y la «mala gente» a la que dirigía sus maldiciones estaba representada, por el momento, únicamente por Beatriz de Hirson, su primera doncella, sobre la que descargaba su furor. El baile de Arras era tío de Beatriz y hermano menor del difunto obispo Thierry.

—Esas «mezquinas», señora, han sido soltadas por orden del rey, presentada por dos sargentos de armas —respondió con calma Beatriz.

—¡Mucho se va a preocupar el rey de dos sirvientas que tienen su cocina en un barrio de Arras! Las han libertado por orden de mi sobrino Roberto, que ha corrido para que actuara el rey. ¿Se conoce al menos el nombre de los sargentos? ¿Se aseguraron de que eran oficiales reales?

—Se llaman Maciot *el Alemán* y Juan *el Cervecero*, señora —respondió Beatriz con la misma calma.

—¡Dos sargentos de armas de Roberto! Conozco a ese Maciot; es el que emplea mi sobrino para sus malos golpes. Y en primer lugar, ¿cómo ha sabido Roberto que estaban detenidas las sirvientas de la Divion? —preguntó Mahaut, lanzando sobre su primera doncella una mirada llena de sospecha.

—Vos no ignoráis, señora, que mi señor Roberto conserva muchos lazos en el Artois.

—¡Ojalá que no haya encontrado alguno de esos lazos entre la gente que me rodea! Pero ya es traicionarme servirme mal, y me siento traicionada por todos. Se diría que desde la muerte de Thierry me queréis mal. ¡Ingratos! Os he llenado de beneficios; desde hace quince años te trato como a mi propia hija... —Beatriz de Hirson bajó sus largas pestañas negras y miró vagamente el enlosado. Su rostro ambarino, liso, de labios muy perfilados, no traslucía ningún sentimiento, ni humildad ni rebelión, simplemente una cierta falsedad con aquel bajar de sus pestañas extraordinariamente largas, detrás de las cuales escondía la mirada—. ¡Tu tío Denis, a quien hice mi tesorero por complacer a Thierry, me engaña y me roba! ¿Dónde están las cuentas de las cerezas de mi huerto, vendidas este verano en el mercado de París? ¡Llegará un día en que haré revisar sus libros! ¡Habéis comprado tierras, casas, castillos con los beneficios que obtuvisteis de mí! Tu tío Pedro, que es bobo, y a quien nombré baile pensando que siendo tan tonto por lo menos me sería fiel, no es ni siquiera capaz de mantener cerradas las puertas de mis prisiones. La gente sale de ellas como quiere, como de una posada o de un burdel.

—¿Podía negarse mi tío, señora, ante el sello real?

—¿Y qué han dicho, durante los días que han pasado en prisión, esas sirvientas de la mala prostituta? ¿Las hicieron hablar? ¿Las interrogó tu tío?

—Señora, no lo podía hacer sin una orden de la justicia —repuso Beatriz con la misma voz arrastrada—. Recordad lo que le sucedió a vuestro baile de Béthune...

Mahaut rechazó el argumento con un gesto de su gran mano salpicada de manchas.

—No, ya no me servís de buen grado o, mejor dicho, me habéis servido siempre mal.

Mahaut envejecía. La edad dejaba sus huellas en aquel cuerpo gigantesco; un áspero vello blanco poblaba sus mejillas, que se enrojecían al menor disgusto; la sangre le subía entonces a la garganta y formaba una especie de babero rojo. Durante el año anterior había estado varias veces gravemente enferma. Aquellos tiempos habían sido funestos para ella desde todos los puntos de vista.

Después de su perjurio en Amiens y de la formación de la comisión investigadora, su carácter se había agriado hasta hacerse odioso. Además, le faltaba ánimo y lo ponía todo un poco en el mismo cesto. Si el granizo le estropeaba las rosas que cultivaba a miles en sus jardines, o si sufrían algún desperfecto las máquinas hidráulicas que alimentaban las cascadas artificiales de su castillo de Hesdin, su cólera se abatía como una tempestad sobre los jardineros, los ingenieros, los escuderos y sobre Beatriz.

—¡Y estas pinturas hechas no hace ni diez años! —gritaba señalando los frescos de la galería de Conflans—. Cuarenta libras le pagué a aquel pintor que hizo venir de Bruselas tu tío Denis, y que me garantizó que emplearía los colores más finos.[1] ¡No han pasado diez años, y fíjate! La plata de los yelmos se oscurece y la parte inferior de la imagen está completamente desconchada. ¿Es eso un buen trabajo, dime?

Beatriz se aburría. El séquito de Mahaut era numeroso, pero compuesto únicamente de gente vieja. Mahaut se mantenía bastante alejada de la corte de Francia, sometida por completo a la influencia de Roberto. Allá, en París, en Saint-Germain, alrededor del rey encontrado, se celebraban sin cesar justas, torneos y fiestas; por el aniversario de la reina, por la marcha del rey de Bohemia, e incluso, sin motivo alguno, simplemente para divertirse. Mahaut no iba o hacía sólo breves apariciones cuando se veía obligada por su categoría de par del reino.

Mahaut ya no tenía edad para la danza, ni humor para ver divertirse a los otros, sobre todo en una corte en la que la trataban tan mal. Ni siquiera le agradaba pasar una temporada en su palacio de la calle Mauconseil; vivía retirada entre los altos muros de Conflans o bien en Hesdin, que había tenido que reparar después de la devastación hecha por Roberto el año 1316.

Tiránica desde que no tenía ningún amante —el último había sido Thierry de Hirson, que se repartía entre ella y la Divion, de donde provenía el odio que Mahaut tenía a esa mujer—, y temerosa de verse presa de molestias nocturnas, obligaba a Beatriz a dormir en un extremo de su habitación, impregnada de olores de vejez, de farmacia y de comida. Porque Mahaut seguía devorando como siempre, atacada a toda hora por un hambre canina; los tapices olían a guisado de liebre, a venado y a caldo de ajo. Sus frecuentes indigestiones la obligaban a llamar a los médicos, barberos y boticarios; las pociones y las infusiones de hierbas sucedían a las carnes escabechadas. ¡Ah! ¿Qué había sido de los buenos tiempos en que Beatriz la ayudaba a envenenar reyes?

La propia Beatriz comenzaba a sentir el peso de los años. Se acababa su juventud. Treinta y tres años es una edad en que todas las mujeres, incluso las más perversas, contemplan las dos vertientes de su vida, piensan con nostalgia en la época pasada y con inquietud en la que ha de venir. Beatriz seguía siendo hermosa, y lo comprobaba en los ojos de los hombres, su espejo favorito. Pero sabía también que ya no tenía exactamente aquella tez de fruto dorado que había sido el atractivo de sus veinte años; los ojos eran menos brillantes al despertar; las caderas se ponían ligeramente pesadas. Ya no podía perder el tiempo.

¿Pero cómo, con esa Mahaut que la obligaba a acostarse en su habitación, cómo escaparse para reunirse con un amante, o para ir, a medianoche, a alguna casa secreta y encontrar en las prácticas del aquelarre las delicias del placer?

—¿En qué sueñas? —le gritó de repente la condesa.

—No sueño, señora —le respondió deslizando la mirada sobre Mahaut—; pienso solamente que podríais encontrar mejor muchacha que yo para serviros. Quiero casarme.

No se hizo esperar el efecto de la calculada maldad de esas palabras.

—¡Buen partido! —exclamó Mahaut—. Bien le irá a quien se case contigo. Tendrá que buscar tu doncellez en el lecho de todos mis escuderos antes de encontrarse con sus cuernos.

—A la edad que tengo, señora, y tal como me habéis tenido soltera para serviros..., la doncellez es más bien desgracia que virtud. De todas formas, eso es algo más corriente que las casas y los bienes que aportaré a un marido.

—¡Si dejo que conserves esos bienes! Porque los has ganado a mis espaldas.

Beatriz sonrió, y su mirada se enturbió de nuevo.

—¡Oh, señora! —exclamó con extrema dulzura—. No iréis a retirar vuestros beneficios a quien os ha servido en cosas tan secretas..., y que hemos realizado juntas.

Mahaut la miró con odio.

Beatriz sabía recordarle los cadáveres reales que dormían entre ellas, las almendras garrapiñadas del Obstinado, el veneno en los labios del pequeño Juan I..., y sabía también que la escena terminaría con un acceso de sangre en el rostro de la condesa, con el babero rojo marcado en su cuello bovino.

—¡Tú no te casarás! Ya ves, ya ves el mal que me haces al enfrentarte conmigo; puedes estar contenta —suspiró Mahaut dejándose caer en su asiento—. La sangre me zumba en las orejas; tendrán que sangrarme de nuevo.

—¿No será por comer demasiado por lo que necesitáis que os sangren?

—Comeré lo que me plazca y cuando me plazca —gritó Mahaut—. No necesito que una ignorante como tú me diga lo que me conviene. ¡Ve a buscarme queso inglés! ¡Y vino! ¡Y date prisa!

Ya no quedaba queso inglés en la despensa; la última remesa estaba agotada.

—¿Quién se lo ha comido? ¡Me roban! ¡Que me traigan un pastel!

«¡Pues sí, un pastel! ¡Atrácate y revienta!», pensó Beatriz, al tiempo que le preparaba el plato.

Mahaut tomó una gran tajada y la mordió. El crujido que oyó, y que le resonó en el cráneo, no fue sólo el de la corteza; se le acababa de partir un diente.

Los ojos de Mahaut, grises e inyectados en sangre, se ensancharon un poco, y su rostro se inmovilizó en una expresión de estupefacción; con la porción de pastel en una mano y el vaso de vino en la otra, Mahaut se quedó con la boca abierta y el incisivo a medio caer, horizontal sobre el labio. Dejó el vaso y se arrancó sin ninguna dificultad el diente roto; con la punta de la lengua se tocó el hueco y la herida superficial de la raíz. Al mismo tiempo, contemplaba entre sus grandes dedos el pequeño trozo de marfil amarillento, negro en la rotura, un fragmento de ella misma que la abandonaba. Mahaut levantó los ojos al advertir que Beatriz, delante de ella, estaba a punto de reventar de risa; la primera doncella, con los brazos apoyados en la cintura y los hombros estremeciéndose, no podía contenerse. Antes de que tuviera tiempo de retroceder, Mahaut se le acercó y la abofeteó dos veces. La risa de Beatriz se cortó en seco; tras sus largas pestañas, las negras pupilas brillaron con un fugaz y maligno destello.

Por la noche, cuando Beatriz ayudó a desnudarse a la condesa, parecía que la paz ya se había restablecido entre ambas. Mahaut, volviendo a su obsesión, explicaba a Beatriz:

—¿Comprendes por qué me interesaba tanto que interrogaran a esas dos mujeres? Estoy convencida de que la Divion ayuda a Roberto a redactar documentos falsos, y quisiera que la atraparan con las manos en la masa.

Succionaba maquinalmente por el tocón que el barbero había limado.

Beatriz, tras la doble bofetada, acariciaba un proyecto.

—¿Puedo, señora, daros un consejo? ¿Aceptáis escucharlo?

—Sí, hija; habla, habla. Soy de temperamento vivo, tengo la mano suelta; pero ya sabes que confío en ti.

—Pues bien, señora, todo el mal proviene de la herencia de mi tío Thierry, y de que no habéis querido darle a la Divion lo que le dejó. Cierto es que se trata de una mala criatura y que no merecía tanto. Pero os habéis ganado una enemiga que, sin ninguna duda, conoce ciertos secretos de boca de mi tío y que está a punto de vendérselos a mi señor Roberto. Fue una suerte que yo pudiera vaciar a tiempo el cofre de Hirson, donde mi tío tenía ciertos documentos vuestros. ¡Qué uso hubiera hecho de ellos esa mala mujer! Un poco de dinero y de tierra que le hubierais dado y le habríais cerrado el pico.

—Sí —dijo Mahaut—, tal vez me equivoqué. Pero confiesa que una bellaca que se va a calentar en las sábanas de un obispo no puede pretender que la traten como esposa legítima en el testamento... Sí, tal vez me equivoqué...

Beatriz ayudó a Mahaut a quitarse la camisa de día. La colosa mantenía sus enormes brazos en alto, descubriendo en las axilas un triste vello blanco; la grasa le formaba una protuberancia en la nuca, como en el espinazo de los bueyes; sus pechos eran pesados, fláccidos, monstruosos.

«Es vieja —pensó Beatriz—, va a morir... pero ¿cuándo? ¡Hasta su último día tendré que vestir y desnudar este cuerpo repugnante y pasar mis noches en esta habitación! ¿Y qué sucederá cuando haya muerto? Mi señor Roberto va a ganar el pleito, seguramente, con el apoyo del rey... La casa de Mahaut será desmantelada...»

Cuando terminó de ponerle el camisón a Mahaut, Beatriz continuó:

—Si ofrecierais a esa Divion pagarle los legados que reclama, e incluso algo más, la haríais volver sin duda a vuestro partido, y además, si ha servido a mi señor Roberto en malas acciones, podríais enteraros de ellas y sacar partido.

—Tal vez sea atinado lo que dices —respondió Mahaut—. Mi condado bien merece el gasto de mil libras, incluso para pagar el pecado. Pero ¿cómo acercarse a esa ramera? Se aloja en casa de Roberto, quien seguramente la vigila de cerca... e incluso la acaricia un poco, si llega el caso, ya que a él no le disgustan esas cosas... Es preciso que de ninguna manera se llegue a descubrir el proyecto.

—Yo me ofrezco, señora, a verla y hablarle. Soy sobrina de Thierry; él podría haberme confiado algo para ella...

Mahaut miró atentamente el rostro tranquilo, casi sonriente, de su primera doncella.

—Te arriesgas demasiado —dijo—. Si Roberto se enterara...

—Ya sé, señora, ya sé que me arriesgo; pero el peligro no me asusta —afirmó Beatriz mientras tapaba con la colcha bordada a la condesa, que se había acostado.

—Eres una buena muchacha —concluyó Mahaut—. ¿Te escuece mucho la mejilla?

—Sí, señora, siempre... para serviros...

NOTAS

1. En junio de 1320, Mahaut contrató a Pedro de Bruselas, pintor residente en París, para que decorara con frescos la gran galería de su castillo de Conflans, situado en la confluencia del Marne y el Sena. El acuerdo indicaba con gran precisión los temas de estos frescos —retratos del conde Roberto II y sus caballeros en batallas marítimas y terrestres—, los atuendos que deberían llevar los personajes y la calidad de los materiales utilizados.

Las pinturas se terminaron el 26 de julio de 1320.

6

Beatriz y Roberto

Lormet la recibió en la pequeña puerta del palacio reservada a los proveedores, como si la visitante fuera una trapera o una bordadora que iba a entregar un encargo. Por otra parte, vestida con una esclavina de ligero paño gris, cuya capucha le cubría los cabellos, Beatriz de Hirson no se diferenciaba en nada de una burguesa corriente.

Reconoció de inmediato al viejo criado personal del conde Roberto, pero no demostró sorpresa, como tampoco lo hizo cuando atravesó los dos patios y los edificios destinados al servicio y vio que la conducían hacia las estancias señoriales.

Lormet iba delante, un poco fatigado, y de vez en cuando se volvía a echar una mirada desconfiada a aquella joven demasiado hermosa, de lúbrico contoneo y que no parecía intimidada en absoluto.

«¿Qué tienen que hacer aquí las gentes de Mahaut? —se decía Lormet—. ¿Qué plato tendrá que cocinar en nuestro horno? ¡Ah, mi señor Roberto es muy imprudente por dejarle atravesar la puerta! La señora Mahaut sabe cómo actuar; no le envía a la más fea de sus mujeres.»

Un corredor abovedado, una tapicería, una puerta baja que gira sobre goznes bien engrasados, y Beatriz vio en las tres paredes a san Jorge clavando su lanza, a san Mauricio apoyado en su espada y a san Pedro arrojando sus redes.

Roberto de Artois estaba de pie en el centro de la habitación, con las piernas separadas, los brazos cruzados sobre el pecho y la cabeza gacha.

Beatriz entornó los ojos y sintió un delicioso estremecimiento de temor y satisfacción.

—Me parece que no esperabais verme —dijo Roberto de Artois.

—¡Oh, sí, mi señor! —respondió Beatriz lentamente—; a vos precisamente es a quien quería acercarme.

Había hecho todo lo necesario para conseguirlo durante una semana. Sus emisarios a la Divion habían ido con tan poco disimulo que lo debía de saber toda la casa.

La respuesta sorprendió un tanto a Roberto.

—¿A qué venís, entonces? ¿A anunciarme la muerte de mi tía Mahaut?

—¡Oh, no, mi señor! —repuso Beatriz—. La señora Mahaut sólo ha perdido un diente.

—Gran noticia —dijo Roberto—, pero no merece tantas molestias. ¿Os envía como mensajera? ¿Ve perdida su causa y quiere llegar a un trato conmigo? ¡Pues no lo conseguirá!

—¡Oh, no, mi señor! La señora Mahaut no quiere llegar a un trato, porque sabe que ganará.

—¡Que ganará! ¿De verdad? ¿Contra cincuenta y cinco testigos que reconocerán los robos y engaños de los que me ha hecho objeto?

Beatriz sonrió.

—La señora Mahaut, mi señor, tendrá sesenta testigos para demostrar que los vuestros mienten, y les habrá pagado al mismo precio...

—¿Habéis venido para burlaros de mí? Los testigos de vuestra dueña no valdrán para nada, ya que los míos se apoyan en buenos documentos que mostrarán.

—¿De verdad, mi señor? —preguntó Beatriz en tono falsamente respetuoso—. Entonces es que la señora Mahaut se engaña sobre el motivo por el que se buscan, en estos últimos tiempos, tantos sellos en el Artois... para vuestra casa.

—Se buscan los sellos —contestó Roberto, irritado— porque hacen falta todos los documentos antiguos, ya que mi nuevo canciller ha de poner los archivos en orden.

—¿De verdad, mi señor? —repitió Beatriz.

—¡No sois quién para interrogarme! ¡Soy yo el que os pregunta qué buscáis aquí! ¿Venís a sobornar a mi gente?

—Nada de eso, mi señor, puesto que he venido hasta vos.

—Entonces, ¿qué queréis? —exclamó.

Beatriz recorrió la habitación con la mirada. Vio la puerta por la que había entrado y que se abría en las nalgas de la Magdalena. Se sonrió ligeramente.

—¿Es por esta gatera por donde pasan todas las damas que recibís?

El gigante comenzaba a ponerse nervioso. Aquella voz lánguida, aquella risita, aquella negra mirada que brillaba un instante y se apagaba enseguida detrás de las largas pestañas lo turbaban un poco.

«Cuidado, Roberto —se decía—; tienes ante ti a una completa zorra, a la que no te han enviado para tu bien.»

La conocía desde hacía mucho tiempo. No era la primera vez que lo provocaba. Recordaba que en la abadía de Chaalis, al salir de un consejo nocturno que celebró el rey Carlos IV sobre los asuntos de Inglaterra, había encontrado a Beatriz esperándolo bajo los arcos del claustro de la hospedería. Y en muchas otras ocasiones... En cada encuentro había visto la misma mirada fija en la suya, el mismo movimiento ondulante de caderas, la misma agitación del pecho. Roberto no era hombre a quien atara la fidelidad; un palo con faldas lo ponía ciego. Pero esa muchacha, que colaboraba en todo con Mahaut, le había inspirado siempre prudencia.

—Seguramente sois muy bribona —dijo Roberto—, pero tal vez sois también previsora. Mi tía cree que ganará la causa, pero vos, que tenéis los ojos más abiertos, os decís que la perderá. Sin duda pensáis que va a dejar de soplar el viento del lado de Conflans y que ya es hora de dejarse ver por ese Roberto al que tanto se ha calumniado, a quien tanto se ha perjudicado, y cuya mano puede ser pesada el día de la venganza. ¿No es así? —Se paseaba de un lado a otro de la habitación, como de costumbre. Llevaba una cota corta que le marcaba el vientre; los enormes músculos de los muslos estiraban la tela de sus calzas. Beatriz no dejaba de observarlo, desde la rojiza cabellera hasta los zapatos. «¡Cómo debe de pesar!», pensaba—. Pero sabed que no se consiguen mis favores con una sonrisa —continuó—. ¿Tenéis acaso gran necesidad de dinero y algún secreto que venderme? Recompenso a quien me sirve, pero no tengo piedad con quien me quiere engañar.

—No tengo nada que venderos, mi señor.

—Entonces, señora Beatriz, para vuestro gobierno y salud, sabed que haríais bien en pasar de largo ante las puertas de mi casa, cualquiera que sea el pretexto que hayáis tenido para acercaros. Mis cocinas están bien guardadas, prueban mis platos y mi vino antes de servírmelos.

Beatriz se pasó la punta de la lengua por los labios, como si saboreara un exquisito licor. «Teme que lo envenene», se decía.

¡Cómo se divertía, y al mismo tiempo, qué miedo le daba! ¡Y Mahaut, que la creía durante ese tiempo ocupada en convencer a la Divion! ¡Oh, admirable momento! Beatriz sentía la impresión de tener en la palma de la mano varios lazos corredizos invisibles y mortales. Había que retenerlos.

Se echó hacia atrás el capuchón, desató el cordón del cuello y se quitó la esclavina. Llevaba la negra y espesa melena trenzada alrededor de las orejas. El vestido de camocán jaspeado, muy escotado en el pecho, enseñaba generosamente el nacimiento de los senos. Roberto, que gustaba de mujeres bien provistas, se dijo que Beatriz había ganado en belleza desde la última vez que la viera.

Beatriz extendió la esclavina sobre el embaldosado, cubriendo la mitad de un círculo. Roberto la miró sorprendido.

—¿Qué hacéis?

No respondió, pero sacó de su limosnera tres plumas negras y las colocó encima de la esclavina, cruzándolas para formar como una pequeña estrella; luego se puso a dar vueltas, describiendo con el índice un círculo imaginario mientras murmuraba palabras incomprensibles.

—Pero ¿qué hacéis? —repitió Roberto.

—Os embrujo, mi señor —respondió tranquilamente Beatriz, como si se tratara de la cosa más natural del mundo, o al menos de la cosa más corriente para ella.

Roberto soltó una carcajada. Beatriz lo miró y lo tomó de la mano para llevarlo al interior del círculo. Roberto apartó la mano.

—¿Tenéis miedo, mi señor? —le preguntó Beatriz, sonriendo.

¡Gran poder el de la mujer! ¿Qué señor se hubiera atrevido a decir al conde Roberto de Artois que tenía miedo sin que un enorme puño le aplastara la cara o una espada de diez kilos se abatiera sobre su cabeza? Y sin embargo, una vasalla, una camarera, rondaba su palacio, se hacía llevar hasta él, malgastaba su tiempo contándole tonterías... «Mahaut ha perdido un diente... No tengo ningún secreto que contaros...», extendía su manto sobre el piso y le decía en pleno rostro que tenía miedo.

—Siempre parece que tenéis miedo de acercaros a mí —continuó Beatriz—. El día que os vi por primera vez, hace ya mucho tiempo, en casa de la señora Mahaut, cuando fuisteis a anunciarle que iban a juzgar a sus hijas... tal vez no os acordéis... entonces ya os apartasteis de mí. Y muchas otras veces después... ¡No, no me hagáis creer que tenéis miedo!

Llamar a Lormet y ordenarle que echara a aquella burlona, ¿no era eso lo que la prudencia aconsejaba a Roberto y sin pérdida de tiempo?

—¿Y qué intentas con tu esclavina, tu círculo y tus tres plumas? —preguntó—. ¿Hacer aparecer al diablo?

—Sí, mi señor —asintió Beatriz.

Se encogió de hombros al oír esa chiquillada y, a manera de juego, entró en el círculo.

—Ya está hecho, mi señor, es exactamente lo que quería. ¡Porque vos sois el diablo!

¿Qué hombre se resiste a tal cumplido? Roberto se rió esta vez a gusto. Tomó el mentón de Beatriz con su pulgar e índice.

—¿Sabes que te podría hacer quemar por bruja?

—¡Oh, mi señor...!

Se mantenía junto a él, con la cabeza levantada hacia la mandíbula de Roberto llena de pelos rojizos; sentía su olor de jabalí acuciado. Estaba emocionada por el peligro, la traición, el deseo y el satanismo.

¡Una bellaca, una verdadera bellaca, tal como le gustaban a Roberto! «¿Qué arriesgo?», se dijo éste. La tomó por los brazos y la estrechó contra sí.

«Es el sobrino de la señora Mahaut, su sobrino que le desea tanto mal», pensaba Beatriz mientras su boca perdía el aliento pegada a la de él.

7

La casa Bonnefille

El obispo Thierry de Hirson poseía en la calle Mauconseil de París una mansión contigua a la de la condesa de Artois, que había ampliado mediante la compra de la casa de uno de sus vecinos, Julián Bonnefille. Fue esta casa, recibida en herencia, la que Beatriz propuso a Roberto de Artois para sus citas.

La perspectiva de divertirse en compañía de la primera doncella de Mahaut, al lado del palacio de Mahaut, en una casa pagada con el dinero de Mahaut y que, además, conservaba el nombre de Bonnefille, satisfacía la natural inclinación de Roberto por la farsa. La casualidad aporta a veces estas diversiones...

Sin embargo, al principio Roberto hizo uso de ella con extrema prudencia. Aunque era propietario, en la misma calle, de una mansión en la que no residía nunca, pero que visitaba de vez en cuando, prefería entrar en la casa Bonnefille al anochecer. En aquellos barrios próximos al Sena, de calles estrechas y llenas de una multitud densa y lenta, un señor como Roberto de Artois, de estatura tan destacada y escoltado por escuderos, no pasaba inadvertido. Roberto esperaba, pues, que llegara la noche. Se hacía siempre acompañar por Gillet de Nelle y tres criados, elegidos entre los más discretos y, sobre todo, entre los más fuertes. Gillet era el cerebro de esta guardia personal, y los tres atletas de puños de hierro se colocaban en las entradas de la casa Bonnefille, sin librea, como simples mirones.

En las primeras visitas, Roberto se negó a beber el vino con especias que le ofrecía Beatriz. «La damisela puede tener el encargo de envenenarme», se decía. Se quitaba reacio la sobretúnica forrada con una fina malla de hierro y, mientras duraba el placer, mantenía la vista puesta en el cofre donde había colocado su daga.

Beatriz disfrutaba con esos temores. Ella, pequeña burguesa del Artois, soltera a los treinta años y que había rodado por toda clase de sábanas, ¿podía inspirar temor a ese gigante, a ese poderoso par de Francia?

También para ella, aún más que para Roberto, tenía la aventura el estímulo de lo perverso. ¡En casa de su tío el obispo! Y con el enemigo mortal de la señora Mahaut, a quien, para justificar sus ausencias, debía contar siempre nuevas fábulas... La Divion se mostraba reticente... No cedería de golpe y sería una locura darle una gran suma de dinero por lo que podría no ser más que una gran mentira... No, era necesario verla con frecuencia, sacarle poquito a poco las intrigas del malvado Roberto, arrancarle el nombre de los testigos complacientes, comprobar luego sus declaraciones, entrevistarse en el Louvre con Juvigny o con Michelet Guéroult, criado del notario Tesson. ¡Ah! Todo ello no se podía hacer sin dificultades, tiempo y dinero... «Convendría, señora, dar una pieza de tela a ese empleado para su mujer; su lengua se desataría. ¿Me autorizáis a tomaros algunas libras?»

¡Y qué placer sentía al mirar a la señora Mahaut a los ojos, sonreírle y pensar: «Hace menos de doce horas, me ofrecía completamente desnuda a vuestro sobrino»!

Al ver que su primera doncella se desvivía por servirla, Mahaut la trataba sin aspereza, le mostraba de nuevo su afecto y no le regateaba mimos. Para Beatriz era una ocupación doblemente exquisita engañar a Mahaut mientras se afanaba en conquistar a Roberto. Porque no se puede decir haber conquistado a un hombre por haber pasado unas horas con él en el mismo lecho, como tampoco se es dueño de una fiera por haberla comprado y observarla a través de los hierros de una jaula.

La posesión no crea el poder.

Sólo se es dueño de una fiera cuando ésta obedece las órdenes de su amo...

La desconfianza de Roberto era para Beatriz como unas garras que debía limar. En toda su carrera de cazadora no había tenido ocasión de apresar una pieza tan grande y de tan proverbial ferocidad.

Beatriz conoció su primera victoria el día en que Roberto aceptó de su mano un vaso de garnacha. «Hubiera podido echarle veneno y se lo hubiese bebido...»

Y cuando una vez se durmió, como el ogro de las fábulas, Beatriz experimentó una sensación de triunfo. El gigante tenía en el cuello una clara marca en el sitio donde se cerraba el traje o la coraza; la tez curtida por el aire se interrumpía de pronto y comenzaba la piel blanca, pecosa y cubierta en los hombros por pelos rojizos como las cerdas de los puercos. Esa línea le parecía a Beatriz la marca preparada para el corte del hacha o el filo del puñal.

Le había apartado de las mejillas los rizados y cobrizos cabellos, revelando una oreja pequeña, delicada, infantil, enternecedora. «Por esa orejita se le podría introducir un hierro hasta el cerebro...», pensaba Beatriz.

Al cabo de unos minutos él despertó sobresaltado.

—No te he matado, mi señor —dijo ella entre risas.

A modo de agradecimiento, Roberto se lanzó de nuevo al juego. Debía reconocer que Beatriz lo secundaba bien, imaginativa, socarrona, sin demasiados miramientos, siempre complaciente y gimiendo de placer. Roberto, que por haber levantado toda clase de sayas de seda, lino o cáñamo, se creía un maestro de la picardía, tenía que reconocer que había encontrado en ella una digna rival.

—Si has aprendido en los aquelarres todas estas galanterías, mi pequeña amiga, deberían enviar allí a todas las doncellas —le decía.

Porque Beatriz le hablaba con frecuencia del aquelarre y del diablo. Aquella joven lenta y tranquila en apariencia, de andar ondulante y hablar pausado, sólo revelaba en el lecho su violencia, de la misma manera que su discurso no se hacía rápido ni animado más que cuando hablaba del demonio y de brujería.

—¿Por qué, pues, no te has casado? —le preguntaba Roberto—. No te han debido de faltar pretendientes, sobre todo si les has dado tal anticipo de matrimonio...

—Porque el matrimonio se celebra en una iglesia, y las iglesias no me gustan.

Reclinada en el lecho, con las manos en las rodillas, en sombra el vientre, Beatriz, con los ojos bien abiertos, decía:

—Los sacerdotes y papas de Roma y de Aviñón no enseñan la verdad, mi señor. No hay un solo Dios; hay dos: el de la luz y el de las tinieblas; el príncipe del bien y el príncipe del mal. Antes de la creación del mundo, el pueblo de las tinieblas se rebeló contra el pueblo de la luz, y los vasallos del mal, para poder existir, ya que el mal es la nada y la muerte, devoraron una parte de los principios del bien. Y puesto que estaban en ellos las dos fuerzas del bien y del mal, pudieron crear el mundo y engendrar a los hombres, en quienes están mezclados y siempre en batalla los dos principios, dirigidos por el mal, elemento natural del pueblo de origen. Se ve claro que hay dos principios, puesto que existen el hombre y la mujer, hechos como tú y como yo, de manera diversa —proseguía con una sonrisa ávida—. El mal cosquillea en nuestros vientres y los empuja a unirse... Ahora bien, la gente en la que la naturaleza del mal es más fuerte que la del bien, debe honrar a Satán y pactar con él para ser feliz y triunfar en sus asuntos; para éstos, el Señor del bien es su enemigo.

Esta extraña filosofía, que olía a azufre, y en la que

había restos de maniqueísmo y elementos impuros de doctrinas cátaras, mal transmitidas y mal comprendidas, tenía más adeptos de lo que creían las personas que ocupaban el poder. Beatriz no era un caso único; pero para Roberto, cuya mente no había rozado nunca esta clase de problemas, Beatriz entreabría las puertas de un mundo misterioso; estaba sobre todo muy admirado de escuchar tales razonamientos en boca de una mujer.

—Tienes más cerebro de lo que pensaba. ¿Quién te ha enseñado todo eso?

—Antiguos templarios —respondió.

—¡Ah, los templarios! Es cierto que saben muchas cosas...

—Vos, mi señor, contribuisteis en gran manera a destruirlos.

—¡Yo no, yo no! —exclamó Roberto—. Felipe el Hermoso y Enguerrando, los amigos de Mahaut... Pero Carlos de Valois y yo nos opusimos a su destrucción.

—Se han conservado poderosos por la magia; todos los males del reino se deben al pacto que los templarios han hecho con Satán, ya que el Papa los condenó...

—Las desgracias del reino, las desgracias del reino... —dijo Roberto poco convencido—. ¿No son debidas algunas a mi tía, más que al diablo? Porque ella fue quien mató a mi primo el Obstinado y luego a su hijo... ¿No pusiste un poco la mano en ese asunto?

Hacía frecuentemente esta pregunta, pero Beatriz la esquivaba siempre. Sonreía vagamente como si no lo hubiera entendido o respondía otra cosa.

—Mahaut no sabe... no sabe que he hecho un pacto con el diablo... Me echaría de su casa...

Y comenzaba de nuevo un discurso rápido sobre sus temas favoritos: la misa negra, lo opuesto a la misa cristiana y su negación, que se debía celebrar a medianoche en un subterráneo, preferentemente cerca de un cementerio. El ídolo tenía una cabeza de dos caras; usaban hostias negras que consagraban pronunciando tres veces el nombre Belcebú. Resultaba mejor si el oficiante era un sacerdote renegado o un monje que había colgado los hábitos.

—El Dios de lo alto está en bancarrota; promete la felicidad y sólo ofrece desdichas a los que lo sirven; hay que obedecer al dios de abajo. Si quieres, mi señor, que las pruebas de tu proceso sean reforzadas por el diablo, atraviésalas con un hierro candente, por una punta de la hoja, hasta que quede un agujero marcado por la quemadura. O marca la página con una pequeña mancha de tinta en forma de cruz que acabe en la parte de arriba con una especie de mano... Yo sé cómo hay que hacerlo.

Pero tampoco Roberto se entregaba por completo, y aunque Beatriz tuvo que ser la primera en saber que las actas que él se enorgullecía de poseer eran falsas, el conde no quiso confirmarlo.

—Si quieres adquirir todo poder sobre un enemigo para que la voluntad maligna lo lleve a su perdición —le confió Beatriz un día—, es preciso que te froten las axilas, el dorso de las orejas y la planta de los pies con un ungüento hecho con fragmentos de hostias y polvo de huesos de un niño sin bautizar, mezclado todo ello con semen humano extendido sobre la espalda de una mujer durante la misa negra, y con sangre menstrual de esa mujer...[1]

—Estaría más seguro —respondió Roberto— si a una enemiga que tengo alguien le hiciera tomar polvos para matar ratas.

Beatriz fingió no darse por aludida; pero esa idea la hizo estremecerse. No, no era necesario que respondiera enseguida a Roberto. No era necesario que éste supiera que estaba ya de acuerdo... ¿Hay mejor pacto que un crimen para unir a dos amantes?

Porque ella lo quería. No se daba cuenta de que mientras intentaba someterlo, era ella quien se volvía dependiente. No vivía más que para el momento de volverlo a ver, para seguir viviendo luego del recuerdo y de la espera; ansiosa de sentir otra vez aquel peso de cien kilos, aquel aplastamiento, aquel olor a bestia que despedía sobre todo en el recreo amoroso, y aquel gruñido que salía de su garganta.

Hay más mujeres de lo que se cree que se sienten inclinadas hacia lo monstruoso. Bien lo sabían los enanos de la corte, Juan *el Loco* y los demás, que no daban abasto a sus conquistas. Incluso una anomalía accidental es objeto de curiosidad y, por lo tanto, de deseo. Por ejemplo, un caballero tuerto, por el mero hecho de levantar la tela negra que le cubre parte de la cara... Roberto, a su manera, era una especie de monstruo.

La lluvia de otoño repiqueteaba en los tejados. Los dedos de Beatriz se divertían en seguir la prominencia de un vientre enorme.

—Tú, mi señor —le decía—, no necesitas nada para obtener lo que quieres; no es preciso que te instruyan en ninguna ciencia... Tú eres el diablo mismo. El diablo no sabe que es el diablo...

Él, harto y con la mandíbula levantada, soñaba escuchando esas palabras...

El diablo tiene ojos que queman como brasas, inmensas uñas para lacerar la carne, lengua bífida y un aliento que quema. Pero el diablo tal vez tuviera también el peso y el olor de Roberto. Beatriz estaba verdaderamente enamorada de Satán. Era la mujer del diablo y no se separaría nunca de él...

Una noche en que Roberto de Artois llegó a su palacio procedente de la casa Bonnefille, su mujer le presentó el famoso contrato de matrimonio, redactado al fin, y al que sólo le faltaban los sellos.

Roberto lo examinó, se acercó a la chimenea y, con gesto negligente, puso el atizador en las brasas; luego, cuando la punta estuvo al rojo, la aplicó en la esquina de una de las hojas, que empezó a encogerse.

—¿Qué hacéis, amigo? —preguntó la señora de Beaumont.

—Quiero solamente asegurarme de que es un buen pergamino —contestó Roberto.

Juana de Beaumont observó un instante a su marido y le dijo con dulzura casi maternal:

—Deberíais cortaros las uñas, Roberto... ¿Qué moda nueva es la que os obliga a llevarlas tan largas?

NOTAS

1. Tales recetas de brujería, cuyo origen se remonta a la Alta Edad Media, todavía se utilizaban en tiempos de Carlos IX y hasta de Luis XIV; algunos aseguran que la Montespan se prestó a la preparación de tales ungüentos para conjuros. Las recetas de filtros de amor que veremos más adelante están sacadas de las colecciones del Petit y del Grand Albert.

8

Vuelta a Maubuisson

Sucede que una maquinación largamente urdida queda comprometida desde su inicio por un error de planteamiento.

Roberto se dio cuenta de pronto de que las catapultas que había montado con tanto cuidado podían romperse en el momento de tirar, por no haber ideado en primer lugar un resorte.

Había asegurado a su cuñado el rey y jurado solemnemente sobre las Escrituras que existían sus títulos de herencia; había hecho redactar cartas lo más semejantes posible a los papeles desaparecidos; había buscado numerosos testimonios para apoyar la validez de tales documentos. Parecía estar todo a su favor para que las pruebas fueran aceptadas sin discusión.

Sin embargo, había una persona que sabía sin ningún género de duda que las actas eran falsas: Mahaut de Artois. Porque ella había quemado las verdaderas; primero, las de los archivos de París, robadas veinte años antes con la complacencia de Enguerrando de Marigny y, recientemente, las copias encontradas en el cofre de Thierry de Hirson.

Ahora bien, aunque una falsificación pueda pasar por auténtica a los ojos de personas favorablemente dispuestas y que no han conocido los originales, no ocurre lo mismo con quien sabe que se trata de una falsificación.

Claro que Mahaut no diría que esas piezas eran falsas porque ella había quemado las auténticas. Pero, como sabía que eran fraudulentas, haría todo lo posible para demostrarlo. Sobre este punto no cabía duda alguna. La detención fracasada de las «mezquinas» de Juana de Divion era una clara advertencia. Habían participado demasiadas personas en la redacción para no encontrar alguna capaz de traicionar por miedo o por dinero.

Si se había deslizado algún error, como el desafortunado de poner mil trescientos veintidós en lugar de mil trescientos dos en la carta leída en Reuilly, Mahaut no dejaría de señalarlo. Los sellos podían parecer perfectos, pero Mahaut exigiría un examen minucioso. Además, el difunto conde Roberto II tenía, al igual que todos los príncipes, la costumbre de hacer mencionar en sus actas oficiales el nombre del clérigo que las había redactado. Evidentemente, en los documentos falsificados no se había tenido presente esta costumbre. Tal omisión podía pasar en un acta, pero no en las cuatro que se iban a presentar. Mahaut abriría los archivos del Artois y diría: «Comparad, buscad entre las cartas selladas de mi padre la letra de uno de sus oficiales que se parezca a la de estos escritos.»

Roberto había llegado a la conclusión de que sus actas, que para él tenían valor de verdaderas, no se podían utilizar hasta que la persona que había hecho desaparecer los originales desapareciera también. Dicho de otra manera, sólo ganaría su proceso si moría Mahaut.

Eliminarla ya no era un deseo, sino una necesidad.

—Si Mahaut muriera —dijo un día a Beatriz con aire pensativo, apoyada la cabeza sobre las manos y mirando al techo de la casa Bonnefille...—; sí, si muriera, podría hacerte entrar en mi casa como dama de compañía de mi esposa. Puesto que recibiría la herencia del Artois, no tendría nada de extraño en que acogiera algunas personas de la casa de mi tía. Y así te tendría siempre a mi lado...

El cebo era tentador y lanzado a un pez que tenía la boca abierta.

Beatriz no alimentaba más dulce esperanza. Se veía

en casa de Roberto tramando sus intrigas, amante secreta al principio, luego declarada, porque esas cosas se saben con el tiempo... ¿Y quién sabe? La señora de Beaumont, como toda criatura humana, no era eterna. Es cierto que tenía siete años menos que Beatriz y disfrutaba de una salud que parecía excelente, pero para ella constituía precisamente un triunfo suplantar a una mujer más joven. ¿Un hechizo bien realizado no podría hacer enviudar a Roberto en unos años? El amor quita todo freno a la razón, todo límite a la imaginación. Beatriz se veía condesa de Artois, con manto de par...

¿Y si moría el rey, cosa que podía suceder, y Roberto se convertía en regente? En todos los siglos hay mujeres de humilde cuna que se elevan hasta el primer puesto por la pasión que inspiran a un príncipe, por sus gracias corporales y por una habilidad que las hace superiores, por derecho natural, a las demás. A juzgar por los romances de los trovadores, las emperatrices de Roma y de Constantinopla no habían nacido todas en las gradas de un trono. En la sociedad de los grandes de este mundo, no era raro que una mujer subiera muy deprisa.

Para decidirse, Beatriz se tomó todo el tiempo necesario hasta asegurarse el dominio sobre quien quería dominarla. Para convencerla, Roberto tuvo que comprometerse bastante, prometerle diez veces que entraría en el palacio de Artois, enumerar los títulos y prerrogativas de que disfrutaría y las tierras que le daría... Sí, tal vez Beatriz podría indicarle un hechizador que, por medio de una imagen de cera bien trabajada, agujas clavadas y determinados conjuros, obraría malignamente sobre Mahaut. Sin embargo, Beatriz fingía estar llena de dudas, de escrúpulos. ¿No había sido Mahaut su bienhechora y la de toda la familia Hirson?

Pronto aparecieron en el cuello de Beatriz broches de oro y de pedrería; Roberto aprendía los usos galantes. Mientras acariciaba la joya que Roberto le acababa de regalar, Beatriz decía que, si quería que el hechizo tuviera éxito, el medio más seguro y rápido consistía en recurrir a un niño de menos de cinco años, hacerle tragar una hostia blanca, cortarle la cabeza y hacer gotear su sangre sobre una hostia negra que, inmediatamente y con algún subterfugio, había que dar a comer al hechizado. No era muy difícil encontrar a un niño de menos de cinco años; había muchas familias pobres cargadas de hijos, dispuestas a vender uno.

Roberto ponía mala cara: demasiadas complicaciones para un resultado muy incierto. Prefería un buen veneno, sencillo, que se administra y obra su efecto.

Al fin Beatriz simuló ceder por devoción a aquel diablo que adoraba, por impaciencia de vivir junto a él en el palacio de Artois y por la esperanza de verlo varias veces al día. Por él era capaz de todo. Cuando Roberto consiguió que aceptara cincuenta libras para adquirir veneno, Beatriz llevaba ya una semana almacenando tal cantidad de arsénico blanco que hubiera podido exterminar a todo el barrio.

Ahora era preciso esperar una ocasión suficientemente favorable. Beatriz arguyó que Mahaut estaba rodeada de médicos que acudían al menor trastorno de su señora; las cocinas estaban vigiladas, los escanciadores de vino eran diligentes... La empresa no era fácil.

Y de pronto Roberto cambió de opinión. Había tenido una larga conversación con el rey. Felipe VI había leído el informe de los comisarios que tan bien habían trabajado bajo la dirección del querellante, y más convencido que nunca del derecho de su cuñado no deseaba más que servirlo. Para evitar un proceso cuyo resultado era tan incierto y de resonancia desagradable para la corte y para todo el reino, había resuelto citar a Mahaut para convencerla de que renunciara al Artois.

—No aceptará jamás, y ambos lo sabemos, mi señor —afirmó Beatriz.

—Intentémoslo. Si el rey consigue hacerla entrar en razón, sería la mejor solución.

—No, la mejor solución es el veneno.

La posibilidad de un arreglo amistoso no interesaba a Beatriz, pues posponía su entrada en el palacio de Roberto. Tendría que seguir siendo primera doncella de la condesa hasta que ésta muriera, Dios sabía cuándo. Ahora era ella quien deseaba apresurar las cosas; los obstáculos, las dificultades señaladas por ella misma ya no la asustaban. ¿Una ocasión favorable? Tenía varias cada día, empezando por cuando llevaba a la condesa Mahaut sus tisanas o sus medicinas...

—Sin embargo, puesto que el rey la ha invitado a que lo visite en Maubuisson en un plazo de tres días... —insistía Roberto.

Los amantes convinieron lo siguiente: si Mahaut aceptaba la proposición real de ceder el Artois, la dejarían con vida; si se negaba, Beatriz le administraría el veneno ese mismo día. ¿Qué mejor oportunidad se podía presentar? ¡Mahaut enferma al dejar la mesa del rey! ¿Quién se atrevería a suponer que el rey la había hecho asesinar, o, aun suponiéndolo, quién se atrevería a decirlo?

Felipe VI propuso a Roberto que estuviera presente en la entrevista de conciliación, pero Roberto se negó.

—Señor, hermano mío, vuestras palabras surtirán más efecto si no estoy presente; Mahaut me odia mucho, y mi presencia puede aumentar su obstinación en vez de animarla a someterse.

Ciertamente, creía eso, pero además deseaba con su ausencia librarse de cualquier acusación.

Tres días más tarde, el 23 de octubre, la condesa Mahaut, traqueteada en su gran litera dorada decorada con las armas del Artois, avanzaba por el camino de Pontoise. La acompañaba la única hija que le quedaba, la reina Juana, viuda de Felipe el Largo. Beatriz iba enfrente de su dueña, sentada en un taburete tapizado.

—¿Qué creéis, señora, que os quiere proponer el rey? —preguntó Beatriz—. Si se trata de un arreglo, perdonadme que os dé un consejo: os recomiendo que os neguéis. Dentro de poco tendrá toda clase de pruebas contra mi señor Roberto. Esta vez la Divion está dispuesta a entregarnos material para confundirlo.

—¿Por qué no me traes a esta Divion con la que tanto te has familiarizado y a quien no veo nunca? —preguntó Mahaut.

—No puedo hacer eso, señora; teme por su vida. Si mi señor Roberto lo supiera, ella no oiría misa a la mañana siguiente. A mí sólo me visita de noche en la casa Bonnefille y escoltada siempre por varios criados que la guardan. ¡Pero negaos, señora, negaos!

Juana la Viuda, con su vestido blanco, miraba en silencio desfilar el paisaje. Cuando aparecieron a lo lejos los puntiagudos tejados de Maubuisson, por encima del bosque, abrió la boca para decir:

—Os acordáis, madre, hace quince años...

Hacía quince años que, en aquel mismo camino, con sayal y la cabeza rapada, gritaba su inocencia desde la carreta negra que la llevaba hacia Dourdan. Otra carreta negra conducía a su hermana Blanca y a su prima Margarita de Borgoña hacia Château-Gaillard. ¡Quince años!

Había sido indultada, había recobrado el cariño de su esposo. Margarita había muerto, Luis X había muerto... Jamás había formulado Juana pregunta alguna a Mahaut sobre la desaparición de Luis el Obstinado y del pequeño Juan I... Y Felipe el Largo había sido rey durante seis años, y también había muerto. Juana tenía la impresión de haber vivido tres vidas distintas: la primera terminaba lejos en el pasado, en las atroces jornadas de Maubuisson; en la segunda, la habían coronado reina de Francia en Reims, junto a Felipe y, luego, en la tercera, se había convertido en aquella viuda tratada con todo respeto pero alejada del poder que se hallaba sentada en aquel momento en la gran litera. Tres vidas y la extraña impresión de haber sido tres personas diferentes sin apenas relación entre sí. La única continuidad la constituía aquella madre imponente, autoritaria, que la había dominado siempre y a la que, desde su infancia, temía dirigir la palabra.

También Mahaut se acordaba.

—Y siempre por ese malvado Roberto —rezongó—; fue él quien lo arregló todo con aquella perra de Isabel, cuyos asuntos no van muy bien, según me han dicho, como tampoco los de Mortimer, de quien es su prostituta. ¡Un día recibirán su castigo todos!

Cada una de ellas seguía el curso de sus propios pensamientos.

—Ahora tengo cabello..., pero tengo arrugas —murmuró la reina viuda.

—Tendrás el Artois, hija mía —le aseguró Mahaut poniéndole la mano sobre la rodilla.

Beatriz contemplaba la campiña y sonreía...

Felipe VI recibió cortésmente a Mahaut, aunque con cierta altivez, y habló como corresponde a un rey. Quería la paz entre sus grandes barones; los pares, sostenedores de la corona, no debían dar ejemplo de discordia ni ofrecerse al deshonor públicamente.

—No quiero juzgar lo realizado bajo los anteriores reinados —dijo Felipe, como si echara un velo de indulgencia sobre las actuaciones de Mahaut—. Quiero fallar sobre el estado actual. Mis comisarios han terminado su tarea; no puedo ocultaros, prima, que los testimonios no os son favorables. Roberto va a presentar sus pruebas...

—Testimonios pagados y trabajo de falsificadores... —gruñó Mahaut.

La comida se celebró en la gran sala, la misma en la que en otro tiempo Felipe el Hermoso había juzgado a sus tres nueras. «Todo el mundo debe de pensar en eso», se decía la reina Juana la Viuda, y este pensamiento le quitó el apetito. Sin embargo, excepto su madre y ella, nadie pensaba en aquel lejano acontecimiento, cuyos testigos habían desaparecido casi todos. Tal vez, al terminar la comida, un escudero le diría a otro: «¿Recordáis, señor? Estábamos allí cuando la señora Juana subió al carro... y ahora vuelve aquí como reina viuda...» Y el recuerdo se borraría casi de inmediato.

Es error común a todos los humanos creer que el prójimo concede a su persona tanta importancia como cada uno se da a sí mismo; los demás, a no ser que tengan interés particular en el recuerdo, olvidan rápidamente lo que nos ha ocurrido, y si no lo han olvidado, su recuerdo no tiene la firmeza que imaginamos.

Quizás en otro lugar Mahaut se hubiera mostrado más accesible a la proposición de Felipe VI. Como monarca que se creía árbitro, buscaba el arreglo; pero Mahaut, debido a que su odio se reavivaba en Maubuisson, no se sentía inclinada a ceder. Haría condenar a Roberto por falsificador, demostraría que era un perjuro; ése era su único pensamiento.

Obligada a medir sus palabras, en compensación comía como una loba, engullía todo lo que le ponían en el plato y apuraba el vaso en cuanto se lo llenaban. El vino y la cólera le enrojecían el rostro. ¿No le proponía el rey, así por las buenas, entregar su condado a Roberto, con la promesa de adjudicarle como compensación cuarenta mil libras anuales?

—Me comprometo a obtener el consentimiento de vuestro sobrino —le susurró Felipe.

Mahaut pensó: «Si Roberto me hace esta propuesta por mediación de su cuñado, es que no está muy seguro de sus títulos y prefiere pagarme una renta de cuarenta mil libras al año antes que mostrar sus falsas actas.»

—Me niego, señor, primo mío, a desprenderme de

mi condado, y como el Artois me pertenece vuestra justicia me lo guardará.

Felipe VI la miró por encima de su gran nariz. Aquella obstinación de Mahaut se debía tal vez a una cuestión de orgullo o al temor de que si cedía admitiría las acusaciones... Felipe sugirió otra solución: Mahaut conservaría su condado mientras viviera, sus títulos y derechos, su corona de par y, ante el rey, en un acto ratificado por los pares, instituiría a su sobrino Roberto heredero del Artois. Honradamente, no tenía ninguna razón para oponerse a este arreglo; su único hijo había muerto, su hija allí presente gozaba de una renta como reina viuda, y sus nietas poseían, por matrimonio, una Borgoña, otra Flandes y, la tercera, Vienne. ¿Qué más podía desear Mahaut? En cuanto al Artois, un día volvería a su destinatario natural.

—¿Podéis negar, prima, que si vuestro hermano, el conde Felipe, no hubiera muerto antes que vuestro padre, vuestro sobrino estaría actualmente en posesión del condado? Por lo tanto, el honor queda a salvo para ambos, y yo doy a las diferencias que os separan un arreglo justo.

Mahaut apretó las mandíbulas y movió la cabeza en señal de negación.

Entonces Felipe VI mostró cierta irritación e hizo apresurar el servicio. Puesto que Mahaut se comportaba así, puesto que le hacía la ofensa de rechazar su arbitraje, se iría al proceso... ¡Ella lo había querido!

—No os retengo, prima —le dijo en cuanto se lavó las manos—; no creo que os sea agradable la estancia en mi corte.

Eso indicaba claramente que había caído en desgracia.

Antes de emprender el regreso, Mahaut fue a derramar algunas lágrimas sobre la tumba de su hija Blanca, en la capilla de la abadía. La misma Mahaut había decidido en su testamento que la enterraran allí.[1]

—Maubuisson —dijo— no es lugar que nos haya traído suerte. Este sitio no sirve más que para dormir, muerta.

Durante el largo trayecto de vuelta dio rienda suelta a su cólera.

—¿Habéis oído a ese gran bobo que la mala suerte nos ha dado por rey? ¡Deshacerme del Artois, así, porque sí, sólo por complacerlo! ¡Instituir como mi heredero a ese hediondo Roberto! ¡Antes me cortaría la mano que sellar eso! Tienen que haber tramado mucho juntos y deberse mucho mutuamente para que... Y pensar que sin mí, si no hubiera allanado en otro tiempo el camino del trono...

—Madre... —murmuró suavemente Juana la Viuda.

Si se hubiera atrevido a expresar lo que pensaba, si no hubiera temido tener por respuesta un terrible bufido, Juana hubiera aconsejado a su madre que aceptara las proposiciones del rey. Pero eso no hubiera servido para nada.

—Jamás, jamás conseguirán eso de mí —repetía Mahaut.

Sin saberlo, acababa de firmar su sentencia de muerte, y el ejecutor estaba allí, delante de ella, en la litera, mirándola a través de sus negras pestañas.

—Beatriz —dijo de pronto Mahaut—, ayúdame un poco a desatarme la ropa; se me hincha el vientre.

La rabia le había desarreglado la digestión. Hubo que parar la litera para que la señora Mahaut fuera a aliviarse en el primer campo.

—Esta noche, señora, os daré carne de membrillo —le prometió Beatriz.

Al llegar a París por la noche, al palacio de la calle Mauconseil, Mahaut sentía el vientre todavía revuelto, pero estaba un poco mejor. Tomó una cena ligera y se acostó.

NOTAS

1. Recordamos que después de pasar en prisión once años en Château-Gaillard, Blanca de Borgoña fue trasladada al castillo de Gournay, cerca de Coutances, para acabar tomando el velo en la abadía de Maubuisson, donde murió en 1326. Mahaut, su madre, también sería inhumada en Maubuisson; posteriormente sus restos fueron llevados a Saint-Denis, donde puede verse en la actualidad su estatua yacente, la única, que sepamos, labrada en mármol negro.

9

El pago de sus crímenes

Beatriz esperó a que todos los sirvientes estuvieran durmiendo. Se acercó al lecho de Mahaut y levantó las cortinas de tapicería, que estaban corridas por la noche. La lamparilla colgada encima del lecho proyectaba un débil brillo azulado. Beatriz iba en camisa y llevaba una cuchara en la mano.

—Señora, os habéis olvidado de tomar vuestro membrillo.

Mahaut, somnolienta, luchando entre el furor y la fatiga, dijo simplemente:

—¡Ah, sí! Eres una buena chica al pensar en ello —dijo, y apuró el contenido de la cuchara.

Dos horas antes de amanecer despertó a todos con grandes gritos y toques de campanilla. La encontraron vomitando en la bacía que le tendía Beatriz.

Llamaron enseguida a sus médicos, Tomás le Miesier y Guillermo du Venat, quienes, tras pedir cuenta detallada de lo que había comido la condesa la víspera, llegaron fácilmente a la conclusión de que se trataba de una fuerte indigestión acompañada de flujo de sangre a consecuencia del disgusto.

Enviaron a buscar al barbero Tomás, quien por los quince sueldos habituales sangró a la condesa, y la señora Mesgnière, herbolaria del Petit Pont, proporcionó una lavativa de hierbas.[1]

Beatriz con el pretexto de ir a buscar un electuario a casa del maestro Palin, especiero, escapó por la tarde para reunirse con Roberto en la casa Bonnefille, a cuatro pasos de la de Mahaut.

—Ya está —anunció.

—¿Ha muerto? —exclamó Roberto.

—¡Oh no! Va a sufrir durante mucho tiempo —respondió Beatriz, y su mirada tenía un brillo maligno—. Tendremos que ser prudentes, mi señor, y vernos con menor frecuencia durante cierto tiempo.

Mahaut tardó un mes en morir.

Noche tras noche y poco a poco, Beatriz la empujaba hacia la tumba con toda impunidad, ya que Mahaut sólo confiaba en ella y no tomaba los remedios más que de su mano.

Después de los vómitos, que duraron tres días, tuvo un catarro de garganta y bronquios; deglutía con gran dolor. Los médicos declararon que había tomado frío durante su indigestión. Luego, cuando su pulso empezó a debilitarse, pensaron que la habían sangrado demasiado; después, su piel se cubrió de granos y pústulas.

Obsequiosa, atenta, siempre presente, y mostrando ese buen humor tan estimado por los enfermos, Beatriz se deleitaba contemplando los repugnantes progresos de su obra. Casi no veía a Roberto, pero la preocupación de encontrar cada día en qué alimento o remedio echar el veneno le procuraba suficiente placer.

Mahaut se vio perdida cuando comenzaron a caérsele los cabellos, a mechones grises, como heno podrido.

—¡Me han envenenado! —se lamentó angustiada a su primera doncella.

—¡Oh, señora, señora, no pronunciéis esas palabras! Antes de caer enferma, la última vez que comisteis fue en el palacio real.

—Precisamente, en eso pienso —dijo Mahaut.

Estaba colérica, irritada, y zarandeaba a sus médicos, a quienes acusaba de ser unos asnos. No daba señales de acercarse a la religión, y se mostraba más preocupada por los asuntos de su condado que por los de su alma. Dictó una carta a su hija: «Si muero, os ordeno que visitéis inmediatamente al rey y le exijáis que os respete el Artois antes de que Roberto intente algo...»

Los males que padecía no le dejaban pensar en los males que había infligido al prójimo; seguía siendo hasta el fin un alma egoísta, dura, y ni en la proximidad de la muerte sentía arrepentimiento ni humana compasión.

Sin embargo, creyó necesario confesar que había matado a dos reyes, lo cual no había dicho nunca en sus confesiones normales. Para eso hizo llamar a un oscuro franciscano. Cuando el fraile salió, totalmente pálido, de la habitación, se encargaron de él dos sargentos que tenían orden de llevarlo al castillo de Hesdin. Las instrucciones de Mahaut fueron mal interpretadas; había dicho que debían retenerlo en Hesdin hasta su muerte; el gobernador del castillo creyó que se trataba de la muerte del clérigo y lo encerró en un calabozo subterráneo. Fue el último crimen, aunque éste involuntario, de la condesa Mahaut.

Finalmente, la enferma sufrió atroces calambres que se manifestaron primero en los dedos de los pies y luego en los muslos. Finalmente, se le pusieron rígidos los antebrazos.

La muerte subía lentamente por su cuerpo.

El 27 de noviembre partieron varios jinetes hacia el convento de Poissy, donde se encontraba entonces Juana la Viuda; hacia Brujas, para avisar al conde de Flandes y, el mismo día, tres más hacia Saint-Germain, donde moraban el rey y Roberto de Artois. A Beatriz le pareció que cada uno de esos jinetes que iban hacia Saint-Germain era portador de un mensaje de amor dirigido a Roberto; la condesa Mahaut había recibido los sacramentos, la condesa ya no podía hablar, la condesa estaba a punto de morir...

Beatriz aprovechó un momento en que estuvo a solas con la moribunda, se inclinó sobre la calva cabeza, sobre la cara cubierta de pústulas que sólo parecía vivir por los ojos, y susurró:

—Habéis sido envenenada, señora... por mí..., y por el amor que le tengo a mi señor Roberto.

La moribunda la miró primero con incredulidad, luego con odio; el último sentimiento de ese ser, cuya existencia se escapaba, fue el deseo de matar. No, no lamentaba ninguno de sus actos; había tenido razón de ser mala, ya que el mundo estaba poblado de malos. Ni siquiera se le ocurrió el pensamiento de que, en el último momento, recibía el pago de sus crímenes. Era un alma sin redención.

Cuando su hija llegó de Poissy, Mahaut señaló a Beatriz con un dedo rígido y frío que apenas podía mover; abrió los labios, pero no pudo articular palabra y entregó la vida en el esfuerzo.

En los funerales, que se celebraron el 30 de noviembre en Maubuisson, Roberto mantuvo una actitud pensativa y triste que sorprendió. Hubiera sido más lógico que exhibiera un aire de triunfo. Sin embargo, su actitud no era fingida. Al perder un enemigo contra el que se ha luchado durante veinte años se experimenta una especie de vacío. El odio es un lazo muy fuerte que, al romperse, causa cierta melancolía.

Obediente a la última voluntad de su madre, la reina Juana la Viuda solicitó de Felipe VI, a la mañana siguiente, que le entregara el gobierno del Artois. Antes de responder, el rey le habló con toda franqueza a Roberto:

—No puedo hacer otra cosa que acceder a la solicitud de tu prima Juana, ya que según los tratados y juicios es la heredera legítima. Pero es un consentimiento de pura fórmula, y provisional, hasta que lleguemos a un arreglo o se celebre el proceso... Te invito a que me dirijas enseguida tu propia solicitud.

Lo que Roberto se apresuró a hacer con una carta

redactada en estos términos: «Mi muy querido y temido señor: como yo, Roberto de Artois, vuestro humilde conde de Beaumont, he sido hace tiempo desheredado, contra todo derecho y razón, por varias malevolencias, fraudes y astucias, del condado de Artois, el cual me pertenece y debe pertenecerme por varias causas buenas y justas llegadas a mi conocimiento, os requiero humildemente que en mi derecho me queráis escuchar.»

La primera vez que Roberto volvió a la casa Bonnefille, Beatriz creyó que le iba a dar gran satisfacción contándole, hora por hora, los últimos días de Mahaut. Escuchó sin decir nada ni mostrar ningún placer.

—Parece que lo lamentas —dijo ella.

—No, no —respondió Roberto pensativo—, ha tenido su merecido...

Su pensamiento se dirigía ya a su siguiente obstáculo.

—Ahora puedo ser dama de compañía en tu casa. ¿Cuándo me harás entrar allí?

—Cuando tenga el Artois —respondió Roberto—. Procura permanecer al lado de la hija de Mahaut; ahora es a ella a quien hay que apartar de mi camino.

Cuando la señora Juana la Viuda, recobrado el gusto por los honores, de los que no había disfrutado desde la muerte de su esposo Felipe el Largo, y liberada al fin, a los treinta y siete años, de la sofocante tutela materna, se desplazó con gran pompa para ir a tomar posesión del condado de Artois, hizo un alto en Roye-en-Vermandois. Allí tuvo el deseo de tomar un trago de vino clarete. Beatriz de Hirson envió al copero Huppin a buscar el vino. Huppin estaba más atento a los encantos de Beatriz que a los deberes de su servicio; languidecía de amor desde hacía cuatro semanas. Y fue Beatriz quien entregó a la reina viuda el vaso. Como esta vez tenía prisa por acabar, no usó arsénico sino sal de mercurio.

Y el viaje de la señora Juana finalizó allí.

Los que asistieron a la agonía de la reina viuda contaron que el mal se declaró hacia medianoche. Que el veneno le corría por los ojos, la boca y la nariz, y que el cuerpo se le puso lleno de manchas blancas y negras. No resistió ni dos días, y sólo sobrevivió dos meses a su madre.

Entonces la duquesa de Borgoña, nieta de Mahaut, reclamó el condado de Artois.

NOTAS

1. Desde la Candelaria de 1329 hasta el 23 de octubre, parece que Mahaut gozó de excelente salud y que tuvo que acudir muy poco a sus médicos ordinarios. A partir del 23 de octubre, fecha de su entrevista con Felipe VI en Maubuisson, hasta el 26 de noviembre, víspera de su muerte, podemos seguir casi día a día la evolución de su enfermedad gracias a los pagos hechos por su tesorero al barbero, los físicos, herbolarios, boticarios y especieros, por sus cuidados y sus suministros.

TERCERA PARTE

LAS DECADENCIAS

1

El complot del fantasma

El fraile había declarado llamarse Tomás Dienhead. Tenía la frente baja, coronada por cortos cabellos color cerveza, y mantenía las manos ocultas en las mangas. Su hábito de hermano predicador era de un blanco dudoso. Miraba a derecha e izquierda y había preguntado tres veces si milord estaba solo, y si había alguien que pudiera escuchar.

—Está bien, hablad —dijo el conde de Kent desde su asiento, moviendo la pierna con cierto aire de enojada impaciencia.

—Milord, nuestro buen señor el rey Eduardo II está vivo.

Edmundo de Kent no se sobresaltó como era de esperar, en primer lugar porque no era hombre que mostrara sus emociones, y además esa sorprendente noticia la sabía ya por otro emisario desde hacía unos días.

—El rey Eduardo está retenido secretamente en el castillo de Corfe —prosiguió el fraile—; yo lo he visto y vengo a daros mi testimonio.

El conde de Kent se levantó, pasó por encima de su galgo y se acercó a la ventana de pequeños cristales emplomados, a través de la cual observó por un momento el cielo gris por encima de su casa de campo de Kensington.

Kent tenía veintinueve años; ya no era el joven delgado que había dirigido la defensa inglesa durante la desastrosa guerra de Guyena en 1324, y que, falto de tropas, se había rendido en la sitiada La Réole a su tío Carlos de Va-

161

lois. Pero, aunque algo más grueso, seguía conservando la misma palidez y la misma indolencia distante que encubría más una tendencia a la ensoñación que a la verdadera meditación.

Jamás había escuchado algo tan sorprendente. ¿Estaría vivo su hermanastro Eduardo II, cuya muerte había sido anunciada tres años antes, que tenía su tumba en Gloucester y cuyos asesinos nadie vacilaba en nombrar? La detención en el castillo de Berkeley, el atroz asesinato, la carta del obispo Orleton, la culpabilidad conjunta de la reina Isabel, de Mortimer y del senescal Maltravers; la inhumación a toda prisa, ¿era todo eso una fábula inventada por los que tenían interés en que se creyera muerto al antiguo rey, y abultada luego por la imaginación popular?

Por segunda vez en menos de quince días le hacían esa revelación. La primera vez se había negado a creerla; pero ahora comenzaba a tener dudas.

—Si la noticia es cierta, pueden cambiar muchas cosas en el reino —comentó sin dirigirse concretamente al fraile.

Porque desde hacía tres años, Inglaterra había tenido tiempo de despertar de su sueño. ¿Dónde estaban la libertad, la justicia, la prosperidad que se creían unidas a la reina Isabel y al glorioso lord Mortimer? De la confianza que habían depositado en ellos no quedaba más que el recuerdo de una gran ilusión frustrada.

¿Por qué se había expulsado, destituido, encarcelado y —al menos así se creía hasta ese día— dejado asesinar al débil Eduardo II, sometido a odiosos favoritos, si lo había reemplazado un rey menor de edad, más débil aún, y despojado de todo poder por el amante de su madre?

¿Por qué se había decapitado al conde de Arundel, matado a palos al canciller Baldock, descuartizado a Hugo le Despenser, si ahora lord Mortimer gobernaba con la misma arbitrariedad, estrujaba al país con la misma avidez, insultaba, oprimía, aterraba, y no toleraba que se discutiera su autoridad?

Al menos Hugo le Despenser, criatura viciosa y ávida, tenía algunas debilidades aprovechables. Podía ceder por temor o por dinero. Rogelio Mortimer era un barón inflexible y violento. La Loba de Francia, como llamaban a la reina madre, tenía por amante a un lobo.

El poder corrompe rápidamente a quienes lo ejercen sin que los mueva en primer lugar el bien público.

Bravo, incluso heroico, célebre por su fuga sin precedentes, Mortimer había encarnado en sus años de destierro las aspiraciones de un pueblo desgraciado. Recordaban que en otro tiempo había conquistado el reino de Irlanda para la corona inglesa; pero olvidaban que había sacado buen provecho de ello.

En realidad Mortimer no había pensado nunca en la nación ni en las necesidades de su pueblo. Había sido campeón de la causa popular porque había identificado esa causa temporalmente con la suya propia. En realidad, sólo encarnaba las quejas de la nobleza. Convertido en dueño, se comportó como si toda Inglaterra estuviera a su servicio.

En primer lugar, se había apropiado de casi la cuarta parte del reino al convertirse en conde de las Marcas, título y feudo que había creado para adjudicárselos. Del brazo de la reina madre llevaba boato real y actuaba con el joven Eduardo III como si éste no fuera su soberano sino su heredero.

Cuando en octubre de 1328, Mortimer exigió del Parlamento, reunido en Salisbury, la confirmación de su elevación a la categoría de par, Enrique de Lancaster *Cuello Torcido*, decano de la familia real, se negó a asistir. En la misma sesión, Mortimer hizo entrar a sus tropas armadas en el recinto del Parlamento para presionar y que se aprobara su voluntad. Esta imposición no fue del agrado de los reunidos.

De forma casi inevitable, la misma coalición formada en otro tiempo para abatir a los Le Despenser se había reconstituido alrededor de los mismos príncipes de sangre: Enrique *Cuello Torcido* y los condes de Norfolk y de Kent, tíos del joven rey.

Dos meses después del asunto de Salisbury, Cuello Torcido, aprovechando la ausencia de Mortimer e Isabel, reunió secretamente en Londres, en la iglesia de San Pablo, a numerosos obispos y barones con el fin de organizar un levantamiento armado. Pero Mortimer tenía espías en todas partes; antes de que la coalición se hubiera equipado, asoló con sus tropas la ciudad de Leicester, primer feudo de los Lancaster. Enrique quería continuar la lucha; pero Kent, juzgando la operación mal preparada, escapó con escasa gloria.

Si Lancaster pudo salir de este mal paso sin otro perjuicio que una multa de once mil libras, que por otra parte no pagó, fue debido a que era presidente del consejo de regencia y tutor del rey, y a que, por una lógica absurda, Mortimer necesitaba mantener la ficción jurídica de esa tutela con el fin de poder condenar legalmente, por rebelión contra el rey, a adversarios como Lancaster.

Éste había sido enviado a Francia con el pretexto de negociar el matrimonio de la hermana del joven rey con el primogénito de Felipe VI. Este alejamiento era una discreta caída en desgracia; su misión duraría largo tiempo.

Ausente Cuello Torcido, Kent se había convertido de golpe, y casi a su pesar, en jefe de los descontentos. Todo recaía sobre él, y deseaba de corazón que se olvidara su abandono del año anterior demostrando que su conducta no se había debido a la cobardía.

Pensaba confusamente en esas cosas delante de la ventana de su castillo de Kensington. El fraile permanecía inmóvil, con las manos metidas en las mangas. El hecho de que fuera un hermano predicador, al igual que el primer mensajero que le había notificado que Eduardo

II vivía, hacía reflexionar al conde de Kent y lo inducía a tomar en serio la noticia, ya que la orden de los dominicos era conocida por su hostilidad a Mortimer. Ahora bien, si la información era cierta, se desvanecía la presunción de regicidio que pesaba sobre Isabel, Mortimer y sus secuaces. Pero podía también modificar la situación del reino.

Porque ahora el pueblo lamentaba la muerte de Eduardo II y, pasando de un extremo a otro, no estaba lejos de hacer un mártir de aquel príncipe disoluto. Si Eduardo II vivía, el Parlamento podría revisar sus anteriores decisiones y reponer en el trono al antiguo soberano.

Después de todo, ¿qué prueba concreta había de su muerte? ¿El desfile de los habitantes de Berkeley ante los restos mortales? Pero ¿cuántos de ellos habían visto a Eduardo II en vida? ¿Quién podía asegurar que no les hubieran mostrado otro cuerpo? Ningún miembro de la familia real había asistido a los misteriosos funerales en la abadía de Gloucester; además, lo que habían bajado a la tumba era un cuerpo que llevaba un mes muerto y estaba en una caja cubierta con un paño negro.

—¿Y decís, hermano Dienhead, que lo habéis visto con vuestros propios ojos? —preguntó Kent volviéndose y mirándolo fijamente.

Tomás Dienhead miró de nuevo alrededor, como buen conspirador, y respondió en voz baja:

—El prior de nuestra orden me envió allí; me gané la confianza del capellán, quien para dejarme entrar me obligó a vestir ropas de seglar. Permanecí un día entero escondido en un pequeño edificio situado a la izquierda del cuerpo de guardia; por la noche me hizo entrar en la gran sala, y allí vi al rey sentado a la mesa, rodeado de un servicio de honor.

—¿Le hablasteis?

—No me dejaron acercar —contestó el monje—;

pero el capellán me lo mostró desde detrás de una columna, y me dijo: «Aquél es.»

Kent permaneció un momento en silencio, y luego preguntó:

—Si os necesito, ¿puedo buscaros en el convento de los hermanos predicadores?

—No, milord, porque mi prior me ha aconsejado que, por ahora, no resida en el convento.

Y dio su dirección en Londres, en casa de un clérigo del barrio de San Pablo.

Kent abrió su limosnera y le dio tres piezas de oro. El hermano las rechazó; no podía aceptar ningún obsequio.

—Para las limosnas de vuestra orden —dijo el conde de Kent.

Entonces el hermano Dienhead sacó una mano de las mangas, se inclinó profundamente y se retiró.

Ese mismo día, Edmundo de Kent avisó a los dos principales prelados que habían tomado parte en la fallida conjura: Graveson, obispo de Londres, y Guillermo de Melton, arzobispo de York, quien había casado a Eduardo III y a Felipa de Hainaut.

«Me han afirmado dos veces y por fuentes que parecen seguras...», les escribía.

Las respuestas no tardaron en llegar. Graveson garantizaba su apoyo al conde de Kent para cualquier acción que se quisiera emprender; el arzobispo de York, primado de Inglaterra, envió a su propio capellán, Allyn, para prometer quinientos hombres armados, y más si era necesario, con el fin de liberar al antiguo rey.

Kent se puso entonces en contacto con lord Beaumont y sir Tomás Rosslyn, que se habían refugiado en París para huir de las represalias de Mortimer. De nuevo había en Francia un partido de emigrados.

El detonante último fue una comunicación personal y secreta del papa Juan XXII al conde de Kent. El Santo

Padre, al saber que el rey Eduardo II seguía vivo, recomendaba al conde de Kent que hiciera lo posible para liberarlo, y absolvía de antemano *ab omni pœna et culpa* a todos los que participaran en la empresa. ¿Se podía decir con más claridad que se consideraba bueno cualquier medio? Incluso amenazaba con excomunión al conde de Kent si descuidaba esa tarea altamente piadosa.

No se trataba de un mensaje oral, sino de una carta en latín en la que un eminente prelado de la Santa Sede, cuya firma era casi ininteligible, reproducía fielmente las palabras pronunciadas por Juan XXII durante una conversación sobre aquel tema. La carta había sido traída por un miembro del séquito del canciller Burghersh, obispo de Lincoln, que acababa de regresar de Aviñón, adonde había ido a negociar el hipotético matrimonio de la hermana de Eduardo III con el heredero de Francia.

Edmundo de Kent, muy emocionado, decidió entonces comprobar por sí mismo sobre el terreno esas informaciones tan concordantes y estudiar las posibilidades de una evasión.

Envió a buscar al hermano Dienhead a la dirección que le había dado, y con una escolta reducida pero segura partió hacia Dorset. Corría el mes de febrero.

Al llegar a Corfe, un día de mal tiempo con borrascas marinas que barrían la desolada península, Kent llamó al gobernador de la fortaleza, sir Juan Daverill. Éste se presentó al conde de Kent en la única posada de Corfe, delante de la iglesia de San Eduardo Mártir, rey asesinado de la dinastía sajona.

Muy alto y estrecho de hombros, con la frente arrugada y un gesto de desprecio en los labios, con esa cortesía reacia de quien se limita a cumplir con su deber, Juan Daverill lamentó no poder recibir al noble lord en el castillo. Tenía órdenes terminantes.

—¿Vive el rey Eduardo II? —le preguntó Edmundo de Kent.

—No puedo decíroslo.

—¡Es mi hermano! ¿Lo guardáis?

—No estoy autorizado a hablar. Se me ha confiado un prisionero; no debo revelar su nombre ni su categoría.

—¿Podrías dejarme entrever a ese prisionero?

Juan Daverill negó con la cabeza. Aquel gobernador era un muro, una roca, tan impenetrable como el enorme y siniestro torreón, defendido por tres gruesas murallas que se elevaban en lo alto de la colina, por encima del pueblecito de tejados de lajas. ¡Mortimer elegía bien a sus sirvientes!

Pero hay modos de negar que equivalen a afirmaciones. ¿Se hubiera mostrado Daverill tan misterioso, tan inflexible, de no haber tenido bajo su custodia precisamente al antiguo rey?

Edmundo de Kent hizo uso de su poder de convicción, que era mucho, y de otros argumentos a los que no siempre es insensible la naturaleza humana. Puso sobre la mesa una pesada bolsa de oro.

—Quisiera que ese prisionero fuera bien tratado —dijo—. Esto es para mejorar su suerte; contiene cien libras esterlinas.

—Os puedo asegurar, milord, que recibe un buen trato —respondió Daverill en voz baja, con cierta complicidad.

Y sin ninguna turbación echó mano a la bolsa.

—De buena gana daría el doble sólo por verlo —exclamó el conde de Kent.

Daverill negó con desolación.

—Pensad, milord, que en este castillo hay doscientos hombres de guardia.

Edmundo de Kent se creyó un gran estratega al tomar nota mentalmente de aquel comentario; habría que tener en cuenta la cifra para la fuga del prisionero.

—Si alguno de ellos hablara —continuó Daverill—, y llegara a conocimiento de la reina madre, me haría decapitar. —¿Cabía mejor confesión de lo que se pretendía ocultar?—. Pero puedo hacer pasar un mensaje, ya que eso quedará entre vos y yo —prosiguió el gobernador.

Inmediatamente, Kent, feliz al ver avanzar tan deprisa sus asuntos, escribió la siguiente carta, mientras las ráfagas de un viento húmedo batían las ventanas de la posada:

> Fidelidad y respeto a mi muy querido hermano, si os place. Ruego a Dios de todo corazón que os encontréis en buena salud, ya que se han tomado disposiciones para que salgáis pronto de prisión y os libréis de los males que os abruman. Estad seguro de que tengo el apoyo de los más grandes barones de Inglaterra y de todas sus fuerzas, es decir, sus tropas y sus tesoros. Seréis rey de nuevo; prelados y barones lo han jurado sobre el Evangelio.

Tendió la hoja, simplemente plegada, al gobernador.

—Os ruego que la selléis, milord. No quiero haber podido conocer su contenido.

Kent se hizo traer cera por un miembro de su séquito, puso su sello y Daverill ocultó la misiva bajo su cota.

—El mensaje le llegará al prisionero quien, creo, lo destruirá enseguida. Por consiguiente... —Hizo con las manos un gesto que significaba destrucción y olvido.

«Este hombre, si lo sé manejar, nos abrirá las puertas de par en par en el momento oportuno; ni siquiera tendremos que librar batalla», pensó Edmundo de Kent.

Tres días después, su carta estaba en manos de Rogelio Mortimer, quien la leyó ante el consejo, en Westminster.

Enseguida la reina Isabel se dirigió al joven soberano y exclamó con patetismo:

—Hijo mío, hijo mío, os suplico que actuéis contra vuestro más mortal enemigo, que quiere acreditar en el reino la fábula de que vuestro padre está vivo, con el fin de desposeeros y ocupar vuestro lugar. Ahora que hay tiempo, dad las órdenes para que se castigue a ese traidor.

De hecho, ya se habían dado esas órdenes, y los esbirros de Mortimer galopaban hacia Winchester para detener al conde de Kent en su camino de vuelta. Mortimer no quería sólo una detención; exigía un castigo ejemplar. Tenía muchas razones para obrar deprisa.

Al cabo de un año, Eduardo III sería mayor de edad; daba ya algunos indicios de su impaciencia por gobernar. Al eliminar a Kent, después de haber alejado a Lancaster, Mortimer decapitaba la oposición e impedía que el joven rey pudiera escapársele de las manos.

El 19 de marzo, se reunía el Parlamento en Winchester para juzgar al tío del rey.

Al salir de la prisión donde había permanecido más de un mes, el conde de Kent apareció descompuesto, más delgado, huraño, como si no comprendiera nada de lo que le ocurría. Decididamente, no era un hombre hecho para soportar la adversidad. Su agradable indolencia había desaparecido. Durante el interrogatorio de Roberto Howell, fiscal de la casa real, lo confesó todo. Contó la historia de cabo a rabo, dio el nombre de sus informadores y de sus cómplices. Pero ¿qué informadores? La orden de los dominicos no conocía a ningún hermano cuyo nombre fuera Dienhead; era una invención del acusado para intentar salvarse. Invención era igualmente la carta del papa Juan XXII; nadie del séquito del obispo de Lincoln, durante la embajada de Aviñón, había hablado del rey muerto con el Santo Padre ni con ninguno de sus cardenales o consejeros. Kent se obstinaba. ¿Querían hacerle perder la razón? ¡Sin embargo, había hablado con los hermanos predicadores! ¡Había tenido en las manos aquella carta *ab omni poena et culpa...*!

Kent descubrió al fin la espantosa emboscada que le habían tendido mediante el fantasma del rey muerto.

Complot organizado por Mortimer y sus servidores: falsos emisarios, falsos monjes, falsos escritos y, más falso que todos y que todo, aquel Daverill del castillo de Corfe. Kent había caído en la trampa.

El fiscal real solicitaba la pena de muerte.

Mortimer, en primera fila, dominaba a los lores con la mirada, y Lancaster, el único que se hubiera atrevido a hablar a favor del acusado, estaba fuera del reino. Mortimer había hecho saber que no perseguiría a los cómplices de Kent, fueran o no eclesiásticos, si aquél era condenado. Muchos barones se encontraban comprometidos de alguna forma y abandonaron —hasta el mismo Norfolk, hermano del acusado— al segundo príncipe de sangre al rencor del conde de las Marcas. En suma, un chivo expiatorio.

Y aunque Kent se humilló ante la asamblea, reconoció su aberración, se ofreció a ir en camisa, descalzo y con una cuerda al cuello a presentar su sumisión al rey, los lores, a su pesar, pronunciaron la sentencia que de ellos se esperaba. Para tranquilizar su conciencia, susurraban:

—El rey le concederá su gracia, el rey usará su poder de gracia...

No era verosímil que Eduardo III hiciera decapitar a su tío por una acción, culpable sin duda alguna, pero en la que la ligereza por un lado y la provocación por otro eran evidentes.

Muchos que habían votado la pena de muerte se proponían ir al día siguiente a solicitar el indulto.

Los comunes se negaron a ratificar la sentencia de los lores; solicitaban más información.

Pero Mortimer, en cuanto obtuvo el voto de la Cámara Alta, corrió al castillo en que estaba la reina.

—Ya está hecho —le dijo—; podemos ejecutar a Edmundo. Pero muchos de vuestros falsos amigos esperan que vuestro hijo lo salve de la máxima pena. Por lo tanto, os recomiendo que os adelantéis.

Habían tenido la precaución de alejar al joven rey durante todo el día, organizándole una recepción oficial en el colegio de Winchester, uno de los más antiguos y reputados de Inglaterra.

—El gobernador, amiga mía —agregó Mortimer—, ejecutará vuestra orden como si fuera la del rey.

Isabel y Mortimer se miraron a los ojos. No se detenían ante el crimen, ni ante el abuso de poder. La Loba de Francia firmó la orden para que decapitaran inmediatamente a su cuñado y primo hermano.

Edmundo de Kent fue sacado de nuevo de su calabozo, en camisa y con las manos atadas, y llevado bajo escolta de un pequeño destacamento de arqueros a un patio interior del castillo. Allí permaneció una hora, dos horas, tres horas, bajo la lluvia, mientras declinaba el día. ¿Por qué esa interminable espera ante el cadalso? Kent pasaba alternativamente del abatimiento a la loca esperanza. El joven rey, su sobrino, debía de estar a punto de concederle el perdón. Ese trágico momento era el castigo que se le imponía para que se arrepintiera mejor y apreciara más la magnanimidad de la clemencia. O bien había una revuelta y motines: quizá se había sublevado el pueblo, o quizá Mortimer había sido asesinado. Kent rogaba a Dios, y de pronto se puso a sollozar. Tiritaba bajo la camisa empapada; la lluvia resbalaba por el cadalso, por los cascos de los arqueros. ¿Cuándo iba a acabar aquel suplicio?

La explicación, que al conde de Kent ni se le pasaba por la cabeza, era que por todo Winchester buscaban a un verdugo y no lo encontraban. El de la ciudad, sabedor de que los comunes no confirmaban la sentencia y de que el rey no había podido pronunciarse, se negaba obstinadamente a ejercer su oficio sobre un príncipe real. Sus ayudantes se solidarizaban con él y preferían perder su empleo.

Se les pidió a los oficiales de la guardia que designaran a uno de sus hombres, a menos que saliera un voluntario, que recibiría una buena recompensa. Los oficiales manifestaron su disconformidad. Se avenían a mantener el orden, a montar guardia alrededor del Parlamento y a acompañar al condenado hasta el lugar de la ejecución; pero no querían saber nada más, ni ellos ni sus soldados.

Mortimer se encolerizó con el gobernador.

—¿No tenéis en vuestras prisiones algún asesino, falsificador o bandido que quiera salvar su vida a cambio? ¡Vamos, daos prisa si no queréis acabar vos también en prisión!

Buscando en los calabozos se encontró por fin el hombre deseado. Había robado objetos eclesiásticos e iban a colgarlo a la semana siguiente. Le entregaron un hacha, y exigió llevar el rostro cubierto.

Había llegado la noche. Al resplandor de las antorchas, azotadas por el aguacero, Kent vio avanzar a su ejecutor y comprendió que sus largas horas de espera no habían sido más que una última e irrisoria ilusión. Lanzó un grito espantoso; tuvieron que arrodillarlo a la fuerza ante el tajo.

El verdugo de ocasión era más miedoso que cruel, y temblaba más que su víctima. No acababa de levantar el hacha.

Falló el golpe, y el hierro se deslizó por la cabeza. Tuvo que golpear cuatro veces para decapitar al conde. Los viejos arqueros de alrededor vomitaban.

Así murió, antes de los treinta años, Edmundo de Kent, príncipe lleno de gracia y de candidez. Y un ladrón de copones fue devuelto a su familia.

Cuando el joven rey Eduardo III salió, después de haber oído una larga disputa en latín sobre las doctrinas del maestro Occam, le comunicaron que su tío había sido decapitado.

—¿Sin una orden mía? —dijo.

Llamó a lord Montaigu, que lo había acompañado en el homenaje de Amiens y cuya lealtad había podido comprobar en varias ocasiones.

—Milord —le dijo—, vos estabais ese día en el Parlamento. Me gustaría saber la verdad...

2

El hacha de Nottingham

El crimen de Estado siempre necesita ser cubierto con una apariencia de legalidad.

El origen de la ley está en el soberano, y la soberanía pertenece al pueblo, que la ejerce por medio de una representación elegida, o por una delegación hecha hereditariamente a un monarca, y a veces de las dos maneras, como era el caso de Inglaterra.

Todo acto legal en aquel país debía, pues, llevar el consentimiento conjunto del monarca y del pueblo, ya fuera ese consentimiento tácito o expreso.

La ejecución del conde de Kent era legal en su forma, puesto que el poder real era ejercido por el consejo de regencia, y puesto que en ausencia del conde de Lancaster, presidente de ese consejo, correspondía la firma a la reina madre; pero carecía del verdadero consentimiento de un Parlamento, reunido a la fuerza, y de la adhesión de un rey que desconocía la orden dada en su nombre. Tal acto tenía que ser funesto para sus autores.

Eduardo III mostró su reprobación cuanto pudo, y exigió para su tío funerales de príncipe. Como sólo se trataba de un cadáver, Mortimer se sometió a los deseos del joven rey.

Pero Eduardo no perdonaría nunca a Mortimer haber dispuesto sin su consentimiento, una vez más, de la vida de un miembro de la familia real; tampoco le perdonaría el desvanecimiento de la señora Felipa cuando le anunciaron brutalmente la ejecución del tío Kent. La joven reina estaba embarazada de seis meses, y podían haberle dado la noticia con más delicadeza. Eduardo se lo reprobó a su madre, y como ésta replicara con irritación que la señora Felipa era demasiado sensible con los enemigos del reino y que hacía falta un alma fuerte si se había elegido para ser reina, Eduardo le respondió:

—No todas las mujeres, señora, tienen el corazón tan pétreo como vos.

El incidente no tuvo consecuencias para la señora Felipa, que a mediados de junio dio a luz un hijo.[1] Eduardo III sintió la sencilla, profunda y grave alegría que experimenta todo hombre cuando le da el primer hijo la mujer a quien quiere y por la que es querido. Por el mismo hecho se sentía maduro como rey. Su sucesión estaba asegurada. El sentimiento de la dinastía, de su propio lugar entre sus antepasados y su descendencia, frágil ésta pero ya presente en la cuna, ocupaba sus meditaciones y le hacía cada vez menos soportable la incapacidad jurídica en que se lo mantenía.

Sin embargo, estaba lleno de escrúpulos; de nada sirve derribar una camarilla dirigente si no se tienen mejores hombres para reemplazarla, ni mejores principios que aplicar.

«¿Sabré reinar y estoy preparado para eso?», se preguntaba frecuentemente.

En su espíritu había dejado huella el detestable ejemplo de su padre, dominado enteramente por los Le Despenser, y también el que le ofrecía su madre sometida a Rogelio Mortimer.

Su forzada inactividad le permitía observar y reflexionar.

No se podía hacer nada en el reino sin el Parlamento, sin su consentimiento espontáneo o forzado. La importancia adquirida los últimos años por aquella asamblea consultiva, reunida cada vez con mayor frecuencia, era consecuencia de la mala administración, de las expediciones militares mal llevadas, de los desórdenes de la familia real y del estado de constante hostilidad entre el poder central y las coaliciones de los grandes señores feudales.

Era necesario cortar aquellos desplazamientos ruinosos en que lores y comunes tenían que viajar a Winchester, a Salisbury o a York para celebrar sesiones cuyo único fin era permitir que lord Mortimer dejara sentir su mano de hierro sobre el reino.

«Cuando sea verdaderamente rey, el Parlamento celebrará sus sesiones en fechas regulares, y en Londres siempre que sea posible... ¿El Ejército? El de ahora no es el del rey; es de los barones, que lo usan a su antojo. Habría que reclutar uno para el servicio del reino, mandado por jefes cuyo poder dimane del rey. ¿La justicia? La justicia ha de concentrarse en las manos del soberano, quien se ha de esforzar en que sea igual para todos. En el reino de Francia, a pesar de lo que se diga, hay más orden. También es preciso dar impulso al comercio, entorpecido por las tasas e interdicciones que pesan sobre el cuero y la lana, que son nuestra riqueza.»

Eran ideas que podían parecer muy simples, pero en realidad no lo eran por ser las de un rey; ideas casi revolucionarias en un tiempo de anarquía, de arbitrariedad y crueldad como raramente había conocido una nación.

El joven soberano, molesto, sintetizaba mentalmente las aspiraciones de su pueblo oprimido. Hablaba de sus intenciones a pocas personas: a su esposa Felipa, a Guillermo de Mauny, escudero que ella había traído desde Hainaut, y sobre todo a lord Montaigu, quien le expresaba el sentir de los jóvenes lores.

Es frecuente que un hombre formule a los veinte años los principios que aplicará durante su vida. Eduardo III tenía una importante cualidad para un monarca: era un hombre sin pasiones ni vicios. Había tenido la suerte de casarse con una princesa a la que quería. Poseía la forma suprema de orgullo que consistía en considerar natural su posición de rey. Exigía el respeto a su persona y a su función; despreciaba el servilismo porque excluye la franqueza. Detestaba la pompa inútil, porque era un insulto a la miseria y contraria a la verdadera majestad.

Las personas que habían estado en otro tiempo en la corte de Francia decían que Eduardo tenía muchos rasgos comunes con el rey Felipe el Hermoso; veían en él los mismos gestos y la misma palidez del rostro, la misma frialdad en sus ojos azules cuando levantaba sus largas pestañas.

Eduardo era ciertamente más comunicativo y entusiasta que su abuelo materno. Pero los que hablaban así no habían conocido al Rey de Hierro más que en sus últimos años, al final de su largo reinado; nadie recordaba lo que había sido Felipe el Hermoso a los veinte años. Eduardo III había llevado a los Plantagenet la sangre de Francia y parecía que el verdadero capetino estuviera en el trono de Inglaterra.

En octubre de ese mismo año de 1330 fue convocado de nuevo el Parlamento, esta vez en Nottingham, en el norte del reino. La reunión amenazaba ser tumultuosa. La mayoría de los nobles no perdonaban a Mortimer la ejecución del conde de Kent; no tenían la conciencia tranquila.

El denodado y prudente conde de Lancaster *Cuello Torcido*, a quien llamaban *el Viejo* Lancaster porque era el único de la familia real que a los cincuenta años había logrado conservar su torcida cabeza sobre los hombros, estaba por fin de vuelta. Una enfermedad en los ojos, que lo amenazaba desde hacía largo tiempo, se había agravado de pronto hasta dejarlo medio ciego, por lo que tenía que hacerse guiar por un escudero. Esta enfermedad, sin embargo, lo hacía aún más venerable, y sus consejos eran solicitados con mayor deferencia.

Los comunes se inquietaban porque se les iba a pedir

que autorizaran nuevos subsidios, que ratificaran nuevas tasas sobre las lanas. ¿Adónde, pues, iba a parar el dinero?

¿En qué había empleado Mortimer las treinta mil libras del tributo de Escocia? ¿Se había hecho esa dura campaña, tres años antes, para él o para el reino? ¿Y por qué había gratificado al tristemente célebre barón Maltravers, además de darle el cargo de senescal, con la suma de mil libras por haber custodiado en prisión al difunto rey, si no era como pago del asesinato? Porque todo se sabe, o se acaba por saber, y las cuentas del Tesoro no pueden quedar eternamente secretas... ¡Para eso habían servido los ingresos de las tasas! Ogle y Gournay, asesores de Maltravers y Daverill, alcaide de Corfe, habían recibido otro tanto.

Mortimer, que avanzaba por el camino de Nottingham con tanto esplendor que el joven rey parecía formar parte de su séquito, no era apoyado realmente más que por un centenar de partidarios que le debían toda su fortuna, que sólo eran poderosos si lo servían, y que corrían el riesgo de caer en desgracia, y ser enviados al destierro o a la horca si él perdía el poder.

Se creía obedecido porque una red de espías, próximos incluso al rey, como Juan Wynyard, le informaban de todo lo que se decía y desbarataban las conjuras. Se creía poderoso porque sus tropas atemorizaban a los lores y a los comunes. Pero las tropas pueden obedecer otras órdenes y, los espías, traicionar.

El poder sin el consentimiento de aquellos sobre los que se ejerce es un engaño que no puede durar mucho tiempo, un equilibrio eminentemente inestable entre el miedo y la rebelión, que se rompe de golpe cuando unos cuantos hombres se percatan de que comparten el mismo estado de espíritu.

A caballo sobre una silla bordada de oro y plata, rodeado de escuderos cuyas cabalgaduras llevaban lorigas escarlata y con su grímpola ondeando en la punta de las lanzas, Mortimer avanzaba por un mal camino.

Durante el viaje, Eduardo III observó que su madre parecía enferma, que tenía el rostro pálido y cansado, los ojos con evidente signo de fatiga, la mirada menos brillante. Viajaba en litera y no en la hacanea blanca, como acostumbraba; con frecuencia se veían obligados a detener la litera, pues el balanceo le causaba náuseas. Mortimer se mostraba con ella atento y preocupado.

Tal vez Eduardo se hubiera dado menos cuenta de esos detalles si, a comienzos de año, no hubiera observado los mismos síntomas en su esposa Felipa. Además, de viaje los sirvientes hablan más; las mujeres de la reina madre charlaban con las de la señora Felipa. En York, donde se detuvieron dos días, Eduardo ya no tuvo dudas: su madre estaba encinta.

Se sintió lleno de vergüenza y disgusto. Los celos, unos celos de hijo mayor, acentuaron su resentimiento. ¿En qué se había convertido la hermosa y noble imagen que tenía de su madre en su infancia?

«Por ella odié a mi padre, a causa de las deshonras de que la hacía objeto. ¡Y ahora me deshonra ella! ¡Madre a los cuarenta años de un bastardo más joven que mi propio hijo!»

Como rey, se sentía humillado ante su reino y, como esposo, ante su esposa.

En la habitación del castillo de York, se revolvía en la cama sin poder conciliar el sueño. Le dijo a Felipa:

—¿Te acuerdas, amiga mía? Aquí fue donde nos casamos. ¡Ah, te he traído a compartir conmigo un reinado bien triste!

Tranquila y reflexiva, Felipa se lo tomaba con bastante más calma, pero como era bastante gazmoña, se permitía juzgar:

—Tales cosas no ocurrirían en la corte de Francia —dijo.

—¡Ah, amiga mía! ¿Y los adulterios de vuestras primas de Borgoña? ¿Y vuestros reyes envenenados?

De pronto, la familia capetina se convertía únicamente en la familia de Felipa, como si él no descendiera igualmente de la misma.

—En Francia son más corteses —respondió Felipa—, menos crueles en sus rencores, alardean menos de sus deseos.

—Son más disimulados, más solapados. Prefieren el veneno al hierro...

—Vosotros sois más brutales...

El rey se calló; Felipa temió haberlo ofendido y extendió hacia él su brazo rollizo y suave.

—Te quiero tanto, amigo mío —le dijo—, porque tú no te pareces a ellos...

—Y no sólo es la deshonra —prosiguió Eduardo—, sino también el peligro...

—¿Qué quieres decir?

—Quiero decir que Mortimer es muy capaz de hacernos perecer a todos y casarse con mi madre para hacerse reconocer regente y poner a su bastardo en el trono.

—¡Es una locura pensar eso! —repuso Felipa.

Cierto que tal subversión, que suponía la negación de todos los principios, tanto religiosos como dinásticos, hubiera sido casi inimaginable en una monarquía firmemente asentada, pero todo era posible, hasta las más locas aventuras, en un reino desgarrado y abandonado a la lucha de facciones.

—Mañana hablaré de esto con Montaigu —resolvió el joven rey.

Al llegar a Nottingham, lord Mortimer se mostró extremadamente impaciente, autoritario y nervioso, ya que Juan Wynyard, sin haber podido captar el tema de las conversaciones, le había informado de los frecuentes coloquios mantenidos durante la última parte del trayecto entre el rey, Montaigu y varios jóvenes lores.

Mortimer se encolerizó con sir Eduardo Bohun, vicegobernador del castillo encargado de organizar el alo-

jamiento y que, según la costumbre, había previsto instalar a los grandes señores en el propio castillo.

—¿Con qué derecho, y sin consultarme, habéis preparado apartamentos tan próximos a los de la reina madre? —exclamó Mortimer.

—Creía, milord, que el conde de Lancaster...

—El conde de Lancaster, igual que los otros, deberá
alojarse a una milla al menos del castillo...

—¿Y vos, milord?

Mortimer frunció el entrecejo, como si esa pregunta
fuera una ofensa.

—Mi apartamento estará al lado del de la reina madre, y cada noche le haréis enviar por el condestable las
llaves del castillo.

Eduardo Bohun se inclinó.

A veces hay prudencias funestas. Mortimer quería
evitar que se comentara el estado de la reina madre; quería sobre todo aislar al rey, lo cual permitió a los jóvenes
lores reunirse y hablar mucho más libremente, lejos del
castillo y de los espías de Mortimer.

Lord Montaigu reunió a los amigos que le parecían
más decididos, jóvenes que en su mayoría estaban entre los
veinte y los treinta años: los lores Molins, Hufford, Staf-
ford, Clinton, así como Nevil de Homeby y los cuatro hermanos Bohun, Eduardo, Humberto, Guillermo y Juan,
este último conde de Hereford y de Essex. La juventud
formaba el partido del rey. Tenían la aprobación de Enrique de Lancaster, e incluso más que su aprobación.

Por su parte, Mortimer residía en el castillo en compañía del canciller Burghersh, de Simón Bereford, de
Juan Monmouth, Juan Wynyard, Hugo Turplington y
Maltravers, a quienes consultaba sobre la forma de con-
trarrestar la nueva conjura.

El obispo Burghersh se daba cuenta de que el viento
soplaba de distinto lado y se mostraba menos vehemente
en la severidad; respaldado por su dignidad eclesiástica,

predicaba la conciliación. En otra época había sabido pasar a tiempo del partido de los Le Despenser al de Mortimer.

—Basta de detenciones, procesos y sangre —argüía—. Tal vez algunas concesiones en tierras, honores o dinero...

Mortimer lo interrumpió con la mirada, que aún hacía temblar; el obispo de Lincoln se calló.

A la misma hora, lord Montaigu se entrevistaba en privado con Eduardo III.

—Os suplico, mi noble rey —le decía—, que no toleréis por más tiempo las insolencias e intrigas de un hombre que hizo asesinar a vuestro padre, decapitar a vuestro tío y que ha corrompido a vuestra madre. Hemos jurado derramar hasta la última gota de sangre para libraros de él. Estamos dispuestos a todo, pero tendríamos que actuar deprisa y penetrar en número bastante grande en el castillo en el que ninguno de nosotros se halla alojado.

El joven rey reflexionó un momento.

—Ahora sé, Guillermo, que os quiero bien —respondió agradecido.

No dijo «que me queréis bien». Disposición de ánimo verdaderamente real; no dudaba de que quisieran servirlo, lo importante para él era conceder a sabiendas su confianza y su afecto.

—Iréis, pues —continuó—, a ver al condestable del castillo, sir Guillermo Eland, en mi nombre, y le rogaréis por orden mía que os obedezca en lo que le pidáis.

—Entonces, milord, ¡que Dios nos ayude! —exclamó Montaigu.

Todo dependía ahora de ese Eland, de que lo convencieran y de que fuera leal; si revelaba la visita de Montaigu, los conjurados, y tal vez el propio rey, estaban perdidos. Pero sir Eduardo Bohun garantizaba que Eland abrazaría la causa del rey, aunque sólo fuera por el trato de criado que le daba Mortimer desde su llegada a Nottingham.

Guillermo Eland no decepcionó a Montaigu; le prometió obedecer sus órdenes en todo lo que pudiera, y juró guardar el secreto.

—Puesto que estáis con nosotros, entregadme esta noche las llaves del castillo.

—Milord —respondió el condestable—, sabed que rastrillos y puertas se cierran cada noche con llaves que debo entregar a la reina madre, quien las oculta bajo la almohada hasta la mañana siguiente. Os comunico también que la guardia habitual del castillo ha sido relevada y reemplazada por cuatrocientos hombres de las tropas personales de lord Mortimer...

Montaigu vio desaparecer toda esperanza.

—Sin embargo, conozco un pasadizo secreto que conduce hasta el castillo —prosiguió Eland—. Es un subterráneo del tiempo de los sajones, quienes lo construyeron para escapar de los daneses cuando éstos devastaron todo el país. Este subterráneo no lo conocen la reina Isabel, ni Mortimer, ni su gente, a quienes no quise mostrárselo; termina en el centro del castillo, en el *keep*, y por allí se puede penetrar sin que nadie lo advierta.

—Pero ¿cómo encontraremos su entrada en el campo?

—Yo estaré con vos, milord.

Lord Montaigu mantuvo una segunda y rápida entrevista con el rey; luego, al atardecer, en compañía de los hermanos Bohum, de otros conjurados y del condestable Eland, montó a caballo y abandonó la ciudad, declarando a bastantes personas que Nottingham le parecía un lugar poco seguro.

De esta salida que se parecía mucho a una huida fue inmediatamente informado Mortimer.

—Saben que los hemos descubierto, y ellos mismos se denuncian. Mañana los haré detener para que los juzgue el Parlamento. Bien, tendremos una noche tranquila, amiga mía —le dijo a la reina Isabel.

Hacia medianoche, al otro lado del *keep*, en una habitación de muros de granito alumbrada solamente por una lamparilla, la reina Felipa preguntaba a su esposo por qué permanecía sentado en el borde de la cama con la cota de mallas bajo su cota de rey y una corta espada al alcance de la mano.

—Esta noche pueden pasar grandes cosas —respondió él.

Felipa siguió tranquila en apariencia, pero el corazón le latía aceleradamente; recordaba la conversación que había tenido en York con su marido.

—¿Creéis que van a venir a asesinaros?

—También eso puede ocurrir.

Se oyó un susurro de voces en la pieza vecina, y Gautier de Mauny, a quien el rey había encargado la custodia de su antecámara, llamó discretamente a la puerta. Eduardo abrió.

—El condestable está aquí, milord, junto con los otros —anunció.

Eduardo besó en la frente a Felipa; ella le tomó las manos, se las tuvo estrechamente apretadas un instante, y murmuró:

—¡Dios te guarde!

Gautier de Mauny preguntó:

—¿He de seguiros, milord?

—Cierra bien las puertas y vela para que no le ocurra nada a la señora Felipa.

En el herboso patio del torreón, a la claridad de la luna, los conjurados se habían reunido alrededor de los pozos; sombras armadas de espadas y de hachas.

Los jóvenes del reino se habían atado trapos en los pies; el rey no había tomado tal precaución y su paso era el único que resonaba en las losas de los largos corredores. Una sola antorcha iluminaba la marcha.

A los servidores, tumbados en el suelo, que se levantaban somnolientos les murmuraban: «El rey», y permanecían donde estaban, apretujándose, inquietos por aquel paseo nocturno de señores armados, pero sin intentar saber demasiado.

El tumulto sólo estalló en la antecámara de las habitaciones de la reina, donde los seis hombres apostados allí por Mortimer impidieron el paso a los conjurados, aunque lo pidió el rey. La lucha fue muy breve, y sólo Juan Nevill fue herido con un golpe de pica que le atravesó el brazo; los hombres de la guardia, rodeados y desarmados, se apretaron contra los muros; la lucha no había durado más que un minuto; pero detrás de la sólida puerta se oyó un grito lanzado por la reina madre y luego el ruido que produce la colocación de obstáculos.

—¡Salid, lord Mortimer! —ordenó Eduardo III—; vuestro rey viene a deteneros.

Había hablado con su clara y fuerte voz de batalla, la misma que oyó el pueblo de York el día de su boda.

No tuvo otra respuesta que el sonido de la espada cuando se saca de la vaina.

—¡Salid, Mortimer! —repitió el joven rey.

Esperó unos segundos y luego, de repente, tomó el hacha más próxima de las manos de un joven lord, la levantó por encima de su cabeza y la descargó con toda su fuerza contra la puerta.

Aquel hachazo era la afirmación largo tiempo esperada de su poder real, el fin de sus humillaciones, el cese de los decretos promulgados contra su voluntad; era la liberación del Parlamento, el honor debido a los lores y la legalidad restaurada en el reino. Mucho más que el día de su coronación, el reinado de Eduardo III comenzaba allí, con aquel hierro brillante clavado en la oscura encina, con aquel choque, con aquel gran crujido de madera cuyo eco repercutió en las bóvedas de Nottingham.

Diez nuevas hachas atacaron la pesada puerta, que no tardó en ceder.

Rogelio Mortimer estaba en el centro de la habitación; había tenido tiempo de ponerse las calzas; su camisa blanca estaba abierta en el pecho, y empuñaba la espada.

Sus ojos de color de piedra lucían bajo las espesas cejas; sus cabellos, algo canosos y despeinados, enmarcaban su duro rostro; aún había fuerza en aquel hombre.

La reina Isabel, junto a él, con las mejillas bañadas de lágrimas, temblaba de frío y de miedo; sus pequeños pies descalzos formaban dos manchas claras sobre el suelo. En la pieza vecina se veía una cama revuelta.

La primera mirada del rey se dirigió al vientre de su madre, cuya redondez se marcaba con la ropa de noche. Nunca perdonaría a lord Mortimer haber reducido a su madre, tan valerosa en la adversidad, tan cruel en el triunfo, pero siempre tan majestuosa, a ese estado de hembra desconsolada a la que le arrancan el macho del que está embarazada. Se retorcía las manos mientras gemía:

—¡Buen hijo, buen hijo, os lo pido, respetad al gentil Mortimer!

Se había interpuesto entre su hijo y su amante.

—¿Ha respetado él vuestro honor? —alegó tranquilamente Eduardo.

—¡No le hagáis daño! —gritó Isabel—. Es caballero valeroso nuestro bien amado amigo; recordad que le debéis el trono.

Los conjurados vacilaban. ¿Iba a haber lucha, y tendrían que matar a Mortimer ante los ojos de la reina?

—Ya se ha cobrado bastante con lo que ha tenido de mi reinado. Vamos, milores, detenedlo —ordenó el joven rey, mientras apartaba a su madre y hacía señal a sus compañeros de que avanzaran.

Montaigu, los Bohum, lord Molins y Juan Nevill, por cuyo brazo corría sangre sin que él se preocupara, rodearon a Mortimer. Dos hachas se levantaron detrás de él, tres espadas se dirigieron hacia sus flancos, una mano se abatió sobre su brazo para hacerle soltar la espada. Lo empujaron hacia la puerta. En el momento de atravesarla, Mortimer se volvió:

—¡Adiós, Isabel, reina mía —exclamó—; nos hemos querido mucho!

Y era verdad. El más grande, el más espectacular, el más devastador amor del siglo, que había comenzado como una hazaña de caballería y había emocionado a todas las cortes de Europa, incluso a la Santa Sede; aquella pasión que había reunido una flota y equipado un ejército, se había consumido en un poder tiránico y sangriento, y concluía entre cortantes hachas, a la luz de una antorcha humeante. Rogelio Mortimer, octavo barón de Wigmore, antiguo gran juez de Irlanda, primer conde de las Marcas, era llevado a prisión, y su real amante, en camisón, se desplomaba al pie del lecho.

Antes del alba, Bereford, Daverill, Wynyard y los principales partidarios de Mortimer eran detenidos; luego, algunos se lanzaron en persecución del senescal Maltravers, Gournay y Ogle, los tres asesinos de Eduardo II, que se habían dado a la fuga.

A la mañana siguiente, la multitud estaba apiñada en las calles de Nottingham y gritaba su júbilo al paso de la escolta que llevaba en una carreta, suprema vergüenza para un caballero, a Mortimer encadenado. Cuello Torcido, con la oreja apoyada en el hombro, estaba en primera fila de la población, y aunque sus ojos enfermos apenas veían el cortejo, bailaba y lanzaba al aire su gorro.

—¿Adónde lo llevan? —preguntaba la gente.

—A la Torre de Londres.

NOTAS

1. El primero de los doce hijos de Eduardo III y Felipa de Hainaut, Eduardo de Woodstock, príncipe de Gales, fue conocido como el Príncipe Negro a causa del color de su armadura.

Él fue quien venció al hijo de Felipe VI de Valois, Juan II, en la batalla de Poitiers, y lo hizo prisionero.

Pasó la mayor parte de su vida, en la que destacó como militar, en el continente. Uno de los personajes dominantes de los inicios de la guerra de los Cien Años, murió un año antes que su padre, en 1376.

3

Hacia los Common Gallows

Los cuervos de la Torre de Londres viven mucho tiempo, más de cien años, según se dice. El mismo enorme cuervo, atento y taimado, que siete años antes intentaba picar los ojos del prisionero a través de los barrotes del tragaluz había vuelto a apostarse delante de la celda.

¿Habían asignado a Mortimer por burla el mismo calabozo de otro tiempo? En el mismo sitio en el que el padre lo había encerrado durante diecisiete meses, el hijo lo tenía cautivo. Mortimer se decía que debía de haber en su naturaleza, en su persona, algo que lo hacía intolerable a la autoridad real, o que a él le hacía insoportable esa autoridad. De cualquier forma, un rey y él no podían estar en la misma nación, y era preciso que uno de los dos desapareciera. Había suprimido a un rey; otro rey lo iba a suprimir. Es una gran desgracia haber nacido con alma de monarca cuando no se está destinado a reinar.

Mortimer, esta vez, no tenía ningún deseo de evadirse. Tenía la impresión de haber muerto en Nottingham. Para los seres como él, dominados por el orgullo, y cuyas mayores ambiciones han quedado satisfechas por un tiempo, la caída equivale a la muerte. El verdadero Mortimer formaba parte ya y para la eternidad de las crónicas de Inglaterra; el calabozo de la torre no contenía más que su indiferente envoltura carnal.

Cosa singular, esa envoltura había retomado sus costumbres. De la misma manera que al volver a la casa familiar, después de veinte años de ausencia, la rodilla, por una especie de memoria muscular, se apoya sobre la puerta que se resistía en otro tiempo, o bien el pie se coloca en la parte más ancha de un escalón para evitar el borde gastado, Mortimer había vuelto a adquirir los gestos de su anterior detención. Podía, por la noche, recorrer los pocos pasos que separaban el tragaluz del muro sin tropezar nunca; desde su entrada había colocado el escabel en su antiguo lugar; reconocía los ruidos familiares del relevo de la guardia y el campaneo de los oficios en la capilla de San Pedro, y todo sin el menor esfuerzo de atención. Sabía la hora en que le traían la comida, apenas menos mala que en tiempos del innoble condestable Seagrave.

Debido a que el barbero Ogle le había servido de emisario la primera vez para organizar su fuga, prohibieron la entrada de cualquier otro barbero para afeitarle, y la barba de un mes poblaba sus mejillas. Pero aparte de esto, todo era igual, hasta aquel cuervo al que Mortimer había bautizado en otro tiempo con el nombre de *Eduardo*, que fingía dormir y abría de vez en cuando su ojo redondo para meter su grueso pico a través de los barrotes.

¡Ah, sí! Una cosa faltaba: los tristes monólogos de su viejo tío, lord Mortimer de Chirk, musitados desde la tabla que le servía de lecho... Ahora comprendía Mortimer por qué el viejo se había negado a seguirlo en su huida. No había sido por miedo, ni por debilidad física; siempre se tienen bastantes fuerzas para emprender la marcha, aunque se haya de caer en el camino. Lo que retuvo al viejo lord de Chirk había sido la sensación de que su vida había terminado, y por eso prefirió esperar el fin sobre aquella tabla.

Para Rogelio Mortimer, que sólo tenía cuarenta y cinco años, la muerte no llegaría por sí sola. Sentía una vaga angustia cuando miraba hacia el centro del *green*, donde se solía colocar el tajo. Sin embargo, uno acaba por habituarse a la proximidad de la muerte por una serie de pensamientos muy sencillos que conducen a una aceptación melancólica. Mortimer se decía que el taimado cuervo sobreviviría y se burlaría de otros prisioneros; también las ratas seguirían con vida, las grandes ratas mojadas que subían por la noche de los ribazos fangosos del Támesis y corrían por las piedras de la fortaleza; incluso la pulga que lo molestaba bajo la camisa saltaría sobre el verdugo el día de la ejecución, y continuaría viviendo. Toda vida que se apaga deja intactas otras vidas. No hay nada más trivial que morir.

A veces pensaba en su mujer, Juana, sin nostalgia ni remordimiento. La había mantenido lo bastante alejada del poder para que hubiera alguna razón que lo uniera a ella. Sin duda le dejaría el legado de sus bienes personales. ¿Y sus hijos? Sí, sus hijos sufrirían seguramente el peso de los odios que lo habían abatido; pero, como había pocas posibilidades de que llegaran a ser hombres de gran valía y de tanta ambición como él, ¿qué importaba que fueran o no condes de las Marcas? El gran Mortimer era él, o más bien lo había sido. No sentía pena por su mujer ni por sus hijos.

¿Y la reina?... La reina Isabel moriría un día, y desde aquel momento no existiría ninguna persona sobre la tierra que hubiera conocido su verdad. Solamente cuando pensaba en Isabel se sentía aún ligado a la existencia. Cierto, había muerto en Nottingham, pero el recuerdo de su pasión continuaba vivo; algo así como los cabellos que se obstinan en crecer cuando el corazón ya ha dejado de latir. Eso era lo único que iba a cortar el verdugo. Cuando le separaran la cabeza del cuerpo, aniquilarían el recuerdo de las manos reales que se habían anudado a su cuello.

Como todas las mañanas, Mortimer había preguntado la fecha. Era el 29 de noviembre; el Parlamento debía de estar reunido, y el prisionero esperaba que lo hicieran comparecer. Conocía bien la cobardía de los reunidos para saber que nadie saldría en su defensa, sino todo lo contrario. Los lores y los comunes iban a vengarse rápidamente del terror que les había inspirado durante tanto tiempo.

La sentencia había sido pronunciada ya en la habitación de Nottingham. No iban a someterlo a un acto de justicia, sino sólo a un simulacro necesario, a una formalidad, exactamente como en las condenas ordenadas anteriormente por él.

Un soberano de veinte años, impaciente por gobernar, y unos jóvenes lores, impacientes por granjearse el favor real, necesitaban su desaparición para estar seguros de su poder.

«Para ese pequeño Eduardo mi muerte es completamente indispensable en su consagración... Sin embargo, ellos no lo harán mejor que yo; el pueblo no estará más satisfecho bajo su ley. Donde yo he fracasado, ¿quién puede triunfar?»

¿Qué actitud debía adoptar durante ese simulacro de juicio? ¿Suplicar, como el conde de Kent? ¿Inculparse, implorar, ofrecer su sumisión, descalzo y con una cuerda al cuello? ¿Confesar su pesar por los errores cometidos? ¡Hay que tener mucho deseo de vivir para imponerse la comedia de la decadencia! «Yo no he cometido ninguna falta. Fui el más fuerte y lo he sido hasta que otros, más fuertes que yo un momento, me han abatido. Nada más.»

¿Insultar, entonces? Enfrentarse por última vez a ese Parlamento de borregos y decirle: «Yo tomé las armas contra el rey Eduardo II. ¿Quiénes de los que me juzgáis ahora, milores, no me siguió entonces? Me evadí de la Torre de Londres. ¿Quién, de entre los que me juzgáis ahora, no me proporcionó ayuda y dinero para escapar? Salvé a la reina Isabel de ser asesinada por los favoritos de su esposo, reuní tropas y armé una flota que os libraron de los Le Despenser, depuse al rey que odiabais e hice coronar a su hijo, que hoy me juzga. ¿Quiénes de vosotros, milores, condes, barones y obispos, y vosotros, señores de la Cámara de los Comunes, no me aplaudisteis por todo ello, incluso por el amor que la reina me concedió? Lo único que podéis reprocharme es haber actuado en lugar vuestro, y preparáis vuestros dientes para desgarrarme con el fin de hacer olvidar con la muerte de uno solo lo que fue tarea de todos.»

O bien el silencio... Negarse a responder al interrogatorio, a presentar su defensa, no tratar inútilmente de justificarse. Dejar ladrar a los perros que están fuera del alcance del látigo... «¡Pero cuánta razón tenía yo para someterlos por el miedo!»

Un ruido de pasos lo arrancó de sus cavilaciones. «Ha llegado el momento», se dijo.

Se abrió la puerta y aparecieron los sargentos de armas que se apartaron para dejar paso al conde de Norfolk, mariscal de Inglaterra, seguido del lord alcalde y de los *sheriffs* de Londres, así como de varios delegados de los lores y de los comunes. No cabían tantos en la celda, y las cabezas se apretujaban en el estrecho pasillo.

—Milord —dijo el conde de Norfolk—, vengo por orden del rey a leeros la sentencia dictada contra vos por el Parlamento en la sesión de anteayer.

Los asistentes se sorprendieron al ver sonreír a Mortimer. Una sonrisa tranquila, despreciativa, que no se dirigía a ellos sino a sí mismo. La sentencia estaba ya dictada desde hacía dos días, sin comparecencia, sin interrogatorio, sin defensa... mientras que hacía un instante pensaba en la actitud que tomaría ante sus acusadores. ¡Vana preocupación! Le daban una lección; podía haberse evitado él también en otro tiempo toda formalidad legal en los juicios de los Le Despenser, de los condes de Arundel y de Kent.

En ese momento el fiscal comenzó la lectura de la sentencia:[1]

Visto que fue ordenado por el Parlamento reunido en Londres, inmediatamente después de la coronación de nuestro señor el rey, que el consejo de regencia estuviera formado por cinco obispos, dos condes y cinco barones, y que nada se podría decidir en su ausencia, y que el dicho Rogelio Mortimer, sin tener en cuenta la voluntad del Parlamento, se apropió del gobierno y de la administración del reino, desplazando y colocando a su antojo a los oficiales de la casa real y del conjunto del reino para introducir a sus amigos según su voluntad...

De pie, apoyado en el muro y la mano en un barrote del tragaluz, Rogelio Mortimer miraba el *green* y apenas parecía interesado en la lectura.

... Visto que el padre de nuestro rey fue conducido al castillo de Kenilworth, por orden de los pares del reino, para permanecer allí y ser tratado según su dignidad de gran príncipe, y que el dicho Rogelio ordenó que le negaran todo lo que solicitaba y lo hizo trasladar al castillo de Berkeley, donde finalmente, por orden del dicho Rogelio, fue traidora e ignominiosamente asesinado...

—¡Vete, pajarraco! —gritó Mortimer, para el asombro de los asistentes, debido a que el taimado cuervo acababa de darle un fuerte picotazo en el dorso de la mano.

... Visto que, aunque fue prohibido por orden del rey, sellada con el gran sello, entrar con armas en la sala de deliberación del Parlamento reunido en Salisbury, y esto bajo pena de rebeldía, no por eso dejaron de hacerlo el dicho Rogelio y su séquito armado, violando así la ordenanza real...

La lista de imputaciones era interminable. Se reprochaba a Mortimer la expedición militar contra el conde de Lancaster; los espías colocados junto al joven soberano, que lo habían obligado a «comportarse más como prisionero que como rey»; la incautación de numerosos barones que se habían rebelado contra su tiranía; la maquinación montada para hacer creer al conde de Kent que seguía vivo el padre del rey, «lo que determinó a dicho conde a comprobar los hechos por los medios más honrados y leales»; la usurpación de los poderes reales para llevar al conde de Kent ante el Parlamento y hacerlo condenar a muerte; el desvío de sumas destinadas a financiar la guerra de Gascuña, así como de los treinta mil marcos de plata entregados por los escoceses en cumplimiento del tratado de paz; el embargo del Tesoro real, de forma que el rey no podía mantener su rango. Finalmente lo acusaban de haber fomentado la discordia entre el padre del rey y la reina consorte, «siendo, por lo tanto, responsable de que la reina no volviera nunca más con su señor a compartir el lecho, con gran deshonor del rey y de todo el reino», así como de haber deshonrado a la reina «mostrándose junto a ella como su amante notorio y declarado».

Mortimer, con la mirada puesta en el techo y acariciándose la barba, volvió a sonreír; lo que leían era toda su historia, que, bajo aquella forma extraña, iba a entrar para siempre en los archivos del reino.

... Por lo cual el rey se ha remitido al juicio de los condes, barones y demás, para pronunciar una justa sentencia contra dicho Rogelio Mortimer; lo que los miembros del Parlamento, tras deliberar, han admitido, declarando que los cargos enumerados eran válidos, notorios, conocidos por todo el pueblo y, particularmente, el artículo concerniente a la muerte del rey en el castillo de Berkeley. Por eso han decidido que dicho Mortimer, traidor y enemigo del rey y del reino, sea arrastrado y luego colgado...

Mortimer se sobresaltó ligeramente. No iba a ser, pues, el tajo. Hasta el final había cosas imprevistas.

... Y también que la sentencia será sin apelación, tal como decidió el dicho Mortimer en los procesos contra los dos Le Despenser y el difunto lord Edmundo, conde de Kent y tío del rey.

El oficial había terminado y enrolló las hojas. El conde de Norfolk, hermano del conde de Kent, miró a Mortimer a los ojos. ¿Qué méritos había hecho ése, que tan bien se había escondido durante los últimos meses, para aparecer con aire vengativo y justiciero? Debido a esa mirada, a Mortimer le entraron ganas de hablar... ¡oh!, brevemente... sólo para decir al conde mariscal y, a través de ese personaje, al rey, a los consejeros, a los lores, a los comunes, al clero, al pueblo entero:

—Cuando aparezca en el reino de Inglaterra un hombre capaz de hacer todas esas cosas que acabáis de enumerar, os someteréis a él de nuevo como os sometisteis a mí. Pero no creo que nazca pronto... Ahora es tiempo de acabar. ¿Ha llegado el momento de llevarme?

Parecía que seguía dando órdenes y que mandaba su propia ejecución.

—Sí, milord, ahora —respondió el conde de Norfolk—. Os llevamos a los Common Gallows.

Los Common Gallows eran el patíbulo de los ladrones, de los bandidos, de los falsificadores, de los proxenetas, la horca de los libertinos...[2]

—¡Bien, vamos! —dijo Mortimer.

—Pero antes tenéis que ser desnudado...

—Pues bien, desnudadme.

Le quitaron el traje, dejándole solamente una tela alrededor de los riñones. Salió así, desnudo, ante la escolta bien abrigada, bajo una lluvia menuda de noviembre. Su cuerpo alto y musculoso era una mancha clara entre los trajes oscuros y las armaduras de la guardia.

En el *green* estaban preparadas unas tablas rugosas puestas sobre dos patines y sujetas al arnés de un caballo de tiro.

Mortimer conservó su sonrisa despreciativa al mirar los preparativos. ¡Cuánto cuidado, cuánto interés en humillarlo! Se tumbó sin ayuda de nadie sobre las tablas y le ataron las muñecas y los tobillos; luego el caballo se puso en marcha y las tablas comenzaron a deslizarse, primero suavemente sobre la hierba del *green*, luego raspando la grava y las piedras del camino.

Lo seguían el mariscal de Inglaterra, el lord alcalde, los *sheriffs*, los delegados del Parlamento, el condestable de la Torre de Londres; una escolta de soldados con la pica al hombro abría la ruta y protegía la marcha.

El cortejo salió de la fortaleza por la puerta de los Traidores, donde esperaba una muchedumbre curiosa, tumultuosa y cruel que se fue engrosando a lo largo del camino.

Cuando durante toda la vida se ha mirado a los hombres desde lo alto de un caballo o desde un estrado, produce una extraña sensación verlos de pronto desde el nivel del suelo, con la boca deformada por los gritos. ¡Verdaderamente, los hombres tienen un feo rostros cuando se los ve así, y las mujeres lo mismo; son grotescos y malignos! Sin la lluvia que le caía en los ojos, Mortimer, sacudido sobre las tablas, hubiera podido ver mejor aquellas caras de odio.

Algo viscoso y blando le alcanzó la mejilla y le corrió por la barba; Mortimer comprendió que era un gargajo. Luego sintió un dolor agudo, penetrante; una mano cobarde le había lanzado una piedra al bajo vientre. Si no hubiera sido por los piqueros, la muchedumbre, embriagada por sus propios aullidos, lo habría destrozado allí mismo.

Avanzaba bajo una bóveda estruendosa de insultos y maldiciones; él, que seis años antes no oía más que aclamaciones en todos los caminos de Inglaterra. La multitud tiene dos voces, una para el odio, otra para el júbilo; es un gran misterio que el alarido conjunto de tantas gargantas pueda producir dos sonidos tan distintos.

Y de pronto se hizo el silencio. ¿Habían llegado al patíbulo? No, había entrado en Westminster y lo hacían pasar lentamente bajo las ventanas en las que se apretujaban los miembros del Parlamento. Éstos callaban al ver pasar, a la rastra sobre el empedrado, como un árbol talado, al que durante tantos meses los había doblegado a su voluntad.

Mortimer, con los ojos nublados por la lluvia, buscaba una mirada; esperaba que, por suprema crueldad, hubieran obligado a la reina Isabel a contemplar su suplicio. Pero no la vio.

Luego el cortejo se dirigió hacia Tyburn. Al llegar a los Common Gallows, desataron al condenado y éste se confesó rápidamente. Desde lo alto del cadalso, Mortimer dominó a la multitud por última vez. Sufrió poco, ya que, al ser levantado bruscamente, la cuerda del verdugo le rompió las vértebras.

La reina Isabel se encontraba ese día en Windsor, donde se recuperaba lentamente de la pérdida de su amante y del hijo que esperaba de él.

El rey Eduardo hizo saber a su madre que iría a pasar con ella las fiestas de Navidad.

NOTAS

1. El texto original del juicio de Rogelio Mortimer fue redactado en francés.

2. Los Common Gallows de Londres (el Montfaucon de los franceses), donde se ejecutaba a la mayoría de los delincuentes comunes, estaban situados al borde de los bosques de Hyde Park, en un lugar llamado Tyburn, ocupado actualmente por Marble Arch. Por lo tanto, para llegar allí desde la Torre de Londres, había que atravesar todo Londres y salir de la ciudad. Este patíbulo se utilizó hasta mediados del siglo XVIII. Una placa señala discretamente su emplazamiento.

4

Un mal día

Por las ventanas de la casa Bonnefille, Beatriz de Hirson miraba caer la lluvia en la calle Mauconseil. Desde hacía varias horas estaba esperando a Roberto de Artois, quien le había prometido que pasaría con ella la tarde. Pero Roberto no cumplía ninguna de sus promesas, ni las pequeñas ni las grandes, y Beatriz se consideraba muy estúpida por seguir creyéndolo.

Para una mujer que espera, un hombre no tiene ninguna excusa. ¿No le había prometido también Roberto, y desde hacía casi un año, que sería dama de compañía en su palacio? En el fondo no era distinto de su tía; todos los Artois eran iguales. ¡Ingratos! Se desvivía por satisfacer su voluntad; visitaba a herbolarias y a echadores de suertes; mataba por servir sus intereses; corría el peligro de que la enviaran a la horca o a la hoguera... porque no hubiera sido a Roberto a quien hubieran detenido de haber sorprendido a Beatriz echando arsénico en la tisana de la señora Mahaut o sal de mercurio en el vaso de Juana la Viuda. «¡No conozco a esa mujer! —hubiera alegado Roberto—. ¿Pretende haber actuado bajo mis órdenes? Mentira. Pertenece a la casa de mi tía, no a la mía; inventa fábulas para salvarse. Hacedla apalear.» ¿Quién dudaría entre la palabra de un príncipe de Francia, cuñado del rey, y la de una oscura sobrina de obispo, cuya familia había caído en desgracia?

«¿Y para qué he hecho todo eso? —pensaba Beatriz—. Para esperar, para esperar, abandonada en mi casa, a que mi señor Roberto se digne a visitarme una vez por semana. Dijo que vendría después de vísperas, y ya han convocado a rezar el rosario. Ha debido de invitar a tres barones a una de sus comilonas, donde habrá hablado de sus grandes hazañas, de los asuntos del reino, y de su proceso, además de tocar a todas las camareras. ¡Incluso la Divion come ahora en su mesa, lo sé! ¡Y yo estoy aquí mirando la lluvia! Llegará ya anochecido, pesado, eruptando y con las mejillas encarnadas; me dirá cuatro tonterías, se tumbará en la cama a dormir una hora y se marchará. Si es que viene...»

Beatriz se aburría más aún que en Conflans durante los últimos meses con Mahaut. Sus amores con Roberto naufragaban. Había creído apresar al gigante; pero había ganado él. La pasión contrariada, humillada, se transformaba en sordo rencor. ¡Esperar, siempre esperar! Y ni siquiera poder salir, recorrer las tabernas con alguna amiga en busca de aventuras, ya que Roberto podía llegar en ese momento. ¡Además, la hacía vigilar!

Se daba cuenta de que Roberto se apartaba de ella y no la veía más que por obligación, como a una cómplice a la que debía tolerar. A veces pasaban dos semanas enteras sin que él mostrara ningún deseo.

«¡No ganarás siempre, mi señor Roberto!», se decía. No podía poseerlo como anhelaba, y comenzaba a odiarlo secretamente por ello.

Había probado las mejores recetas de filtros de amor: «Sacaos sangre un viernes de primavera; ponedla a secar en el horno en un cacito junto con un hígado de paloma; reducidlo todo a polvo fino y hacedlo tragar a la persona que deseáis. Si no surte efecto la primera vez, repetidlo hasta tres veces.»

O esta otra: «Id un viernes por la mañana, antes de que salga el sol, a un huerto y recoged la manzana más hermosa que veáis; luego escribid con vuestra sangre, sobre un pequeño trozo de papel blanco, vuestro nombre y apellido y, en la línea siguiente, el nombre y apellido de la persona que queréis que os ame; os procuraréis tres de sus cabellos, que uniréis con tres de los vuestros, y que os servirán para atar el pequeño papel que habréis escrito con vuestra sangre; luego partiréis la manzana en dos, le sacaréis el corazón y en su lugar pondréis el papel atado con los cabellos; con dos ramitas afiladas de mirto verde, juntaréis adecuadamente las dos mitades de la manzana y la pondréis a secar en el horno hasta que quede dura y sin humedad, como las manzanas secas de Cuaresma. Después la envolveréis en hojas de laurel y de mirto y procuraréis colocarla bajo la cabecera de la cama donde se acuesta la persona amada, sin que ella se dé cuenta. Al cabo de poco tiempo os dará muestras de su amor.»

Vana empresa. Las manzanas del viernes de nada sirvieron. La brujería, en la que Beatriz se creía infalible, parecía no surtir efecto sobre el conde de Artois. Después de todo, no era el diablo, a pesar de que ella así se lo había afirmado para conquistarlo.

Había esperado quedar encinta. Roberto parecía querer a sus hijos, tal vez por orgullo, pero los quería. Eran los únicos seres de quienes hablaba con un poco de ternura. Por lo tanto, si le llegaba un pequeño bastardo... Además, era un buen medio para Beatriz; mostrar su vientre y decir: «Espero un hijo de mi señor Roberto...» Pero fuera porque ella hubiera estragado su naturaleza en el pasado, fuera porque el Maligno hubiera hecho de modo que no pudiera engendrar, esa esperanza también se había desvanecido. A Beatriz de Hirson, antigua primera doncella de la condesa Mahaut, sólo le quedaban la espera, la lluvia y los sueños de venganza.

Por fin, a la hora en que los burgueses se van a la cama, llegó Roberto de Artois rascándose la barba con el pulgar con expresión preocupada. Apenas miró a Beatriz, que intencionadamente se había puesto un vestido nuevo, y se sirvió un gran vaso de hipocrás.

—Esto no sabe a nada —protestó con una mueca, mientras se dejaba caer en una silla que crujió bajo su peso.

¿Cómo no iba a perder el aroma si había sido preparado hacía cuatro horas?

—Esperaba antes tu llegada, mi señor.

—Sí, pero me lo han impedido graves preocupaciones.

—¡Como ayer, como anteayer!

—Comprende que no puedo entrar en tu casa de día, sobre todo en estos momentos en que he de extremar la prudencia.

—¡Buena excusa! Entonces no me digas que vendrás a visitarme de día si sólo quieres hacerlo de noche. Pero la noche pertenece a tu esposa la condesa...

Roberto se encogió de hombros con aire fatigado.

—Sabes muy bien que no me acerco a ella.

—Todos los esposos dicen eso a su amiga, tanto los grandes del reino como el último zapatero, y todos mienten de la misma manera. No te pondría tan buena cara la señora de Beaumont, ni se mostraría tan amable contigo si no entraras nunca en su lecho... Durante el día, mi señor está en el consejo privado, como si el rey tuviera consejo desde el alba hasta el anochecer. O mi señor está de caza, o mi señor va de torneo, o mi señor ha partido hacia sus tierras de Conches.

—¡Paz! —gritó Roberto, abatiendo la palma sobre la mesa—. Tengo otras preocupaciones y no quiero escuchar tonterías de mujer. ¡Hoy he presentado mi demanda ante la Cámara del rey!

En efecto, era el 14 de diciembre, día fijado por Felipe VI para iniciar el proceso del Artois. Beatriz lo sabía, ya que Roberto se lo había dicho; pero, irritada por los celos, lo había olvidado.

—¿Y se ha realizado todo según tu deseo?

—De ninguna manera —respondió Roberto con

aire sombrío—. He presentado las cartas de mi abuelo, y han negado que fueran verdaderas.

—¿Las creías tú verdaderas? —inquirió Beatriz con maligna sonrisa—. ¿Y quién las ha rechazado?

—La duquesa de Borgoña, que se hizo entregar las cartas para examinarlas.

—¡Ah, la duquesa de Borgoña está en París...!

Las largas pestañas de Beatriz se levantaron un instante y en su mirada hubo un destello repentino, disimulado inmediatamente. Roberto, abstraído en sus preocupaciones, no se dio cuenta.

Golpeando un puño con el otro y contraídas las mandíbulas, dijo:

—Ha venido a toda prisa con el duque Eudes. Mahaut me va a perjudicar hasta con su descendencia. ¡Qué mala sangre corre por esa raza! Toda hija de Borgoña es prostituta, ladrona y embustera. Esta que empuja a su bendito marido en mi contra es tan zorra como toda su parentela. Tienen la Borgoña; ¿para qué quieren, pues, el condado que me han robado? Pero yo ganaré. Si es necesario, sublevaré el Artois, como ya hice contra Felipe el Largo, padre de aquella mala mona. Y esta vez no marcharé sobre Arras, sino sobre Dijon...

Hablaba pero sin poner en ello el corazón. Era una cólera tranquila, sin grandes gritos, sin dar aquellas zancadas que hacían temblar las paredes, sin toda aquella comedia de furor que tan bien sabía interpretar. ¿Para qué auditorio tenía que tomarse ese trabajo?

En el amor, la costumbre erosiona los caracteres. El esfuerzo sólo se hace en la novedad, y no se teme más que lo que no se conoce. Nadie está hecho sólo de pujanza, y los temores desaparecen al mismo tiempo que se borra el misterio. Cada vez que uno se muestra desnudo, pierde un poco de autoridad. Beatriz ya no temía a Roberto.

Había dejado de temerlo porque lo había visto con

demasiada frecuencia dormir, y se permitía, hacia aquel gigante, lo que nadie hubiera osado.

Y lo mismo le ocurría a Roberto con respecto a Beatriz, que se había convertido en una amante celosa, exigente, llena de reproches, como toda mujer cuando dura demasiado tiempo una relación oculta. El talento brujeril de ella ya no divertía a Roberto. Sus prácticas de magia y de satanismo le parecían rutina. Desconfiaba de Beatriz por simple costumbre atávica, ya que se ha oído decir siempre que las mujeres son mentirosas y engañosas. Como ella le mendigaba el placer, ya no la temía, y había olvidado que Beatriz se había echado en sus brazos sólo por el gusto de la traición. Hasta el recuerdo de sus dos crímenes perdía importancia y se desvanecía con el tiempo mientras los dos cadáveres se pudrían bajo tierra.

Vivían ese período tan peligroso precisamente porque nada se teme. Los amantes deberían saber que, cuando dejan de amarse, vuelven a ser tal como eran antes de comenzar. Las armas no se destruyen nunca, solamente se deponen.

Beatriz observaba a Roberto en silencio, mientras él, completamente ajeno a ella, urdía nuevas maquinaciones para ganar su proceso. Sin embargo, cuando durante veinte años se han usado todos los medios, se ha rebuscado en las leyes y en las costumbres, se han utilizado falsos testimonios, la falsificación, incluso el crimen y, aunque se tiene por cuñado al rey, todavía no se ha conseguido la victoria, ¿no hay motivo, ciertos días, para desesperar?

Cambiando de actitud, Beatriz fue a arrodillarse delante de Roberto, zalamera, sumisa y cariñosa, como si quisiera a la vez consolarlo y acurrucarse.

—¿Cuándo me llevará a su palacio mi gentil señor Roberto? ¿Cuándo me hará dama de compañía de su condesa, tal y como me prometió? ¡Considera cuán hermoso sería eso! Siempre cerca de ti, me podrías llamar cuando quisieras... y yo estaría allí para servirte y velar por ti mejor que nadie. ¿Cuándo?

—Cuando gane mi proceso —respondió, como cada vez que ella le hacía esta pregunta.

—Al paso que va ese proceso, tendré que esperar a tener los cabellos blancos.

—Cuando se celebre el juicio, si prefieres. Ya está dicho, y Roberto de Artois no tiene más que una palabra. ¡Pero paciencia, qué diablos!

Lamentaba haberla engatusado en otro tiempo con tal promesa; pero ahora estaba firmemente decidido a no cumplirla. ¿Beatriz en el palacio de Beaumont? ¡Qué trastorno, qué fatiga y qué fuente de enojos!

Beatriz se levantó y acercó las manos al fuego de turba que ardía en la chimenea.

—Me parece que ya he tenido bastante paciencia —dijo sin levantar la voz—. Primero debía ser después de la muerte de la señora Mahaut; luego después de la muerte de la señora Juana la Viuda. Las dos han muerto y pronto se cantará en la iglesia el final del año... Tú no quieres que entre en tu casa. Una prostituta arrastrada como Juana de Divion, que fue amante de mi tío y que te fabricó unos documentos tan buenos que hasta un ciego hubiera visto que eran falsos, tiene derecho a vivir en tu casa, a pavonearse en tu corte...

—Deja a la Divion. Bien sabes que a esa estúpida embustera sólo la conservo por prudencia.

Beatriz sonrió ligeramente. ¡Prudencia! Con la Divion era necesario ser muy prudente porque había arreglado algunos sellos. Pero de ella, de Beatriz, que había enviado a la tumba a dos princesas, no se temía nada y se le podía pagar con la ingratitud.

—Vamos, no te quejes —dijo Roberto—. Tú tienes lo mejor de mí. Si estuvieras en mi casa, seguramente te podría ver menos y con menos tranquilidad.

Muy orgulloso estaba Roberto de sí mismo, y hablaba de sus visitas como si fueran sublimes regalos que se dignaba conceder.

—Si tengo lo mejor de ti, ya tardas en dármelo —dijo Beatriz—. El lecho está dispuesto. —Indicó la puerta abierta del dormitorio.

—No, amiguita; ahora debo volver a palacio y ver al rey en secreto para rebatir a la duquesa de Borgoña.

—Sí, es verdad, la duquesa de Borgoña... —repitió Beatriz moviendo la cabeza comprensiva—. Entonces, ¿es mañana cuando puedo esperar lo mejor?

—¡Ay!, mañana tengo que partir para Conches y Beaumont.

—¿Te quedarás allí...?

—Muy poco. Dos semanas.

—¿No estarás aquí para la fiesta de Año Nuevo? —preguntó.

—No, mi bella gata, pero te regalaré un collar de piedras preciosas para que te engalanes.

—Me lo pondré para deslumbrar a mis criados, las únicas personas a las que veo...

Roberto hubiera debido desconfiar. Hay días funestos. En la audiencia, ese 14 de diciembre, sus documentos habían sido rechazados tan firmemente por el duque y la duquesa de Borgoña, que Felipe VI había fruncido el entrecejo y mirado a su cuñado con inquietud. Hubiera sido ocasión ésta de mostrarse más atento, de no herir, especialmente aquel día, a una mujer como Beatriz, de no dejarla dos semanas insatisfecha, afectiva y físicamente. Roberto se levantó.

—¿Va la Divion en tu séquito?

—Sí, mi esposa así lo ha decidido.

Una ráfaga de odio levantó el hermoso pecho de Beatriz, y sus ojos brillaron sombríos.

—Entonces, mi señor Roberto, te esperaré como una sirvienta amante y fiel —dijo mientras acercaba su rostro sonriente.

Roberto besó maquinalmente la mejilla de Beatriz. Le puso su pesada mano en la cadera, la retuvo por unos instantes y le dio una palmadita displicente. No, decididamente, ya no la deseaba, y eso era para ella la peor ofensa.

5

Conches

Aquel año el invierno fue relativamente suave.

Antes de despuntar el día, Lormet le Dolois iba a despertar a Roberto, quien soltaba varios bostezos de fiera, se mojaba un poco la cara en la bacía que le presentaba Gillet de Nelle y se ponía el traje de caza, de cuero y forrado de pieles, el único que le gustaba llevar. Luego iba a oír misa en su capilla; el capellán tenía orden de despachar rezos, Evangelio y comunión en pocos minutos. Roberto daba golpecitos con el pie si el capellán se retrasaba un poco, y aún no estaba guardado el copón cuando Roberto ya había pasado la puerta.

Tomaba una taza de caldo caliente, dos alas de capón o un trozo de cerdo, con un buen vaso de vino blanco de Meursault, que despabila, se cuela por la garganta como si fuera oro y despierta los humores dormidos por la noche. Todo eso de pie. ¡Ah, si la Borgoña produjera solamente vino y no también duques! «Comer por la mañana da mucha salud», decía Roberto, masticando aún mientras iba en busca del caballo. El cuchillo a un lado, el cuerno en bandolera y el gorro de piel de lobo calado hasta las orejas; Roberto ya estaba sobre la silla de montar.

La jauría de perros corredores, inquieta, mantenida a raya a golpes de látigo, ladraba cada vez más y mejor; los caballos piafaban al sentir en la grupa el frío de la mañana. El pendón flotaba en la torre de homenaje, ya que el señor estaba en el castillo. Bajado el puente levadizo, perros, caballos, criados y monteros se lanzaban con gran alboroto hacia la charca, situada en el centro del burgo, y llegaban a la campiña, a la zaga del gigantesco barón.

Por los prados de la región de Ouche se arrastra, las mañanas de invierno, una leve bruma blanquecina que huele a corteza y a humo. ¡Verdaderamente a Roberto de Artois le gustaba Conches! No era más que un castillo pequeño, pero muy agradable, rodeado de frondosos bosques.

Un sol pálido disipaba la bruma en el momento en que Roberto llegaba al lugar de cita, donde los criados que llevaban perros rastreadores darían su informe; habían recorrido el bosque a primera hora y habían señalado con ramas los sitios donde estaba la caza. Atacaron de cara al viento.

En los bosques de Conches abundaban los ciervos y los jabalíes. Los perros estaban bien amaestrados. Si se impide a un jabalí detenerse para orinar, no se tarda mucho más de una hora en cazarlo. Los grandes y majestuosos ciervos requerían más tiempo; en largas emboscadas en que la tierra saltaba a terrones bajo los cascos de los caballos, corrían con la lengua fuera, jadeantes bajo la pesada cornamenta hacia un estanque o pantano, perseguidos por los ladridos de los perros.

El conde Roberto salía de caza al menos cuatro veces por semana. Sus cacerías en nada se asemejaban a las cabalgadas reales, en las que doscientos señores se apretujaban, no se veía nada y, por temor a perder la compañía, se cazaba más al rey que a los venados. Roberto, en cambio, se divertía entre sus piqueros, algunos vasallos de la vecindad, muy orgullosos de haber sido invitados, y sus dos hijos, a los que comenzaban a formar en el arte de la montería, que todo buen caballero debe conocer. Estaba satisfecho de sus hijos, uno de diez años y otro de nueve, cuyo vigor se iba desarrollando, y vigilaba su progreso en las armas y con el estafermo. ¡Tenían suerte aquellos chicos! Roberto, en cambio, se había quedado demasiado pronto sin padre.

Él mismo remataba al animal acosado, al ciervo con su cuchillo y al jabalí con un venablo. Era muy diestro y le agradaba sentir el hierro, apoyarlo en el lugar justo y hundirlo de golpe en la carne tierna. Venado y montero estaban igualmente cubiertos de sudor; pero el animal se desplomaba fulminado y el hombre permanecía erguido.

En el camino de regreso, mientras se comentaban los incidentes de la cacería, los villanos de las chozas, en harapos y con las piernas cubiertas de trapos, le salían al paso para besar, con temor reverente, la espuela de su señor; una buena costumbre que se iba perdiendo en la ciudad.

En el castillo, en cuanto aparecía el amo se tocaba el cuerno anunciando el lavado de manos de antes de la comida. En la gran sala cubierta de tapices con las armas de Francia, del Artois, de Valois y de Constantinopla, ya que la señora Beaumont era Courtenay por parte de madre, Roberto se sentaba a la mesa con apetito feroz y devoraba durante tres horas, mientras incordiaba a cuantos lo rodeaban; hacía comparecer a su maestro cocinero, con la cuchara de madera colgada a la cintura, y lo felicitaba si la pierna de jabalí estaba en su punto o lo amenazaba con la horca si la salsa de pimienta caliente, con la que se rociaba el ciervo entero asado al espetón, no estaba bien hecha.

Dormía una breve siesta y volvía a la gran sala para escuchar a sus prebostes y recaudadores, pasar cuentas, arreglar los asuntos de su feudo y administrar justicia. Le gustaba mucho esto último, es decir, ver el deseo y el temor en los ojos de los litigantes; la bribonería, la astucia, la mentira y la malicia; en suma, verse a sí mismo a pequeña escala en las gentes humildes.

Se regocijaba sobre todo con las historias de mujeres bellacas y maridos engañados.

—¡Haced entrar al cornudo! —ordenaba, arrellanándose en su sillón de encina.

Formulaba las preguntas más desvergonzadas, que hacían desternillar de risa a oficiales y escribanos, y enrojecer a los querellantes.

Roberto tenía una fastidiosa propensión, que sus prebostes le reprochaban, a castigar con penas leves a los ladrones, fulleros, sobornadores, salteadores de caminos y alcahuetas; siempre, naturalmente, que el latrocinio o delito no se hubiera cometido en detrimento suyo. Una secreta connivencia lo ligaba a todo lo que de truhanería había en la tierra.

Una vez administrada justicia, ya había pasado la jornada. Roberto bajaba al cuarto de estufas, situado en la parte baja del torreón, se metía en una cuba de agua caliente perfumada con hierbas y plantas aromáticas que le quitaban la fatiga, se hacía secar y cepillar como un caballo, y luego peinar, afeitar y rizar.

Los escuderos, escanciadores y criados habían preparado ya la mesa para cenar, y Roberto aparecía con un voluminoso traje señorial de terciopelo rojo, bordado de flores de lis y castillos del Artois, cuyo forro de pieles le tapaba el calzado.

La señora de Beaumont llevaba un vestido de comocán violeta, forrado de vero, con las letras «J» y «R» bordadas en oro —Juana y Roberto—, entrelazadas y trébol es de plata.

La cena era menos pesada que la comida: sopa de hierbas o de leche, un pavo o un cisne asado en medio de pichones, quesos frescos y curados, tartas y barquillos azucarados que ayudaban a pasar los vinos añejos que traían en jarros en forma de león o de pájaro.

Se servía a la francesa, es decir, dos por escudilla, un hombre y una mujer comían del mismo plato, salvo el señor. Roberto tenía, pues, un plato para él solo, que vaciaba con la cuchara, el cuchillo y los dedos, que se limpiaba en el mantel como los demás. Las aves menores las devoraba enteras, con huesos y todo.

Hacia el final de la cena, le rogaba al trovador Watriquet de Couvin que tañera su pequeña arpa y recitara un cuento de su propia cosecha. El señor Watriquet era de Hainaut; conocía mucho al conde Guillermo y a la condesa, hermana de la señora de Beaumont, en cuya corte había estado en sus comienzos. Proseguía su carrera pasando sucesivamente por la casa de cada uno de los Valois. Se lo disputaban ofreciéndole grandes ventajas.

—¡Watriquet, la endecha de las damas de París! —reclamaba Roberto con la boca llena.

Era su cuento preferido y, aunque se lo sabía casi de memoria, deseaba escucharlo una vez más, como los niños que exigen cada noche la misma historia sin que se les omita nada. ¿Quién hubiera podido creer en aquel momento que Roberto de Artois era capaz de cometer falsificaciones y crímenes?

La endecha de las damas de París contaba la aventura de dos burguesas, Margue y Marion, mujer y sobrina de Adán de Gonesse, quienes, la mañana del día de Reyes, cuando iban al tripero, se encontraron, para su desgracia, con una vecina, la señora Tifaigne, y se dejaron llevar por ella a una posada cuyo dueño fiaba, según se decía.

Y ahí están las comadres bien sentadas a la mesa de la taberna de los Maillets, donde el amo Drouin les sirve muy buenas cosas: vino clarete, un ganso, una escudilla llena de ajos y pasteles calientes.

Al llegar a ese punto, Roberto se echaba a reír por anticipado. Y Watriquet proseguía:

> ... *Comenzó Margue a sudar*
> *y a beber a largos tragos.*
> *Tres cuartillos por su boca*
> *en pocas horas pasaron.*

«¡Ay, por vida de san Jorge
—díjole Marion al amo—,
anda, tráenos garnacha,
que tu vino es vino amargo.
¡Te he de dar un ternerillo
por diez, doce o quince jarros!»

Sentado cerca de la gran chimenea donde se quemaba un árbol entero, Roberto de Artois, echado hacia atrás, se desternillaba de risa.

Era toda su juventud, pasada en tabernas, burdeles y otros lugares de truhanería, lo que veía de nuevo ante sus ojos por aquel cuento. ¡Había conocido a bastantes mujeres así, sentadas a la mesa de alguna taberna y emborrachándose a escondidas de sus maridos!

A medianoche, cantaba Watriquet, Margue, Marion y la vecina, después de haber probado todos los vinos, del Artois al Saint-Melion, y haberse hecho servir barquillos, almendras peladas, peras, especias y nueces, seguían aún en la posada. Margue propone ir a bailar fuera. Para permitirles salir, el tabernero les exige que dejen en prenda sus vestidos; lo que aceptan de buen grado, borrachas como están. En un santiamén se quitan vestidos y pellizas, sayas y camisas, bolsas y correas.

Desnudas como el día en que nacieron, se adentran en la noche de enero, chillando a voz en cuello: «Al amor cantando voy», titubeando, tropezando, desollándose contra las paredes, agarrándose la una a la otra, hasta caer finalmente como muertas sobre los montones de basura.

Amanece, se abren las puertas, las encuentran sucias y ensangrentadas, quietas como si fueran «mierda en medio del camino». Van a buscar a los maridos, que las creen asesinadas; las llevan al cementerio de los Inocentes y las echan en la fosa común.

> *Allí quedan como fardos;*
> *el fino se les salía*
> *por los ojos y otros lados.*

No despiertan hasta la noche siguiente; en medio del osario, cubiertas de tierra y todavía borrachas, se ponen a gritar en el oscuro y helado cementerio:

> *Drouin, Drouin, ¿dónde estás?*
> *Con tres arenques salados,*
> *tráenos vino más fuerte*
> *para confortar el ánimo.*
> *¡Cierra bien ese ventano!*

Aquí Roberto lanzaba como un rugido. El trovador Watriquet apenas podía terminar su cuento, ya que durante varios minutos la risa del gigante llenaba la sala, tenía los ojos anegados en lágrimas y se golpeaba las caderas con ambas manos. Repetía diez veces: «¡Cierra bien ese ventano!» Su alegría era tan contagiosa que toda la servidumbre se tronchaba de risa junto con él.

—¡Ah, las bribonas!, completamente desnudas y... ¡cierra bien ese ventano!

Y volvía a reír.

En el fondo, la vida que llevaba en Conches era hermosa. La señora de Beaumont era una buena esposa, el condado de Beaumont era un buen condadito, y ¿qué importaba que fuera dominio de la corona si tenía seguras las rentas? ¿Entonces, el Artois? ¿Era tan importante el Artois, merecía tantas preocupaciones, luchas y trabajos? «La tierra que me cubra un día ha de ser la de Conches o la de Hesdin...»

Ésas son reflexiones que se hacen cuando se ha pasado la cuarentena, no se ha solucionado un asunto a completa satisfacción y se dispone de dos semanas de ocio. Pero en el fondo se sabe que no se mantendrá esta prudencia pasajera... De todos modos, al día siguiente Roberto iría a correr el ciervo por la parte de Beaumont, y aprovecharía esta circunstancia para inspeccionar el castillo y ver si era conveniente agrandarlo.

Fue al regreso de Beaumont, adonde había ido con su esposa el penúltimo día del año, que Roberto de Artois encontró a sus escuderos y criados esperándolo, enloquecidos, en el puente levadizo de Conches.

Por la tarde se habían llevado a la prisión de París a la señora Divion.

—¿A prisión? ¿Quién ha venido a detenerla?

—Tres sargentos.

—¿Qué sargentos? ¿Por orden de quién? —gritó Roberto.

—Del rey.

—¡Y lo habéis permitido! Sois bobos y os voy a hacer azotar. ¿Una detención en mi casa? ¡Qué impostura! ¿Habéis visto la orden, al menos?

—La hemos visto, mi señor —respondió Gillet de Nelle temblando—, incluso exigimos que nos la dejaran. No hubiéramos permitido que se llevaran a la señora Divion sin esa condición. Aquí la tenéis.

Era una orden real, redactada por una mano de oficial, pero sellada con el sello de Felipe VI. Y no el sello de la cancillería, lo cual hubiera podido explicar alguna bribonada. La cera tenía el relieve del sello privado de Felipe, el «pequeño sello», como se decía, que el rey llevaba consigo en su bolsa y que sólo él utilizaba.

El conde de Artois no era, por naturaleza, hombre pusilánime. Pero ese día supo lo que era el miedo.

6

La reina mala

Trasladarse de Conches a París en un día era un viaje duro y difícil, incluso para un jinete diestro; exigía, además, un buen caballo. Roberto de Artois dejó en el camino a dos de sus escuderos cuyas monturas habían empezado a cojear. Llegó de noche a la ciudad, cuyas calles, pese a lo avanzado de la hora, estaban llenas de alegres pandillas que celebraban el Año Nuevo. Se veían borrachos que vomitaban en la oscuridad de los umbrales de las tabernas, y mujeres, tomadas del brazo y cantando a grito pelado, que se arrastraban con paso inseguro como en el cuento de Watriquet.

Sin preocuparse mucho por la chusma que el pecho de su caballo apartaba, Roberto fue directamente a palacio. El capitán de guardia le comunicó que el rey había llegado aquel mismo día para recibir las felicitaciones de sus súbditos, pero que se había ido de nuevo a Saint-Germain.

Entonces Roberto, cruzando el puente, fue al Châtelet. Un par de Francia podía permitirse el lujo de despertar al gobernador. Éste dijo que ni ese día ni la víspera había recibido a ninguna dama llamada Juana de Divion, ni a nadie que respondiese a la descripción de Roberto.

Si no estaba en el Châtelet estaría en el Louvre porque, por orden del rey, sólo se encarcelaba en estos dos sitios.

Roberto fue allí, por tanto, pero el capitán dio la misma respuesta. ¿Dónde estaba, pues, la Division? ¿Había ido Roberto más deprisa que los sargentos del rey y los había adelantado por otro camino? En Houdan le habían dicho que unas horas antes habían pasado tres sargentos con una dama. El misterio crecía en torno al asunto.

Roberto tuvo que retirarse resignado a su mansión, donde durmió poco y mal y, antes del amanecer, salió para Saint-Germain.

La blanca helada cubría los campos y los prados, la escarcha barnizaba las ramas de los árboles, y el conjunto de montes y bosques alrededor de la casa de campo de Saint-Germain se parecía a un paisaje de repostería.

El rey se acababa de despertar. Las puertas se iban abriendo ante Roberto. En su cámara, Felipe VI, todavía en cama, estaba rodeado de chambelanes y monteros a quienes daba órdenes para la cacería del día.

Con paso decidido, Roberto entró, se arrodilló, volvió a levantarse rápidamente y dijo:

—Majestad, hermano mío, quitadme el título de par que me habéis concedido, mis feudos, mis tierras, mis rentas; quitadme tanto su propiedad como su usufructo; echadme de vuestro consejo privado en el que ya no soy digno de aparecer. ¡No, ya no soy nadie en este reino!

Felipe lo miró sorprendido, abriendo sus ojos azules por encima de la voluminosa nariz, y le preguntó:

—Pero ¿qué tenéis, hermano? ¿A qué se debe esta excitación? ¿Qué estáis diciendo?

—Digo la verdad. Digo que ya no soy nadie en este reino, porque el rey, sin dignarse decírmelo, ha hecho apresar a una persona que habita bajo mi propio techo.

—¿Qué yo he hecho apresar? ¿A quién?

—A una señora llamada Division, hermano; una señora que está en mi casa como dama de mi esposa, vuestra hermana, y a quien tres sargentos por orden vuestra han venido a apresar en mi castillo de Conches para encarcelarla.

—¿Por orden mía? —exclamó Felipe, estupefacto—.

Pero si yo no he dado tal orden... ¿Divion? No conozco tal nombre. Y en todo caso, hermano, y os pido que me creáis, nunca hubiera hecho apresar a nadie en vuestra casa, aun teniendo motivos, sin poneros al corriente y pediros consejo antes.

—Esto es lo que yo creía —contestó Roberto—; pero la orden es bien vuestra.

Y sacó de debajo de su cota la orden de arresto entregada por los sargentos.

Felipe VI echó una ojeada al documento, reconoció su pequeño sello y palideció.

—¡Hérouart, tráeme mi ropa! —gritó a un chambelán—. ¡Y todos fuera, que quiero estar a solas con el conde de Artois!

El rey apartó el cubrecama bordado de oro y se levantó, envuelto en un largo camisón blanco. El chambelán lo ayudó a ponerse una bata forrada de piel y se puso a atizar al fuego de la chimenea.

—¡Fuera, fuera! He dicho que me dejéis solo.

Era la primera vez, desde que servía al rey, que Hérouart de Belleperche era tratado con tal violencia, como cualquier pinche de cocina.

—No, yo no he sellado eso, ni he dictado nada que se le parezca —dijo el rey cuando el chambelán se hubo retirado.

Examinaba el documento con mucha atención. Juntó los dos pedazos del sello, roto al abrir la carta, y tomó una lupa del cajón de un mueble.

—¿No será que han falsificado vuestro sello, hermano? —preguntó Roberto.

—Imposible. Los grabadores de troqueles tienen gran habilidad para evitar las falsificaciones y suelen simular alguna imperfección, especialmente en los troqueles reales o de los grandes barones. Fíjate en la ele de mi nombre; mira esa rayita en el palo, y ese punto hueco en el adorno encintado de hojas...

—¿Y no habrán despegado el sello de otro documento? —preguntó Roberto.

—Eso puede hacerse con una navaja calentada o de otro modo. Así me lo ha asegurado el canciller.

Roberto lo miró con expresión ingenua, como si se tratara de algo insospechado; pero su corazón latió más fuerte.

—Aquí no se trata de eso —añadió Felipe—, pues con toda intención, sólo utilizo mi pequeño sello para las nemas que han de ser rotas; nunca lo estampo sobre hojas sin doblar ni sobre lazos.

Se mantuvo callado un momento, con los ojos fijos en Roberto, como pidiendo una explicación que, en realidad, sólo buscaba en su propia mente.

—Me han tenido que robar el sello un momento; pero ¿quién?, ¿cuándo? Lo llevo todo el día en la bolsa del cinto; sólo me separo de él por la noche... —Se acercó al mueble, sacó del cajón una bolsa tejida de oro, cuyo contenido palpó enseguida, luego la abrió y extrajo su pequeño sello de oro con una flor de lis que servía de empuñadura—. Y lo vuelvo a tomar por la mañana...

Hablaba más despacio; una terrible sospecha lo asaltó. Tomó la orden de arresto y volvió a examinarla con mucha atención.

—Conozco esta letra —dijo—. Y no es la de Hugo de Pommard, ni la de Jaime La Vache, ni la de Godofredo de Fleury.

Llamó, y rápidamente se presentó Pedro Trousseau, el otro chambelán de servicio.

—Haz venir enseguida, si está en el castillo y, si no que lo busquen, al escribiente Roberto Mulet; que venga aquí con sus plumas.

—Este Mulet —preguntó Roberto—, ¿no es el que escribe para tu esposa, la reina Juana?

Maquinalmente volvía a tutearlo, como antaño, cuando Felipe estaba muy lejos de ser rey, cuando él tampoco era par, y ambos no eran más que dos primos bien avenidos; aquellos tiempos en que Carlos de Valois solía poner a Roberto de ejemplo ante Felipe, por su fuerza, su tenacidad y su habilidad en los negocios.

Mulet estaba en el castillo. Entró a toda prisa, con el pupitre bajo el brazo, y se inclinó para besar la mano del rey.

—Coloca tu pupitre y escribe —dijo Felipe VI, que empezó enseguida a dictar: «A nuestro amado y leal preboste de París, Juan de Milon, el rey os saluda. Os ordenamos realizar las diligencias pertinentes para...»

Los dos primos se habían acercado simultáneamente y leían por encima del hombro del escribiente. Su escritura era la misma de la orden de arresto.

—«... Poner en libertad inmediatamente a la señora Juana de...»

—Divion —dijo Roberto.

—«... Que se halla recluida en nuestra prisión...» A propósito, ¿dónde está? —preguntó Felipe.

—Ni en el Châtelet ni en el Louvre —respondió Roberto.

—En la torre de Nesle, señor —informó el escribiente, que pretendía hacer méritos por su celo y buena memoria.

Los dos primos se miraron y cruzaron los brazos con el mismo gesto.

—¿Y cómo lo sabes? —le preguntó el rey al escribiente.

—Señor, yo tuve el honor, anteayer, de escribir vuestra orden de arresto de esa señora.

—¿Y quién dictó la orden?

—La reina, señor. Me dijo que vos no teníais tiempo de hacerlo y que se lo habíais encargado a ella. Mejor dicho, las dos órdenes: la de detención y la de encarcelamiento.

Felipe estaba completamente pálido; dominado por la vergüenza y la ira, no se atrevía a mirar a su cuñado.

«La muy bribona... —pensaba Roberto—. Sabía que me detestaba, pero no hasta el punto de robarle el sello a su esposo para perjudicarme... ¿Y cómo se habrá enterado de todo?»

—¿No pensáis terminar, señor? —dijo.

—Sí, sí —se decidió Felipe, saliendo de sus cavilaciones.

Dictó la fórmula final. El escribiente encendió una vela e hizo caer unas gotas de cera roja sobre la hoja doblada, que ofreció al rey para que estampara su pequeño sello.

Perdido en sus reflexiones, Felipe apenas parecía atento a sus propios gestos. Roberto tomó la orden y agitó una campanita. Apareció Hérouart de Belleperche.

—Al preboste, inmediatamente, por orden del rey —le indicó Roberto, entregándole la carta.

—Y decid a la reina que venga aquí —ordenó Felipe VI desde el fondo de la habitación.

Mientras tanto, el escribiente Mulet estaba a la espera, mirando alternativamente al rey y al conde de Artois, y preguntándose si su excesivo celo había sido muy oportuno. Con un gesto de la mano, Roberto mandó que se retirara.

Momentos después entró la reina Juana con aquel modo especial de andar que le daba su cojera. Su cuerpo se deslizaba dentro de un cuarto de círculo cuyo eje lo formaba la pierna más larga. Era una reina delgada, de rostro bastante hermoso, aunque su dentadura empezaba a estropearse. Sus ojos eran grandes, con la falsa limpidez de la mentira; los dedos, muy largos y algo torcidos, dejaban pasar la luz entre sí incluso cuando los tenía juntos.

—¿Desde cuándo, señora, se dan órdenes en mi nombre?

La reina lo miró con aire de sorpresa e inocencia perfectamente simulados.

—¿Una orden, mi amado señor?

Su voz sonaba grave, melodiosa, lenta, con un bien fingido acento de ternura.

—¿Y desde cuándo se me roba el sello cuando duermo?

—¿El sello, corazón mío? Pero si jamás lo he tocado. ¿De qué sello habláis?

En respuesta recibió una tremenda bofetada.

A Juana la Coja se le llenaron los ojos de lágrimas; el golpe había sido brutal y doloroso; su boca se entreabrió estupefacta, sus largos dedos se posaron sobre la mejilla que se amorataba.

No quedó menos sorprendido Roberto de Artois; pero éste, agradablemente. Jamás hubiera creído a su primo, del que se decía que estaba dominado por su mujer, capaz de levantarle la mano. «¿Se habrá convertido realmente en rey?», pensó Roberto.

Más que nada, Felipe de Valois se había convertido en un hombre que, como cualquier esposo, sea gran señor o el último criado, reprende a una cónyuge mentirosa. Sonó otra bofetada, como si la primera hubiera imantado la mano, y luego fue como una granizada. Aterrada, Juana se protegía el rostro con los brazos. La mano de Felipe caía donde podía, sobre la cabeza, sobre los hombros. Y al mismo tiempo gritaba:

—¿Fue la otra noche, verdad, cuando me hicisteis esta jugada? ¿Y tenéis cara de negar lo que Mulet me ha confesado? ¡La sucia ramera me mima, frota su cuerpo contra el mío, se declara arrebatada de amor, y luego, aprovechándose de la debilidad que siento por ella, se burla de mí cuando duermo y me roba el sello! ¿No sabes que no hay acción más repugnante que el robo? ¿No sabes que a ningún súbdito del reino, por importante que fuera, le permitiría utilizar el sello de otro sin hacerlo apalear? ¡Y se sirve del mío! ¿Se ha visto zorra peor que ésta, que quiera deshonrarme ante mis pares, ante mi primo, mi propio hermano? ¿No tengo razón, Roberto?

—dijo, cesando un instante de pegar para buscar la aprobación de éste—. ¿Cómo podríamos reinar si todo el mundo usara libremente nuestros sellos para ordenar lo que no queremos? Eso es atentar contra nuestro honor.

Luego, volviendo a su mujer con otra furiosa arremetida, dijo:

—Y he ahí para qué os sirve la mansión de Nesle que os he dado. ¡Cuántas súplicas para conseguirla! ¿Sois acaso tan pérfida como vuestra hermana y esa maldita torre seguirá sirviendo para ocultar las fechorías de Borgoña? ¡Si no fuerais reina, por mi desgracia de haberme casado con vos, os aseguro que seríais vos la que iría a la cárcel! Y puesto que no puedo haceros castigar por otros, lo hago yo mismo.

Y cayó sobre ella otra lluvia de golpes.

«¡Ojalá acabe matándola!», pensaba Roberto.

Juana estaba encogida en la cama, agitando las piernas que se salían de su vestido, y a cada golpe daba un gemido o un alarido. Luego, de pronto, se plantó ante el rey, como un gato que enseña las uñas, y se puso a gritar con las mejillas surcadas de lágrimas:

—¡Sí, yo lo hice! Sí, yo te robé el sello mientras dormías, porque no sabes administrar justicia. Lo hice para servir a mi hermano de Borgoña contra este malvado Roberto, que siempre nos ha traído desgracias mediante sus astucias y sus crímenes, y que, en connivencia con tu padre, causó la muerte de mi hermana Margarita...

—¡No ensucies la memoria de mi padre con tu boca! —exclamó Felipe.

Juana calló ante el brillo que vio en la mirada de su esposo, capaz de matarla en ese momento.

Felipe puso la mano sobre el hombro de Roberto de Artois con aire protector, y añadió:

—Y guárdate, malvada, de hacer jamás ningún daño a mi hermano, que es el mejor pilar de mi trono.

Cuando abrió la puerta para decir a su chambelán

que se suprimía la cacería, veinte cabezas se retiraron al unísono. Los sirvientes detestaban a Juana la Coja, que los atosigaba con sus exigencias, los delataba por la más mínima falta y a la que, entre ellos, llamaban la «reina mala». El relato de la paliza que la reina acababa de recibir haría las delicias de todos en palacio.[1]

Cerca del mediodía, Felipe y Roberto se paseaban juntos lentamente por el huerto de Saint-Germain, donde la helada ya se derretía. El rey iba con la cabeza baja...

—¿No es horrible, Roberto, tener que desconfiar de nuestra propia esposa, incluso cuando dormimos? ¿Qué puedo hacer? ¿Poner mi sello bajo la almohada? Meterá la mano. Tengo el sueño pesado. Pero no puedo encerrarla en un convento. ¡Es mi mujer! Lo único que puedo hacer es no dejarla dormir más a mi lado. Y lo peor es que la quiero. ¡La muy bribona! No vayas a decirlo por ahí; pero como todo el mundo, he probado con otras mujeres y ello ha incrementado aún más mi deseo por ella... Mas, si vuelve a las andadas, ¡la zurraré de nuevo!

En ese momento, Trouillard d'Usages, vidamo de Mans y caballero del palacio, se acercó por la alameda para anunciar al preboste de París, que venía detrás de él.

Barrigudo, andando a pasitos sobre sus cortas piernas, Juan de Milon tenía un aspecto poco alegre.

—Y bien, maese preboste, ¿habéis hecho soltar ya a esa dama?

—Todavía no, señor —respondió el preboste, turbado.

—¿Qué? ¿Es que era falsa mi orden? ¿No reconocisteis acaso mi sello?

—Sí, señor, pero, antes de cumplirla, quería hablar con vos, y me satisface ver también aquí a mi señor de Artois —dijo Juan de Milon mirando a Roberto incómodo—. Esa dama ha confesado.

—¿Qué ha confesado? —preguntó Roberto.

—Toda clase de vilezas, mi señor; falsificación de documentos, y otras cosas.

Roberto se dominó perfectamente, fingió tomarlo a broma y, encogiéndose de hombros, exclamó:

—¡Claro, si la han torturado habrá confesado cualquier cosa! ¡Apuesto, señor de Milon, que si os entrego a los sayones, confesaréis haberos insinuado a mí con propósitos sodomitas!

—Mi señor —repuso el preboste—, la dama ha hablado antes del tormento... por miedo, simplemente por miedo a ser torturada. Y ha dado una larga lista de cómplices.

Felipe VI, silencioso, observaba a su cuñado. En su mente se formaba una nueva incógnita.

Roberto comprendió que se cerraba sobre él una trampa. Un rey que acababa de golpear a su esposa ante testigos, por usurpación de un sello y falsificación, difícilmente puede hacer soltar, aunque sea para complacer a su pariente más íntimo, a una cualquiera que acaba de confesar idénticos delitos.

—¿Qué aconsejas, hermano? —le preguntó a Roberto sin quitarle ojo.

Roberto comprendió que su salvación dependía de su respuesta; había que jugar la carta de la lealtad. Tanto peor para la Divion. Todo lo que hubiera dicho o pudiera declarar concerniente a él, lo tendría por un embuste.

—¡Vuestra justicia os pido, señor, hermano mío, vuestra justicia! —exclamó—. Mantened a esa mujer en el calabozo y, si me ha engañado, sabed que os exigiré el mayor rigor para ella.

Al mismo tiempo se decía: «Pero ¿quién habrá avisado al duque de Borgoña?» Y la respuesta, la evidente respuesta, se le apareció al momento. No había más que una persona que hubiera podido decir al duque o a la propia «reina mala» que la Divion se encontraba en Conches: Beatriz.

A finales de marzo, cuando el Sena, desbordado por las crecidas de primavera, inundaba las riberas y entraba en los sótanos, unos marineros rescataron por el lado de Chatou un saco que flotaba entre dos aguas y que contenía un cuerpo de mujer completamente desnudo.

Toda la población, chapoteando en el barro, se había reunido alrededor del macabro hallazgo, y las madres daban cachetes a sus pequeños gritándoles: «¡Vamos, fuera de aquí, que esto no es para vosotros!»

El cadáver estaba horriblemente hinchado, con el repugnante color verdusco de una descomposición avanzada; debía de llevar más de un mes en el río. No obstante, podía verse que la muerta era joven. Sus negros cabellos parecían moverse al estallar las burbujas entre ellos. El rostro había sido desfigurado, pisoteado, aplastado para que fuese imposible identificarlo, y el cuello mostraba las huellas de un lazo.

Los marineros, entre el asco y la atracción obscena, daban vueltas a la impúdica carroña con sus garfios.

De pronto, el cuerpo, al devolver el agua que lo dilataba, empezó a moverse solo, dando por un instante la impresión de que iba a resucitar, y las comadres se apartaron chillando.

Entonces llegó el baile a quien se había dado aviso, hizo algunas preguntas, dio una vuelta alrededor de la muerta e inspeccionó los objetos encontrados en el saco con el cadáver y que se secaban en la hierba: un cuerno de macho cabrío, una figurita de cera envuelta en trapos y atravesada por alfileres y un basto copón de estaño grabado con signos satánicos.

—Es una bruja muerta por sus compañeros después de algún aquelarre o misa negra —declaró el baile.

Las comadres se santiguaron. El baile designó a un grupo para que fuera cuanto antes a enterrar el cadáver y los viles objetos en un bosquecillo apartado del pueblo, y sin oración alguna.

En suma, un crimen bien ejecutado, bien maquinado, en el que Gillet de Nelle había seguido bien las lecciones de Lormet le Dolois, y que acababa como deseaban los asesinos.

Roberto de Artois se había vengado de la traición de Beatriz, lo que no significaba que fuera a salir triunfante.

Al cabo de dos generaciones, los habitantes de Chatou ya habrían olvidado por qué un grupo de árboles, situado río abajo, se llamaba «el bosque de la bruja».

NOTAS

1. Actos como éste eran habituales en Juana la Coja, que, cuando aborrecía a uno de los amigos, consejeros o servidores de su esposo, recurría a los peores medios para saciar su odio.

Para desembarazarse del mariscal Roberto Bertrand, *el Caballero del Verde León*, la reina dirigió al preboste de París una carta «de parte del rey» en la que le ordenaba detener al mariscal por traición y enviarlo inmediatamente al patíbulo de Montfaucon. El preboste era amigo íntimo del mariscal; esta repentina orden, que no venía precedida de ninguna acción judicial, lo dejó estupefacto y, en lugar de conducir a Roberto Bertrand a Montfaucon, lo llevó urgentemente a visitar al rey, que los acogió cordialmente, abrazó al mariscal y no comprendía la emoción de sus visitantes. Cuando le enseñaron la orden de arresto, supo enseguida que provenía de su mujer; la encerró, dice un cronista, en una habitación donde la bastoneó de tal forma «que faltó poco para que la matara».

El obispo Marigny estuvo a punto también de ser víctima de las criminales maniobras de Juana la Coja. La había disgustado por algo y él no lo sabía. Al volver de una misión en Guyena, la reina finge acogerlo con grandes muestras de amistad y para que se alivie de la fatiga del viaje, hace que le preparen un baño en el palacio. El obispo empieza por rehusar, pues no lo considera una urgente necesidad; pero la reina insiste diciendo que su hijo Juan, el duque de Normandía (futuro Juan II) va a bañarse también. Lo acompaña a las estufas. Ambos baños están dispuestos, y el duque de Normandía, por descuido o indiferencia, se dirige hacia el baño destinado al obispo y se dispone a entrar en él, cuando su madre, bruscamente, se lo impide con grandes gestos de horror. Quedan sorprendidos. Juan de Normandía, buen amigo de Marigny, barrunta la trampa, recoge un perro que vagabundeaba por allí y lo echa en la cuba; el perro muere en el acto. Al enterarse del incidente, el rey Felipe VI encierra de nuevo a su mujer y la muele «a golpes de antorcha».

En cuanto a la mansión de Nesle, le había sido donada por su marido en 1332, es decir, dos años después de haberla comprado a los ejecutores testamentarios de la hija de Mahaut, Juana de Borgoña la Viuda, que la tenía también por donación de su esposo Felipe V.

En ejecución de una cláusula testamentaria de Juana la Viuda, el producto de la venta, mil libras en especies, más una renta de doscientas libras, sirvió para la fundación y mantenimiento de una casa de estudiantes instalada en una dependencia de la mansión. Éste es el origen del célebre Colegio de Borgoña, y es igualmente la causa de la popular confusión entre las dos cuñadas, Margarita y Juana de Borgoña.

La corrupción de estudiantes atribuida a Margarita, y que no existió más que en la leyenda, tiene también su explicación en lo anterior.

7

El torneo de Evreux

Hacia mediados de mayo, en las plazas de las ciudades, en las plazuelas de los caseríos y ante las entradas de los castillos, se detenían heraldos con librea de Francia acompañados de trompeteros. Soplaban éstos sus largas trompetas, de las que colgaba un gallardete flordelisado; el heraldo desenrollaba un pergamino y con sonora voz proclamaba:

—¡Oíd, oíd! Se hace saber a todos los príncipes, señores, barones, caballeros y escuderos de los ducados de Normandía, Bretaña y Borgoña, de los condados y marcas de Anjou, el Artois, Flandes y Champaña, y a todos los otros, sean de este reino o de cualquier otro reino cristiano, y que no estén proscritos o enemistados con nuestro señor el rey, a quien Dios guarde muchos años, que el día de Santa Lucía, 6 de julio, junto a la ciudad de Evreux, se celebrará una muy grande reunión de armas y un nobilísimo torneo en que se luchará con mazas de medida y espadas de bota, con arneses apropiados para ello, con timbre, con cota de armas y los caballos con gualdrapas con los blasones de los nobles participantes, como corresponde a la costumbre y la usanza.

»Del torneo son jefes los altísimos y poderosísimos príncipes, y muy temidos señores, nuestro bien amado soberano Felipe, rey de Francia, como convocante, y el señor Juan de Luxemburgo, rey de Bohemia, como patrocinador.

»Y para ello se hace también saber a todos los príncipes, señores, barones, caballeros y escuderos de las marcas arriba citadas, y a cualesquiera que sea de la nación y que quieran y deseen intervenir en el torneo para adquirir honor, que lleven pequeños escudos de los que yo mismo entregaré ahora, para que se les reconozca como torneadores, y para ello que lo pida quien quiera tenerlo. Y en dicho torneo habrá nobles y preciados premios, que entregarán las damas y damiselas.

»Además anuncio a todos los príncipes, barones, caballeros y escuderos que tengáis intención de tornear, que se obliga a presentaros en dicho lugar de Evreux y aposentaros allí el cuarto día antes de dicho torneo para enseñar vuestros blasones y mostrar vuestros paveses, bajo pena de no ser aceptados en dicho torneo. Y todo esto os lo hacen saber mis señores los jueces decidores, y os ruego me perdonéis.

De nuevo sonaban las trompetas, y los chiquillos escoltaban hasta la salida de la villa al heraldo, que iba a proclamar la noticia a otro sitio.

Los mirones, antes de dispersarse, decían:

—¡Caro nos va a costar, si nuestro señor quiere presentarse a ese torneo tan cacareado! Irá con su dama y toda su casa... ¡Las diversiones para ellos y nosotros a pagar los impuestos!

Pero más de uno pensaba también: «Si el señor quisiera llevarse a mi primogénito como mozo de cuadra, seguramente habría mucho que ganar, y quizás hasta algún empleo de porvenir... Hablaré con el canónigo para que recomiende a mi Gastón.»

Durante seis semanas la única y gran preocupación en los castillos sería el torneo. Los adolescentes soñaban con asombrar al mundo con sus primeras hazañas.

—Eres demasiado joven, debes esperar un año más. No te faltarán ocasiones —respondían los padres.

—¡Pero el hijo de nuestro vecino de Chambray tiene mi edad y sin embargo va!

—Si el señor de Chambray ha perdido el juicio o tiene tanto dinero que puede tirarlo por la ventana, allá él.

¡Ah, cuántos jóvenes hubieran deseado convertirse en huérfanos!

Los viejos se sumían en sus recuerdos. Al oírlos, cualquiera hubiera creído que en su tiempo los hombres eran más fuertes, las armas más pesadas y los caballos más rápidos:

—En el torneo de Kenilworth que organizó lord Mortimer de Chirk, tío del que este invierno ha sido colgado en Londres...

—En el torneo de Condé-sur-Escaut, en tierras de mi señor Juan de Avesnes, padre del actual conde de Hainaut...

Se pedían adelantos sobre la próxima cosecha o la tala de árboles; se llevaba la vajilla de plata a los lombardos más cercanos para transformarla en plumas para el yelmo del señor, en piezas de terciopelo o camocán para los vestidos de la señora, o en lorigas para los caballos.

Había hipócritas que fingían quejarse:

—¡Ah, cuántos gastos, cuántos afanes, con lo bien que se está en casa! Pero debemos ir a ese torneo por la honra de nuestra casa... Si no, enojaríamos a nuestro rey, que ha enviado a sus heraldos a la puerta de nuestra mansión.

Por doquiera se pasaba la aguja, se forjaba el hierro, se cosía el tejido de malla sobre el cuero de los lorigones, se adiestraba a los caballos y los caballeros se entrenaban en los jardines, de donde huían los pájaros asustados por las embestidas y los ruidos de las lanzas y espadas al chocar. Los jóvenes barones se pasaban tres horas probándose el capacete.

Para adquirir práctica en la lucha, los castellanos organizaban torneos locales, en los que los hombres de edad, frunciendo el entrecejo, hinchando las mejillas, opinaban sobre los lances en que sus vástagos se exponían a perder un ojo. Luego a la mesa, a engullir, a beber y a discutir.

De baronía en baronía, esos juegos guerreros acababan siendo tan costosos como una verdadera campaña.

Finalmente, se ponían en camino; a última hora, el abuelo había decidido sumarse al viaje, y el hijo de catorce años había ganado su pleito: haría de pequeño escudero. Los corceles de combate, a los que no había que fatigar, eran llevados de la rienda; las arcas de ropa y corazas se cargaban en los mulos; los mozos arrastraban los pies por el polvo. Se alojaban en los albergues de los conventos o en casa de algún pariente que se hallaba al paso y que también se dirigía al torneo. Se regodeaban con otra buena cena, copiosamente rociada de vino, y al despuntar el alba proseguían el camino juntos.

Así, de etapa en etapa, se engrosaban los grupos hasta que, con gran aparato, se encontraban con el señor conde del que eran vasallos. Le besaban la mano e intercambiaban algunas trivialidades que se comentarían durante mucho tiempo. Las damas sacaban de las arcas alguno de sus nuevos vestidos, y se unían todos al cortejo del conde, que se extendía media legua, con todos los estandartes flameando al sol de comienzos de verano.

Eran ejércitos simulados, equipados con lanzas despuntadas, espadas embotadas y mazas sin peso, que cruzaban el Sena, el Eure, el Risle, o remontaban el Loira para acudir a una guerra también simulada donde todo era broma, menos la vanidad.

Ocho días antes del torneo no quedaba habitación o desván disponible en toda la ciudad de Evreux. El rey de Francia instaló su corte en la abadía mayor, y el rey de Bohemia, en cuyo honor se celebraban las fiestas, se alojó en casa del conde de Evreux, rey de Navarra.

Singular tipo ese Juan de Luxemburgo, rey de Bohemia; totalmente insolvente, con más deudas que tierras, que vivía a expensas del Tesoro de Francia, pero que de ningún modo hubiera soñado presentarse con menos pompa que el anfitrión del que obtenía sus recursos. Luxemburgo tenía unos cuarenta años, si bien aparentaba treinta; se distinguía por su hermosa barba castaña, sedosa y abundante; por su rostro alegre y altivo, sus manos de amables gestos siempre tendidas. Era un prodigio de vivacidad, de fuerza, de audacia, de alegría, y también de necedad. De estatura similar a la de Felipe VI, tenía un porte verdaderamente magnífico, digno en todo de la imagen que el pueblo tiene de un rey. Sabía ganarse el afecto de todos, tanto de los príncipes como de los plebeyos, sin excepción; había llegado incluso a ser amigo a la vez del Papa y del emperador Luis de Baviera, enemigos acérrimos. Maravilloso éxito para un imbécil, porque en esto todos estaban de acuerdo también: Juan de Luxemburgo era tan atractivo como estúpido.

La necedad no impide llevar a cabo una empresa; al contrario, minimiza los obstáculos y hace que parezca fácil lo que cualquier inteligencia mediana consideraría insalvable. Juan de Luxemburgo, que se aburría en su pequeña Bohemia, se había ido a Italia, donde se enredó en insensatas aventuras. «Las luchas entre güelfos y gibelinos destrozan este país —pensó como quien hace un gran descubrimiento—. El emperador y el Papa se disputan repúblicas cuyos habitantes no cesan de matarse entre sí. Pues bien, como yo soy amigo de uno y otro partido, que me entreguen esos Estados y haré que reine la paz en ellos.» Lo asombroso es que estuvo a punto de conseguirlo. Durante varios meses fue el ídolo de Italia, excepto de los florentinos, gente difícil de embaucar, y del rey Roberto de Nápoles, a quien empezaba a inquietarle aquel intruso.

En abril, Juan de Luxemburgo había sostenido una entrevista secreta con el cardenal legado, Beltrán du Pouget, pariente del Papa, e incluso —se decía— su hijo natural, entrevista por la cual el de Bohemia creía haberlo arreglado todo de golpe: la suerte de Florencia, la retirada de Rímini de los Malatesta y el establecimiento de un principado independiente con capital en Bolonia. Pues bien, sin saber cómo, sin comprender por qué, precisamente cuando sus asuntos progresaban de tal modo que se proponía incluso reponer a su íntimo amigo Luis de Baviera en el trono imperial, de pronto Juan de Luxemburgo vio levantarse contra él dos formidables coaliciones en las que, por una vez, se aliaban güelfos y gibelinos; Florencia se ponía de acuerdo con Roma; el rey de Nápoles, sostén del Papa, atacaba por el sur, mientras que el emperador, enemigo del Papa, atacaba por el norte, y los dos duques de Austria, el margrave de Brandeburgo, el rey de Polonia y el rey de Hungría acudían en su auxilio. ¡Sorprendente resultado para un príncipe tan querido y que deseaba lograr la paz para los italianos!

Después de dejar ochocientos caballos a su hijo Carlos para que dominara toda Lombardía, Juan de Luxemburgo, con la barba al viento, se trasladó rápidamente de Parma a Bohemia, donde acababan de entrar los austriacos. Se echó en brazos de Luis de Baviera y, a fuerza de besuqueo en las mejillas, disipó el absurdo malentendido. ¿La corona imperial? ¡Pero si sólo había pensado en ella para agradar al Papa!

Ahora llegaba a tierras de Felipe de Valois a fin de rogarle que interviniera ante el rey de Nápoles, y a sacarle nuevas subvenciones con el objeto de proseguir su proyecto de reinado pacífico.

¿Qué menos podía hacer Felipe VI que ofrecer un torneo en honor de ese huésped caballeresco?

Así, en la llanura de Evreux, a orillas del Iton, el rey de Francia y el rey de Bohemia, fraternales amigos, iban a librar una simulada batalla... ¡con más gente armada que la que tenía el hijo de ese mismo rey de Bohemia para mantener a raya a toda Italia!

La liza, es decir, el recinto del torneo, se trazó en una extensa y llana pradera en la que formaron un rectángulo de cien por setenta metros, cerrado por dos palizadas: una, formada por estacas espaciadas y terminadas en punta; la otra, en el interior, algo más baja y bordeada por un barandal. Entre ambas palizadas se situaban, durante las pruebas, los mozos de armas de los torneadores.

A la sombra se levantaron los tablados, con tres grandes tribunas cubiertas de tela y adornadas con estandartes; la del centro era para los jueces, y las otras dos para las damas.

Alrededor del recinto, en la llanura, se erguían los pabellones de los mozos y los palafreneros. Allí iba la gente en sus paseos para admirar las monturas del torneo. Sobre cada pabellón ondeaban las armas de su propietario.

Los cuatro primeros días del torneo se dedicaron a justas individuales, a desafíos que mutuamente se lanzaban los señores presentes. Unos buscaban el desquite de una derrota sufrida en un torneo anterior; otros no habían competido nunca y deseaban ponerse a prueba, o bien se invitaba a que se enfrentaran dos justadores famosos.

Las tribunas se llenaban más o menos según la calidad de los adversarios. Dos jóvenes escuderos, tras hacer muchas gestiones, habían podido encontrar liza libre para alguna hora matinal; entonces los tablados estaban ocupados sólo por algunos amigos o parientes. Si se anunciaba un lance entre el rey de Bohemia y el señor Juan de Hainaut, llegado expresamente de Holanda con veinte caballeros, las tribunas amenazarían derrumbarse. Entonces era cuando las damas arrancaban una manga de su vestido y la entregaban al caballero escogido, manga que a menudo era postiza, pues estaba cosida con unos pocos hilos, fáciles de romper, sobre la verdadera manga, Algunas damas, más atrevidas, arrancaban la verdadera y se complacían en descubrir un bello brazo desnudo.

Había toda clase de gente en las tribunas, porque en esa gran afluencia que hizo de Evreux como una feria de nobleza, era imposible la selección. Algunas cortesanas de alto vuelo, tan engalanadas como las baronesas y a menudo más hermosas y de más finos modales, conseguían deslizarse hasta los mejores sitios, donde con su mirada incitaban a los hombres a nuevos torneos.

Los justadores que no estaban en el palenque, bajo pretexto de asistir a las hazañas de un amigo, se sentaban junto a las damas, y así se iniciaban las galanterías que continuarían por la noche en el castillo, entre danzas y carolas.

El señor Juan de Hainaut y el rey de Bohemia, invisibles bajo sus armaduras empenachadas, llevaban atadas al asta de sus lanzas seis mangas de seda cada uno, como otros tantos corazones conquistados. Era preciso que uno de los justadores derribara al otro, o que se rompiera la lanza. Las acometidas debían ir dirigidas al pecho, y el escudo era curvo, con objeto de desviarlas. El vientre iba protegido por el alto arzón de la silla y, la cabeza, encerrada en el yelmo con la visera baja; de ese modo los adversarios se lanzaban al combate. En las tribunas la gente chillaba o pataleaba de gozo. La fuerza de ambos justadores estaba equilibrada, y durante mucho tiempo se comentaría la destreza con que el señor de Hainaut dirigía su lanza en ristre contra su adversario,[1] así como la gallardía con la que el rey de Bohemia se erguía como una flecha sobre los estribos y aguantaba el choque hasta que las dos lanzas, arqueándose, acababan por romperse.

En cuanto al conde Roberto de Artois, que había llegado de la vecina Conches y montaba enormes caballos percherones, era muy temido por su peso. Llevaba los jaeces, la lanza y la banda que ondeaba en el yelmo todo de color rojo, y tenía especial destreza en atacar al adversario en plena carrera, alzarlo de su silla y tirarlo al polvoriento suelo. Pero el conde de Artois andaba malhumorado esos días; se hubiera dicho que participaba en los juegos por deber más que por gusto.

Mientras tanto, los jueces del torneo, escogidos entre los más importantes personajes del reino, como el condestable Raúl de Brienne o el señor Miles de Noyers, se ocupaban de la organización del gran torneo final.

Entre el tiempo que tardaban en poner y quitar los arneses, en asistir a las justas, comentar los lances, atender a los caballeros que por vanidad preferían combatir bajo tal o cual pendón, así como los ratos transcurridos en la mesa o escuchando a los juglares después de los banquetes o bailando después de oídas las canciones, el rey de Francia, el rey de Bohemia y sus consejeros apenas disponían de una hora cada día para dedicarse a los asuntos de Italia, que eran, a fin de cuentas, el motivo de aquella reunión. Pero ya se sabe que los más graves asuntos se arreglan en pocas palabras cuando los interlocutores están predispuestos a ponerse de acuerdo.

Como verdaderos reyes de la Tabla Redonda, Felipe de Valois, magníficamente trajeado, con la ropa bordada, y Juan de Luxemburgo, no menos suntuoso, intercambiaban, vasos en mano, solemnes declaraciones de amistad, y a toda prisa decidían enviar una carta al papa Juan XXII o una embajada al rey Roberto de Nápoles.

—¡Ah!, tendremos que hablar también un poco de la Cruzada, mi buen señor —decía Felipe VI.

Y es que el rey de Francia había resucitado el gran proyecto de su padre y de su primo Carlos el Hermoso. Todo iba tan bien en su reino, el Tesoro estaba tan abundantemente provisto y la paz de Europa tan asegurada con la ayuda del rey de Bohemia, que había que preparar con urgencia, por el honor y prosperidad de las naciones cristianas, una grande y gloriosa expedición contra los infieles.

—¡Ah!, mis señores, los cuernos llaman...

Se levantaba la sesión; después de la comida, o al día siguiente, ya discutirían sobre la Cruzada.

En la mesa se hablaba con sorna del joven Eduardo, rey de Inglaterra, venido hacía tres meses disfrazado de mercader y acompañado sólo por lord Montaigu para entrevistarse secretamente con el rey de Francia. ¡Sí, vestido como un comerciante lombardo cualquiera! ¿Y con qué fin? Para llegar a un acuerdo comercial sobre los suministros de lana a Flandes. Un verdadero mercader. ¡Comerciaba en lanas! ¿Se había visto jamás a un príncipe afanarse en tales asuntos, como cualquier burgués de los gremios o de las hansas?

—¡Pues bien, amigos, tal como él quería, lo recibí como a un mercader! —se burlaba Felipe de Valois, encantado con su ingenio—. Sin fiestas, ni torneos, andando por las alamedas del bosque de Halatte, y le ofrecí una cena frugal.[2]

¡Era un hombre de ideas absurdas aquel jovencito!

¿No estaba estableciendo en su reino un ejército permanente de a pie con servicio obligatorio? ¿Qué se podía esperar de esos pedestres, cuando todo el mundo sabía —y así lo había demostrado la batalla del monte Cassel— que en los combates sólo cuenta la caballería y que los soldados de infantería huyen tan pronto como ven aparecer una coraza?

—De todos modos, parece que reina mayor orden en Inglaterra desde que colgaron a lord Mortimer —comentó Miles de Noyers.

—Reina el orden —respondió Felipe VI— porque los barones ingleses están cansados, al menos por un tiempo, de tanto pelearse. Cuando recobren el aliento el pobre Eduardo verá lo poco que puede contra ellos con su ejército pedestre. Y no hace mucho que el muchacho pensó en reclamar la corona de Francia... Vamos, mis señores, ¿sentís no tenerlo por príncipe, o bien preferís a vuestro «rey encontrado»? —añadió, golpeándose el pecho con orgullo.

Al salir de cada banquete, Felipe solía decir a Roberto de Artois en voz baja:

—Hermano, quiero hablar contigo a solas, y de algo muy grave.

—Cuando lo desees, primo.

—Pues bien, esta noche...

Pero por la noche había baile, y Roberto no hacía nada para apresurar una entrevista cuyo objeto adivinaba. Desde que la Divion, en prisión todavía, había confesado, se habían llevado a cabo otros muchos arrestos, entre ellos el del notario Tesson, y se había sometido a todos los testigos a un careo... Se había observado que durante las breves entrevistas con el rey de Bohemia, Felipe VI no había solicitado, como era de esperar, el consejo de Roberto, lo que podía interpretarse como un signo de que había caído en desgracia.

La víspera del torneo, el «rey de armas»,[3] acompañado de sus heraldos y trompeteros, se presentó en el castillo, en las moradas de los principales señores y en la liza, para proclamar:

—¡Oíd, oíd, altísimos y poderosos príncipes, duques, condestables, barones, señores, caballeros y escuderos! De parte de mis señores, los jueces del torneo, os hago saber que cada cual de vosotros deberá hoy mismo llevar el yelmo bajo el que deba tornear, así como sus estandartes, a la mansión de mis señores los jueces para que dichos señores puedan comenzar a separarlos por campos y, después de que se dividan, las damas vendrán a verlos y visitarlos, y esto es todo lo que se hará el día de hoy, aparte de los bailes después de la cena.

En la hostería de los jueces, los mozos de armas iban presentando los yelmos, que eran puestos en fila sobre las arcas en el claustro y se dividían según los campos. Parecían los despojos de un ejército loco decapitado. Pues los contendientes, para distinguirse entre sí durante la batalla, ponían en sus yelmos, encima de su tortil o de su corona condal, los emblemas más vistosos o extraños: un águila, un dragón, una mujer desnuda, una sirena o un unicornio erguido. Además se ataban a los cascos largas bandas de seda con los colores del señor.

Por la tarde las damas fueron a la hostería y, precedidas por los jueces y los dos jefes de torneo, es decir, el rey de Francia y el rey de Bohemia, fueron invitadas a dar una vuelta al claustro mientras un heraldo se detenía ante cada yelmo y nombraba a su dueño:

—Señor Juan de Hainaut; mi señor el conde de Blois; mi señor de Evreux, rey de Navarra...

Algunos yelmos estaban pintados del mismo color de las espadas y los palos de las lanzas, de ahí que los sobrenombres de sus propietarios fueran Caballero Blanco o Caballero Negro.

—El mariscal Roberto Bertrand, *Caballero del Verde León*...

Venía después un monumental yelmo rojo rematado por una torre de oro:

—Mi señor Roberto de Artois, conde de Beaumont-le-Roger...

La reina, que encabezaba la fila de las damas avanzando con su paso desigual, hizo ademán de extender la mano. Felipe VI le asió la muñeca y, fingiendo ayudarla a andar, le dijo en voz baja:

—¡Guardaos bien, querida!

La reina Juana sonrió malignamente.

—Hubiera sido una buena ocasión... —susurró a su vecina y cuñada, la joven condesa de Borgoña.

Y es que, según las reglas del torneo, si una dama tocaba un yelmo, el caballero al cual pertenecía el yelmo se convertía en «recomendado», es decir, perdía todo derecho a participar en la lid. Los demás se unían para atacarlo con golpes de lanza cuando entraba en liza; se entregaba su caballo a los trompeteros y, en cuanto a él, lo encaramaban a la fuerza sobre el barandal que limitaba el campo y lo obligaban a quedarse allí, a horcajadas, de un modo ridículo, durante el transcurso del torneo. Tal deshonor se infligía al que hubiera injuriado a una dama o de cualquier otro modo hubiera faltado al honor, sea por préstamos usurarios o por dar «falsa palabra».

El gesto de la reina no pasó inadvertido a la señora de Beaumont, que palideció. Se acercó a su hermano rey y le reprochó el hecho.

—Hermana mía —le respondió Felipe VI con expresión severa— haríais mejor en darme las gracias en vez de quejaros.

Por la noche, en el baile, todo el mundo estaba al corriente del incidente. La reina había hecho ademán de «recomendar» al conde de Artois. El rostro de éste tenía la expresión de sus peores días. Al empezar las carolas, rehusó ostensiblemente la mano de la duquesa de Borgoña y se plantó delante de la reina Juana, que nunca bailaba a causa de su defecto físico, y allí se mantuvo largo rato con el brazo doblado, como invitándola, lo que era una afrenta, pérfida y vengativa. Las esposas miraban a sus maridos; las violas y las arpas sonaban en medio de un silencio angustioso. El menor incidente hubiera bastado para adelantar el torneo una noche y hubiera provocado una inmediata refriega en la sala de baile.

La entrada del rey de armas, escoltado por sus heraldos y llegado para anunciar una nueva proclama, constituyó una útil distracción.

—¡Oíd, altos y poderosos príncipes, señores, barones, caballeros y escuderos que habéis acudido al torneo! De parte de mis señores los jueces os hago saber que cada uno de vosotros debe hallarse mañana a mediodía en las filas, con las armas y presto para la lid, ya que una hora después de las doce los jueces harán cortar las cuerdas para que comience el torneo, en el que se otorgarán ricos premios entregados por las damas. Además, debo avisaros que nadie de nosotros lleve a las filas mozos a caballo que pasen de la cantidad que se fijó así: cuatro mozos para los príncipes, tres para los condes, dos para los caballeros y uno para los escuderos. En cuanto a los mozos infantes, podéis traer los que queráis, como ha sido ordenado por los jueces. Además se os ruega que levantéis la diestra en alto hacia los santos y juntos prometáis que ninguno de vosotros golpeará con estoque a sabiendas en dicho torneo, ni tampoco por debajo de la cintura. Por otra parte, si por ventura el yelmo cae de la cabeza de alguno de vosotros, ninguno debe atacarlo hasta que el yelmo sea repuesto y atado, y si así no lo hacéis perderéis la armadura y el corcel, y vuestros nombres se proclamarán como proscritos del torneo. De suerte que jurad y prometed en nombre de la fe y por vuestro honor.

Todos los torneadores presentes alzaron la mano y exclamaron:

—¡Sí, sí, lo juramos!

—Tened buen cuidado mañana —dijo el duque de Borgoña a sus caballeros—, pues nuestro primo de Artois puede portarse mal y no respetar todas las reglas.

Y, seguidamente, continuó el baile.

NOTAS

1. Hierro del peto de la armadura donde se afianza la lanza para parar el retroceso en el momento del impacto. El ristre era una pieza fija hasta finales del siglo XVI; pasó luego a ser de bisagra o de resorte para evitar que estorbara durante los combates con espada.

2. Esta estancia secreta de Eduardo III en Francia duró cuatro días, del 12 al 16 de abril de 1331, en Saint-Christophe-en-Halatte.

3. Rey de armas: personaje que ejercía las funciones de director del torneo y presidía todas las formalidades del mismo.

8

Honor de par, honor de rey

Los caballeros que iban a participar en la justa se encontraban en los pabellones de tela bordada en los que ondeaban sus estandartes y donde se equipaban. Se ponían primero las calzas de malla a las que se sujetaban las espuelas; después, las placas de hierro que cubrían las piernas y los brazos; seguidamente, la loriga de grueso cuero sobre la que se vestía la armadura del cuerpo, especie de tonelete de hierro, articulado o bien de una sola pieza, según las preferencias. Luego se colocaba el capacete de cuero para protegerse de los roces del yelmo, y éste, con penacho o con emblema, se sujetaba al cuello de la loriga mediante correas de cuero. Por encima de la armadura se pasaba la cota de seda, de color vivo, larga, flotante, con enormes mangas festoneadas que colgaban de los hombros y los escudos de armas bordados en el pecho. Finalmente, el caballero recibía la espada, de filo embotado, y el escudo, tarja o rodela.

Fuera esperaba el corcel, cubierto por una gualdrapa blasonada, tascando el freno, y con la testuz protegida por una placa de hierro en la que se había fijado, como en el yelmo del dueño, un águila, un dragón, un león, una torre o un penacho de plumas.

Los mozos de armas sostenían las tres lanzas despuntadas de que disponía cada contendiente, así como una maza lo bastante ligera para no ser mortal.

Los miembros de la nobleza se paseaban entre los

pabellones, miraban cómo se guarnecían los campeones y, por última vez, daban ánimos a sus amigos.

Juan, el pequeño príncipe primogénito del rey, contemplaba, admirado, los preparativos, y Juan *el Loco*, que lo acompañaba, hacía muecas bajo su bonete de bufón.

Una compañía de arqueros mantenía a distancia a la gente del pueblo, bastante numerosa; pronto no verían más que polvo, pues hacía cuatro días que los justadores pisaban las lizas y había desaparecido la hierba del suelo que, aunque regado, se transformaba en polvareda.

Ya antes de montar a caballo, los que iban a entrar en liza estaban cubiertos de sudor bajo las armaduras, cuyas placas de hierro se calentaban al fuerte sol de julio. Bien perderían dos kilos durante el día.

Los heraldos pasaban gritando:

—¡Enlazad yelmos! ¡Enlazad yelmos, señores, caballeros, e izad estandartes para escoltar el estandarte del jefe!

Los tablados estaban llenos de espectadores, y los jueces, entre ellos el condestable señor Miles de Noyers y el duque de Borbón, se encontraban cada cual en su sitio en la tribuna central.

Sonaron las trompas; los torneadores, con la ayuda de sus mozos, montaron pesadamente a caballo y se dirigieron unos frente a la tienda del rey de Francia, otros frente a la del rey de Bohemia, donde formaron un cortejo, de dos en dos, seguido cada caballero por su portaestandarte, e hicieron su entrada en las lizas.

Unas cuerdas dividían el recinto a lo largo en dos mitades. Los dos bandos se alinearon frente a frente. Después de unos prolongados toques de trompeta, el rey de armas avanzó unos pasos y repitió por última vez las condiciones del torneo. Finalmente exclamó:

—¡Cortad cuerdas, gritad batalla, cuando queráis!

El duque de Borbón no oía jamás sin cierta congoja ese grito, pues era el mismo que en otros tiempos lanzaba su padre, Roberto de Clermont, sexto hijo de san Luis, en las crisis de locura que tenía a menudo en medio de una comida o de un consejo real. El duque de Borbón prefería ser juez a ser combatiente.

Los hombres designados para cortar las cuerdas descargaron sus hachas. Los portaestandartes rompieron filas; los mozos a caballo, armados con trozos de lanzas que no tenían más de un metro, se alinearon contra el barandal, dispuestos a ir en auxilio de sus dueños. Luego la tierra tembló bajo los cascos de doscientos caballos lanzados al galope unos contra otros; empezaba la refriega.

Las damas, de pie en las tribunas y gritando, seguían con los ojos el yelmo del caballero preferido. Los jueces observaban atentamente los lances para designar a los vencedores. El chocar de las lanzas, los estribos, las armaduras y de toda aquella herrería producía un estrépito infernal. La polvareda nublaba el sol.

En el primer encuentro, cuatro caballeros fueron derribados de sus corceles y otros veinte rompieron la lanza. Los mozos, respondiendo a los aullidos que salían de las aberturas de los yelmos, se apresuraban a llevar nuevas lanzas a los combatientes desarmados y a levantar a los desarzonados que pataleaban en el suelo como cangrejos panza arriba. Uno de ellos tenía una pierna rota y tuvo que ser retirado por cuatro hombres.

Miles de Noyers se mostraba displicente y, aunque era juez, se interesaba muy vagamente en el espectáculo. A decir verdad, estaba allí perdiendo el tiempo. Tenía que presidir los trabajos de la Cámara de Cuentas, fiscalizar los decretos del Parlamento, vigilar la administración general del reino; pero, para complacer al rey, debía permanecer allí mirando cómo aquellos vocingleros rompían lanzas de fresno. No ocultaba sus sentimientos.

—Todos estos torneos cuestan demasiado; son derroches inútiles que disgustan al pueblo —decía a sus vecinos—. ¡El rey no oye protestar en las aldeas y en las campiñas! Cuando pasa, no ve más que a gente que se inclina para besarle los pies; pero yo conozco bien los informes que me traen los bailes y prebostes. ¡Vano despilfarro de orgullo y futilidad! Durante estos días no se hace nada; las ordenanzas tardan dos semanas en firmarse; el consejo no se reúne más que para decidir quién será rey de armas o caballero de honor. La grandeza de un reino no se mide por estos simulacros de caballería. Bien lo sabía el rey Felipe el Hermoso, que, de acuerdo con el papa Clemente, prohibió los torneos.

El condestable Raúl de Brienne, poniendo la mano a manera de pantalla sobre los ojos para ver la refriega, respondió:

—Ciertamente no os equivocáis, señor; pero olvidáis que el torneo es un excelente entrenamiento para la guerra.

—¿Qué guerra? —preguntó Miles de Noyers—. ¿Creéis, acaso, que iremos a la guerra con esos pasteles de bodas en la cabeza y esas mangas festonadas que cuelgan más de dos anas? Os concedo que las justas ejercitan la destreza para el combate; pero el torneo, desde que no se hace con armadura de guerra y el caballero no lleva el verdadero peso, ha perdido todo el sentido. Incluso es pernicioso, pues nuestros jóvenes escuderos, que no han servido en las huestes, creerán que el enemigo hace lo mismo y que se ataca sólo cuando se oye el grito de «¡cortad cuerdas!».

Miles de Noyers tenía autoridad para hablar así, pues había sido mariscal del Ejército en los tiempos en que su cuñado Gaucher de Châtillon empezaba a desempeñar su cargo de condestable y Brienne se ejercitaba todavía con el estafermo.

—Conviene también que nuestros señores aprendan a conocerse para la Cruzada —dijo el duque de Borbón con aire de entendido.

Miles de Noyers se encogió de hombros. ¡Sí que podía el duque, aquel cobarde legendario, hablar de Cruzada!

El señor Miles estaba cansado de velar por los asuntos de Francia, bajo un soberano a quien todos consideraban tan admirable pero que a él, por su larga experiencia en el poder, le parecía poco capaz. Le sobreviene cierta fatiga a uno cuando hay que continuar esforzándose en una dirección que nadie aprueba, y Miles, que había empezado su carrera en el tribunal de Borgoña, se preguntaba si no volvería pronto a él. Más valía administrar sabiamente un ducado que disparatadamente un reino, y el duque Eudes le había hecho sugerencias en este sentido. Lo buscó con la mirada en la refriega y lo vio en el suelo, derribado por Roberto de Artois. Entonces Miles de Noyers volvió a interesarse en el torneo.

Mientras los mozos ayudaban a Eudes a levantarse, Roberto desmontó y ofreció a su adversario un combate a pie. Maza y espada en mano, con paso vacilante, empezaron a golpearse. Miles vigilaba a Roberto de Artois, dispuesto a descalificarlo a la menor falta. Pero Roberto seguía las reglas, no atacaba más que de la cintura para arriba y su espada no golpeaba más que de lado. Con la maza martilleaba el yelmo del duque de Borgoña hasta aplastarle el dragón que lo coronaba. Y aunque la maza pesaba sólo medio kilo, el otro debía de tener el cráneo bastante abollado, pues empezaba a defenderse mal y su espada, en vez de alcanzar a Roberto, no daba más que golpes en el aire. Al querer esquivar, Eudes de Borgoña perdió el equilibrio; Roberto le puso un pie sobre el pecho y la punta de la espada en la lazada del yelmo; el duque pidió clemencia. Se había rendido y debía abandonar el combate. Roberto se hizo ayudar a montar de nuevo y pasó a galope orgullosamente ante las tribunas. Una dama entusiasta se arrancó la manga, que Roberto recogió con la punta de la lanza.

—Mi señor Roberto debería mostrarse menos soberbio estos días —comentó Miles de Noyers.

—¡Bah! —exclamó Raúl de Brienne—. El rey lo protege.

—¿Hasta cuándo? —repuso Miles de Noyers—. La señora Mahaut parece haberse muerto demasiado rápido, y doña Juana la Viuda lo mismo. Y luego, hay una tal Beatriz de Hirson, dama de dichas señoras, que ha desaparecido y a la que su familia busca en vano... El duque de Borgoña hará bien haciendo probar sus platos antes de comer.

—Vuestros sentimientos hacia Roberto han cambiado mucho. El año pasado le erais muy adicto.

—Es que el año pasado no tenía que instruir su caso, cuyo segundo examen de testigos acabo de dirigir...

—¡Ah! El señor de Hainaut ataca —dijo el condestable.

Juan de Hainaut, que secundaba al rey de Bohemia, luchaba con enorme brío; no había ningún señor importante en el bando del rey de Francia a quien él no quisiera desafiar. Ya era sabido que recibiría el trofeo de vencedor.

El torneo duró una hora completa, al cabo de la cual los jueces hicieron tocar de nuevo las trompetas, abrir las barreras y separarse las filas. Una decena de caballeros y escuderos del Artois, no obstante, parecían no haber oído la señal, y en una esquina de la liza seguían apaleando con energía a cuatro señores borgoñones. Roberto no estaba entre ellos, pero seguro que había inspirado a sus hombres; la lucha podía convertirse en una carnicería. El rey Felipe VI se vio obligado a hacerse quitar el yelmo, y, con la cabeza descubierta para que lo reconocieran, y ante la admiración de todos, fue a separar a aquellos encarnizados luchadores.

Precedidas por los heraldos y trompeteros, las dos tropas volvieron a formar cortejo para salir del campo. Ahora eran un conjunto de armaduras abolladas, cotas hechas jirones, pintura desconchada y caballos cojos bajo gualdrapas desgarradas.

El saldo era un muerto y varios lisiados de por vida. Aparte del señor Juan de Hainaut, a quien iría a parar el premio ofrecido por la reina, todos los que habían contendido en la justa recibían un regalo como recuerdo, un jarrón de plata sobredorada, una copa o una escudilla de plata.

En sus pabellones, cuyos cortinajes habían sido levantados, los señores se quitaban las armaduras y mostraban sus rostros congestionados, sus manos desolladas por las juntas de los guanteletes y sus piernas tumefactas. Mientras tanto, se hacían comentarios.

—Nada más empezar, mi yelmo se ha abollado. Eso es lo que me molestó para...

—Si el señor de Courgent no se hubiera lanzado en vuestra ayuda, ¡hubierais visto, amigo!

—¡Poco aguantó el duque Eudes ante mi señor Roberto...!

—¡Ah, Brécy se ha portado bien, lo reconozco!

Risas, enojo, jadeos de cansancio; los justadores se dirigían a los baños instalados en una granja cercana, y se metían en las artesillas preparadas, primero los principales, luego los barones, seguidamente los caballeros y, por último, los escuderos. Había entre ellos esa familiaridad, amistosa y sólida, que crean las competiciones físicas, pero se adivinaban también ciertos rencores pertinaces.

Felipe VI y Roberto de Artois se remojaban en dos cubas gemelas.

—Hermoso torneo, hermoso torneo —decía Felipe—. ¡Ah, hermano, debo hablarte!

—Señor, hermano, soy todo oídos.

El paso que iba a dar molestaba visiblemente a Felipe. Pero, para hablar francamente con su primo, su cuñado, su amigo de juventud y de siempre, ¿qué mejor momento que éste, en que acababan de lidiar juntos y en que los gritos que llenaban la granja, los golpes que los caballeros se daban en los hombros, los chapoteos, el vapor que subía de las cubas aislaban perfectamente su conversación?

—Roberto, tu proceso va mal porque tus cartas son falsas.

Roberto sacó por encima del borde de la cuba sus cabellos rojos y sus rojas mejillas.

—¡No, hermano, son auténticas!

El rey adoptó una expresión de pesar.

—Roberto, por lo que más quieras, no te obstines por un camino tan malo. He hecho por ti todo lo que he podido, y contra la opinión de muchos, tanto de mi familia como de mi consejo. Sólo he consentido la entrega del Artois a la duquesa de Borgoña si se respetaban tus derechos. He puesto como gobernador a Ferry de Picquigny, que te es tan adicto. He propuesto a la duquesa comprarle de nuevo el Artois para entregártelo...

—No hay necesidad de comprarlo, es mío.

Ante tan persistente testarudez, Felipe VI hizo un gesto de irritación. Gritó a su ayuda de cámara:

—¡Trousseau! Un poco más de agua fresca, por favor.

Luego prosiguió:

—Son las comunas del Artois las que no han querido pagar el precio para cambiar de dueño. ¿Qué puedo hacer yo? La orden de apertura de tu proceso espera desde hace un mes. Desde hace un mes rehúso firmarla porque no quiero que mi hermano tenga que enfrentarse a gente sin escrúpulos que lo mancillará con un fango del que no estoy seguro que se pueda librar. Todos somos falibles; ninguno de nosotros puede pretender haber cometido sólo buenas acciones. Tus testigos han sido sobornados o amenazados; tu notario ha hablado; han sido encarcelados los falsificadores y han confesado haber escrito esos documentos.

—Son legítimas —repitió Roberto.

Felipe VI suspiró. ¡Cuántos esfuerzos se requieren para salvar a un hombre que no desea salvarse!

—Yo no digo, Roberto, que seas verdaderamente culpable. No digo, como pretenden, que hayas amañado esas cartas. Te las trajeron, las creíste legítimas y te engañaron...

Roberto apretaba las mandíbulas.

—Quizá —continuó Felipe—, es mi propia hermana, tu esposa, quien te ha engañado. Las mujeres hacen esas cosas, creyendo a veces ayudarnos. La falsedad es su naturaleza. Por ejemplo, la mía no tuvo ningún escrúpulo para robarme el sello.

—Sí, las mujeres son falsas —asintió Roberto con cólera—. Todo eso es un manejo de mujeres montado entre tu esposa y su cuñada de Borgoña. ¡No conozco en absoluto a esas viles gentes cuyas confesiones, arrancadas por el tormento, se utilizan contra mí!

—Deseo también considerar una calumnia —dijo Felipe en voz más baja— lo que dicen de la muerte de tu tía.

—¡Pero si había cenado en tu casa!

—Pero su hija no, y falleció en dos días.

—Yo no era el único enemigo que ambas se habían ganado durante su perversa vida —respondió Roberto con fingida indiferencia.

Salió de la cuba y pidió telas para secarse. Felipe hizo otro tanto. Estaban uno frente a otro, desnudos, con sus cuerpos velludos y de piel rosada; sus servidores aguardaban a cierta distancia, con los vestidos de lujo bajo el brazo.

—Roberto, espero tu respuesta —dijo el rey.

—¿Qué respuesta?

—Que renuncies al Artois, para que yo pueda zanjar el asunto...

—Y para que puedas recobrar la palabra que me diste antes de ser rey. Señor, hermano, ¿has olvidado acaso que yo te llevé al trono, que gané para ti el favor de los pares y que te conseguí el cetro?

Felipe de Valois tomó a Roberto de las muñecas y lo miró fijamente a los ojos:

—Si lo hubiera olvidado, Roberto, ¿crees que te hablaría como te estoy hablando? Por última vez, renuncia.

—Jamás renunciaré —respondió el gigante negando con la cabeza.

—¿Es al rey a quien respondes?

—Sí, señor, al rey.

Felipe le soltó las muñecas.

—Entonces, si no quieres salvar tu honor de par —dijo—, ¡yo procuraré salvar mi honor de rey!

9

Los Tolomei

—Aceptad mis disculpas, mi señor, por no poder levantarme para acogeros mejor —dijo Spinello Tolomei jadeante al entrar Roberto de Artois.

El viejo banquero yacía en el lecho que habían dispuesto en su gabinete de trabajo; un delgado cubrecama dejaba adivinar la forma de su abultado vientre y su enjuto pecho. Una barba de ocho días sobre las mejillas hundidas parecía un depósito de sal y su boca azulada jadeaba como buscando el aire. Pero, por la ventana que daba a la calle Lombards, no entraba aire fresco; París hervía bajo el sol de una tarde de agosto.

Poca vida quedaba en el cuerpo del señor Tolomei, así como en la mirada del único ojo que abría, el cual no expresaba más que un desprecio cansino, como si ochenta años de existencia hubieran sido un esfuerzo completamente inútil.

Alrededor del lecho había cuatro hombres de piel atezada, labios delgados, ojos relucientes como aceitunas negras y vestidos de oscuro.

—Mis primos, Tolomeo Tolomei, Andrea Tolomei y Giaccomo Tolomei... —dijo el moribundo señalándolos—. Ya conocéis a mi sobrino, Guccio Baglioni...

A los treinta y cinco años eran blancas ya las sienes de Guccio.

—Han venido de Siena para verme morir... y también para otras cosas —añadió lentamente el viejo banquero.

En calzones de viaje y con el busto ligeramente inclinado en el asiento que se le había ofrecido, Roberto de Artois miraba al anciano con la falsa atención de quien está obsesionado por una gravísima preocupación.

—Mi señor de Artois es un amigo, de verdad lo es —dijo Tolomei, dirigiéndose a sus parientes—. Todo cuanto pueda hacerse por él debe hacerse; a menudo nos ha salvado a nosotros, y no ha dependido de él, esta vez...

Como los primos sieneses entendían mal el francés, Guccio les tradujo rápidamente las palabras del tío; al unísono los tres primos asintieron con un gesto de sus oscuros ojos.

—Pero si lo que necesitáis es dinero, mi señor, ¡ay de nosotros!, pues pese al agradecimiento que sentimos por vos, nada podemos hacer. Y bien sabéis por qué...

Se veía que Spinello Tolomei economizaba sus fuerzas. No tenía por qué extenderse más. ¿Para qué comentar la dramática situación en que se hallaban desde hacía unos meses los banqueros italianos?

En enero el rey había promulgado una orden por la que se amenazaba con la expulsión a todos los lombardos. No era nada nuevo; siempre que un reinado se encontraba en situación difícil se los amenazaba y se les arrebataba una parte de su fortuna, obligándolos a pagar de nuevo su derecho de residencia. Para compensar esta pérdida, los banqueros incrementaban el tipo de interés durante un año. Pero esta vez la orden imponía una medida más grave: se cancelaban todos los préstamos de los italianos a los señores franceses; se prohibía a los deudores pagar sus débitos, aunque pudieran y quisieran hacerlo. Los sargentos reales montaban guardia a la puerta de las oficinas y hacían volverse atrás a los clientes honrados que acudían a pagar sus créditos. Los banqueros italianos estaban desesperados.

—Y todo porque la nobleza está demasiado endeudada por sus insensatas fiestas, ¡con esos torneos en que sólo pretenden lucirse ante el rey! Ni con Felipe el Hermoso fuimos tan maltratados.

—He abogado por vosotros —dijo Roberto.

—Lo sé, lo sé, mi señor. Siempre defendisteis a nuestras compañías. Y ya veis, no estáis en mejor situación que nosotros... Nosotros que creíamos que todo se arreglaría como en otras ocasiones. Pero con la muerte de Macci dei Macci hemos recibido el golpe de gracia.

El anciano dirigió la mirada a la ventana y se calló.

Macci dei Macci, uno de los más importantes financieros italianos de Francia, a quien desde el principio de su reinado Felipe VI, aconsejado por Roberto, había confiado la administración del Tesoro, acababa de ser colgado tras un juicio sumario la semana anterior.

Con la voz cargada de contenida cólera, Guccio Baglioni dijo:

—Un hombre que había puesto todo su empeño y toda su astucia al servicio del reino. Se sentía más francés que si hubiera nacido al lado del Sena. ¿Se enriqueció en su oficio más que los que lo han hecho colgar? ¡Los italianos son siempre las víctimas, pues no tienen medios de defenderse!

Los primos sieneses captaban lo que podían de la conversación; al oír al nombre de Macci dei Macci, su ceño había subido hasta media frente y, cerrados los párpados, emitieron un mismo lamento.

—Tolomei —dijo Roberto de Artois—, no vengo a pediros dinero, sino a rogaros que lo toméis. —Pese a su debilidad, maese Tolomei irguió ligeramente el torso, tan sorprendente era la declaración—. Sí —prosiguió Roberto—, quiero entregaros todo mi tesoro en monedas contra letras de cambio. Me voy, salgo del reino.

—¿Vos, mi señor? ¿Tan mal va vuestro proceso? ¿Ha sido desfavorable la sentencia?

—Lo será dentro de cuatro semanas. ¿Sabes, banquero, cómo me trata ese rey cuya hermana es mi esposa y que sin mí jamás hubiera llegado a rey? ¡Ha enviado a su baile de Gisors a proclamar delante de la puerta de todos mis castillos, en Conches, en Beaumont, en Orbec, que me emplaza judicialmente para San Miguel ante su tribunal real! Un simulacro de juicio cuyo fallo desfavorable está prácticamente dictado. Felipe ha soltado a todos sus sabuesos en mi persecución: Sainte-Maure, su malvado canciller; Foget, el ladrón de su tesorero; con Mateo de Trye, su mariscal, y Miles de Noyers para indicarles el rastro. Los mismos que se confabularon contra vosotros, ¡los mismos que colgaron a vuestro amigo Macci dei Macci! ¡Ella gana!, la reina mala, Juana la Coja. ¡Y la borgoñona la empuja, la villana! Han llevado a mis notarios y a mi capellán al calabozo y han torturado a mis testigos para obligarlos a retractarse. Pues bien, que me juzguen, ¡pero yo no estaré allí! ¡Me han robado el Artois; pues que me deshonren a placer! ¡Este reino ya no es nada para mí, y su rey es mi enemigo; saldré de sus fronteras para hacerle todo el daño que pueda! ¡Mañana estaré en Conches y mandaré desde allí mis caballos, mi ajuar, mis joyas y mis armas a Burdeos, para embarcarlos en un navío de Inglaterra! ¡Quieren apoderarse de mi cuerpo y de mis bienes, pero no me atraparán!

—¿Vais a Inglaterra, mi señor? —preguntó Tolomei.

—Primero pediré refugio a mi hermana, la condesa de Namur.

—¿Irá con vos vuestra esposa?

—Vendrá luego. Y bien, banquero; os entrego mi tesoro de monedas contra letras de cambio pagaderas en vuestras sucursales de Holanda e Inglaterra. Y quedaos con dos libras de cada veinte.

Tolomei volvió la cabeza a un lado sobre la almohada y empezó a hablar con su sobrino y sus primos en italiano, sin que Roberto entendiese una palabra. Captó las palabras de *débito*, *rimborso*, *deposito*... Al aceptar el dinero de un señor francés, la compañía de los Tolomei ¿no infringía la ordenanza? No, pues no se trataba de un pago de deuda sino de un depósito.

Tolomei volvió de nuevo hacia Roberto de Artois su rostro de sal y sus labios azulados.

—Nosotros también nos vamos, mi señor; mejor dicho, ellos se van... —rectificó, señalando a sus parientes—. Se llevarán, pues, cuanto tenemos aquí. Nuestras compañías están divididas. Los Bardi y los Peruzzi dudan; piensan que lo peor ya ha pasado y que doblando un poco el espinazo... Son como los judíos, que siempre confían en las leyes y creen que se les dejará en paz una vez que hayan pagado su judería; ¡pero pagan la judería y luego los llevan a la hoguera! De modo que los Tolomei se van. Esto causará cierta sorpresa, pues nos llevamos a Italia todo lo que se nos ha confiado; lo más importante ya está en camino. ¡Puesto que no quieren pagarnos las deudas, nos llevamos los depósitos![1] —Una expresión maligna se dibujó en los ya desfigurados rasgos del anciano—. No dejaré en suelo francés más que mis huesos, que poco valen —añadió.

—Verdaderamente, Francia no ha sido buena con nosotros —dijo Guccio Baglioni.

—¡Te ha dado un hijo, no te quejes!

—Es verdad —dijo Roberto de Artois—, tienes un chico. ¿Está muy crecido?

—Sí, mi señor —respondió Guccio—, pronto me sobrepasará en estatura; tiene quince años. Pero me parece que no le gusta mucho la banca.

—Ya le gustará, ya le gustará... —dijo el anciano—. Bien, mi señor, aceptamos. Entregadnos vuestro tesoro en moneda; lo sacaremos del país y os entregaremos letras de cambio por el mismo valor, sin retener nada. La moneda contante y sonante es siempre bien recibida.

—Te lo agradezco, Tolomei; por la noche traerán mis arcas.

—Cuando el dinero empieza a huir de un reino, los

días de bienestar de éste están contados. Vuestros deseos de desquite se verán satisfechos. Yo no lo veré pero, ¡os desquitaréis!

Su ojo izquierdo, que solía estar cerrado, se había abierto; Tolomei lo miraba con ambos ojos, la mirada de la verdad, finalmente. Y Roberto de Artois sintió una intensa emoción porque un viejo lombardo que bien pronto iba a morir lo había mirado intensamente.

—Tolomei, he visto a muchos hombres valientes luchar hasta el final de la batalla; tú eres tan valiente como ellos, a tu manera.

Una triste sonrisa se dibujó en los labios del banquero.

—No es valentía, mi señor, todo lo contrario. Si no fuera banquero, ¡qué miedo tendría en estos momentos! —Alzó su arrugada mano e hizo signo a Roberto para que se acercara. Roberto se inclinó como para escuchar una confidencia—. Mi señor —dijo Tolomei—, dejadme bendecir a mi último cliente. —Con el pulgar hizo la señal de la cruz sobre los cabellos del gigante, tal como suelen hacer los padres italianos sobre la frente de sus hijos cuando parten para un largo viaje.

NOTAS

1. La compañía de los Tolomei era la más importante de las compañías sienesas, después de la de los Buonsignori. Fue fundada por Tolomeo Tolomei, amigo o por lo menos familiar de Alejandro III, papa de 1159 a 1181, también sienés y adversario de Federico Barbarroja. El palacio Tolomei de Siena fue edificado en 1205. Los Tolomei fueron frecuentemente banqueros de la Santa Sede; establecieron filiales en Francia a mediados del siglo XIII, primero alrededor de las ferias de Cham-

paña, para fundar luego numerosas sucursales como la de Neauphle, con una casa principal en París. En la época de las ordenanzas de Felipe VI, cuando fueron encarcelados muchos comerciantes italianos durante tres semanas hasta que recobraron su libertad mediante el pago de considerables sumas, los Tolomei salieron subrepticiamente del país, llevándose todas las cantidades depositadas en sus oficinas por otras compañías italianas o por sus clientes franceses, lo que creó serias dificultades al Tesoro.

10

El tribunal regio

Felipe VI estaba sentado, con la corona y el manto real, en el centro de un estrado con peldaños y en un asiento cuyos brazos terminaban en cabezas de león. Sobre él colgaba un gran lienzo de seda con las armas de Francia bordadas; de vez en cuando se inclinaba hacia la izquierda, hacia su primo el rey de Navarra, o a la derecha, hacia su pariente el rey de Bohemia, para tomarlos como testigos con la mirada y hacerles ver cuánto había durado su paciencia...

El rey de Bohemia se acariciaba su hermosa barba castaña con un aire entre confundido e indignado. ¿Era posible que un caballero, un par de Francia como Roberto de Artois, un príncipe de la flor de lis se hubiera comportado de tal modo, participado en empresas tan sórdidas como las que en esos momentos estaban enumerando, y se hubiera comprometido con gentes de tan baja ralea?

En la fila de los pares laicos, sobre quienes pendían los correspondientes escudos de armas, se veía por primera vez al heredero del trono, el príncipe Juan, de estatura anormalmente alta para sus trece años, niño de mirada sombría y aplomada, y mentón demasiado prominente, al que su padre acababa de hacer duque de Normandía.

Seguidamente estaban el conde de Alençon, hermano del rey; los duques de Borbón y de Bretaña; el conde de Flandes y el conde de Etampes. Había dos taburetes desocupados: el del duque de Borgoña, que no podía participar en el juicio por ser parte interesada, y el del rey de Inglaterra, que ni siquiera había mandado representante.

Entre los pares eclesiásticos se veía a Monseñor Juan de Marigny, conde-obispo de Beauvais, y a Guillermo de Trye, duque-arzobispo de Reims.

Para dar mayor solemnidad a este juicio, el rey había convocado a los arzobispos de Sens y de Aix; a los obispos de Arras, Autun, Blois, Forez y Vendôme; al duque de Lorena, al conde Guillermo de Hainaut y a su hermano Juan, y a todos los altos funcionarios de la corona: el condestable, los dos mariscales, Miles de Noyers; los señores de Châtillon, de Soyecourt y de Garencières, que pertenecían al consejo privado, y a otros muchos, sentados alrededor del estrado, a lo largo de las paredes de la gran sala del Louvre en la que se celebraba la audiencia.

En el suelo, de rodillas sobre almohadillas, se amontonaban los relatores del Consejo de Estado y los consejeros del Parlamento, así como empleados de justicia y eclesiásticos de categoría inferior.

De pie y frente al rey, a seis pasos, el procurador general, Simón de Bucy, rodeado de los comisarios de investigación, leía desde hacía dos horas las hojas de las conclusiones, las más largas que hubiera pronunciado en toda su carrera. Había tenido que empezar por toda la historia del asunto del Artois, cuyo origen se remontaba a fines del pasado siglo, recordar el primer proceso de 1309, la sentencia dictada por Felipe el Hermoso, la rebelión armada de Roberto contra Felipe el Largo en 1316 y el segundo juicio de 1318 hasta llegar al procedimiento actual, al perjurio de Amiens, la investigación, la contrainvestigación, los innumerables testimonios recogidos, los sobornos de testigos, las falsificaciones y las detenciones de cómplices.

Todos estos hechos, sacados a la luz uno tras otro, explicados y comentados sucesivamente siguiendo su complejo encadenamiento, constituían uno de los más voluminosos procesos de derecho privado, y ahora criminal, habidos en el mundo, y estaban indisolublemente ligados a más de un cuarto de siglo de la historia del reino. Los asistentes estaban fascinados y estupefactos; estupefactos por las revelaciones del procurador, fascinados porque descubrían la vida secreta del gran barón ante quien temblaban todos, cuya amistad todos buscaban y que, durante tanto tiempo, había decidido el destino de la nación francesa. La denuncia de los escándalos de la torre de Nesle, el encarcelamiento de Margarita de Borgoña, la anulación del matrimonio de Carlos IV, la guerra de Aquitania, la renuncia a la Cruzada, la ayuda prestada a Isabel de Inglaterra, la elección de Felipe VI... Él había sido el alma de todo esto, provocando o dirigiendo los acontecimientos, pero siempre movido por una sola idea, su único interés, ¡el Artois, la herencia del Artois!

¡Cuántos de los presentes debían su título, su cargo, su fortuna a ese perjuro, ese falsario, ese criminal, empezando por el propio rey!

El sitio del acusado estaba ocupado simbólicamente en el juicio por dos sargentos de armas que sostenían un gran pendón de seda en el que figuraba el escudo de Roberto «sembrado de flores de lis con lambel de gules de cuatro caídas, cada caída con tres castillos de oro».

Cada vez que el procurador pronunciaba el nombre de Roberto, se volvía hacia el pendón como si se dirigiera a él en persona.

Había llegado a la huida del conde de Artois:

—«Aunque la citación judicial le fue notificada oficialmente por maese Juan Loncle, guardia de la bailía de Gisors, en sus domicilios corrientes, dicho Roberto de Artois, conde de Beaumont, no se ha presentado ante nuestro Señor el rey y su Cámara de Justicia debidamente convocada el día 29 de septiembre. Pues bien, se nos ha comunicado y confirmado que dicho Roberto ha embarcado sus caballos y su tesoro en un navío en Burdeos, y que ha mandado sus monedas de oro y plata por medios prohibidos allende las fronteras del reino, y que él también, en vez de presentarse ante la justicia del rey, ha salido del país.

»El 6 de octubre de 1331, la mujer Divion, declarada culpable de numerosos delitos cometidos al servicio del susodicho Roberto y al suyo propio, el principal de los cuales fue la falsificación de escritos e imitación de sellos, fue quemada en la hoguera, en París, en la plaza Pourceaux, y sus huesos fueron reducidos a polvo, todo ello en presencia de mis señores el duque de Bretaña, el conde de Flandes, el señor Juan de Hainaut, el señor Raúl de Brienne, condestable de Francia, los mariscales Roberto Bertrand y Mateo de Trye y el señor Juan de Milon, preboste de París, que dio cuenta al rey de la ejecución...»

Los nombrados bajaron los ojos; conservaban aún el recuerdo de la Divion, que gritaba atada al poste mientras las llamas devoraban su túnica de cáñamo, y de la carne de las piernas que se hinchaba y se abría al quemarse, así como del atroz hedor que el viento de octubre les enviaba al rostro... Así había terminado la amiga del antiguo obispo de Arras.

—«El 12 y el 13 de octubre, el señor Pedro de Auxerre, consejero, y Miguel de París, baile, manifestaron a la señora de Beaumont, esposa del susodicho Roberto, primero en Jouy-le-Châtel y luego en Conches, Beaumont, Orbec y Quatre-Mares, sus domicilios habituales, que el rey citaba a su esposo para juzgarlo el 14 de diciembre. Pues bien, el mencionado Roberto, en esa fecha, faltó por segunda vez. Con gran indulgencia, nuestro Señor el rey decretó un nuevo aplazamiento hasta quince días después de la fiesta de la Candelaria, y para que el antedicho Roberto no pudiera ignorarlo, fue proclamado primeramente en la Gran Cámara del Parlamento, en segundo lugar en la Mesa de Mármol de la gran sala de palacio y, seguidamente, en Orbec y Beaumont, y de nuevo en Conches por los mismos maeses, Pedro de Auxerre y Miguel de París, quienes no pudieron hablar con la dama de Beaumont, pero hicieron su proclama ante la puerta de su habitación y en voz alta para que ella pudiera oírla...»

Cada vez que se mencionaba a la señora de Beaumont, el rey se pasaba la mano por el rostro y arrugaba un poco la nariz grande y carnosa. ¡Se trataba de su hermana!

—«El mencionado Roberto de Artois no compareció en el Parlamento de justicia convocado por el rey en dicha fecha, pero se hizo representar por maese Enrique, deán de Bruselas, y por maese Thiébault de Meaux, canónigo de Cambrai, con poderes para comparecer en su lugar y presentar las causas de su ausencia. Pero, en vista de que la citación era para el segundo lunes después de la Candelaria y de que los poderes que llevaban designaban el martes, por tal razón esos poderes no se tuvieron por válidos y, ya por tercera vez, se declaró en rebeldía al acusado. Sabido y manifiesto es que, durante este tiempo, Roberto de Artois quiso buscar refugio primeramente en casa de la señora condesa de Namur, su hermana; pero, al prohibir nuestro Señor el rey a la señora de Namur que auxiliara y acogiera a este rebelde, dicha señora prohibió al citado Roberto, su hermano, la residencia en sus estados. Entonces el citado Roberto intentó refugiarse en los estados de Hainaut, de mi señor el conde Guillermo; pero por ruego de nuestro Señor el rey, mi señor el conde de Hainaut prohibió asimismo al antedicho Roberto que permaneciera en sus estados. De nuevo el citado Roberto pidió refugio y asilo al duque de Brabante, a quien nuestro señor el rey rogó que no se lo concediera, a lo que respondió al principio, que, como no era vasallo del rey de Francia, podía acoger a quien él quisiera, según su conveniencia; pero después el duque de Brabante cedió a las exhortaciones que le hizo mi señor de Luxemburgo, rey de Bohemia y accedió cortésmente a echar a Roberto de Artois de su ducado.»[1]

Felipe VI se volvió hacia el conde de Hainaut y hacia el rey de Bohemia, haciéndoles un signo de amistosa y triste gratitud. Felipe sufría visiblemente y no era el único. Por culpable que fuera Roberto de Artois, los que lo habían conocido se lo imaginaban errando de corte en corte, acogido un día para ser proscrito al día siguiente y tener que ir más lejos, hasta ser expulsado de nuevo. ¿Por qué se había empeñado tanto en su propia perdición, cuando el rey le había abierto los brazos hasta el último momento?

—«A pesar de que el sumario estaba concluido, después de oír las declaraciones de setenta y seis testigos, de los cuales catorce están en las prisiones reales, y después de haber sido suficientemente informada la justicia del rey, a pesar de la evidencia de los cargos enumerados, nuestro señor el rey, por antigua amistad, hizo saber a Roberto de Artois que le concedía salvoconducto para entrar en el reino y salir cuando le pluguiera, sin que ni él ni sus agentes sufrieran daño alguno, y para que pudiera oír los cargos, presentar su defensa, reconocer sus delitos y obtener su perdón. Pues bien, el citado Roberto, en lugar de aprovechar ese ofrecimiento de clemencia, no ha vuelto al reino, sino que en sus diversas residencias se ha entrevistado con toda especie de malas gentes, proscritas y enemigas del rey, y ha advertido a muchas personas, que después lo han repetido, de su intención de hacer perecer por el acero o por maleficio al canciller, al mariscal de Trye y a varios consejeros de nuestro señor el rey, y finalmente ha proferido las mismas amenazas contra el rey mismo.»

Se oyó un largo rumor de indignación entre los asistentes.

—«Sabidas y manifiestas todas las cosas susodichas, y dado que Roberto de Artois ha sido citado por última vez mediante publicaciones hechas según el procedimiento regular, hoy miércoles 8 de abril antes de Pascua florida, lo citamos a comparecer por cuarta vez...»

Simón de Bucy dejó de hablar e hizo una señal a un sargento macero, quien pronunció en voz muy alta:

—¡Señor Roberto de Artois, conde de Beaumont-le-Roger, compareced!

Todas las miradas se dirigieron instintivamente a la puerta, como si realmente el acusado fuera a entrar. Transcurrieron unos segundos de absoluto silencio.

Entonces el sargento golpeó el suelo con la maza, y el procurador prosiguió:

—«Comprobado que dicho Roberto se declara en rebeldía, en consecuencia y en nombre de nuestro señor el rey, requerimos: que el citado Roberto sea desposeído de los títulos, derechos y prerrogativas de par del reino, así como de todos sus demás títulos, señoríos y posesiones; otrosí, que sean confiscados y entregados al Tesoro sus bienes, tierras, castillos, casas y todos los objetos, muebles o inmuebles, que le pertenezcan, para que se disponga de ellos según la voluntad del rey; otrosí, que se destruyan sus escudos de armas en presencia de pares y barones, para que nunca más aparezcan en estandartes o sellos, y que su persona sea proscrita para siempre de las tierras del reino, con prohibición a todo vasallo, aliado, pariente y amigo del rey nuestro Señor de darle abrigo; finalmente, requerimos que la presente sea proclamada a voces y trompetas en las principales plazas de París y notificada a los bailes de Ruan, Gisors, Aix y Bourges, así como a los senescales de Tolosa y de Carcasona, para que se ejecuten, por orden del rey.»

Maese Simón de Bucy se calló. El rey parecía soñar. Sus ojos recorrieron toda la asamblea sin posarse en ningún rostro. Luego inclinó la cabeza, primero a la derecha, luego a la izquierda, diciendo:

—Pares míos, ¿tenéis algo que decir? ¡Si nadie habla, es que aprobáis!

No se alzó ninguna mano, ninguna boca se abrió.

La palma de Felipe VI cayó sobre la cabeza de león del brazo de su asiento.

—¡Es asunto juzgado!

Entonces el procurador mandó avanzar hasta el pie del trono a los dos sargentos que sostenían el escudo de Roberto de Artois. El canciller Guillermo de Sainte-Maure, uno de los amenazados de muerte por Roberto desde su destierro, se adelantó hacia el pendón, pidió la espada de uno de los sargentos y la apoyó en el borde de la tela. Luego se oyó un largo desgarramiento de la seda y el escudo quedó partido.

Había acabado la dignidad de par de Beaumont. Aquel por quien ésta había sido instituida, el príncipe de Francia descendiente de Luis VIII, el gigante famoso por su fuerza, el de las infinitas intrigas, ya no era más que un proscrito; dejaba de pertenecer al país sobre el que habían reinado sus antepasados y nada de aquel reino le pertenecía ya.

Para los pares y señores, para todos aquellos hombres cuyos escudos de armas eran expresión no sólo de la fuerza sino casi de la existencia, que hacían ondear esos emblemas en sus tejados, en sus lanzas, en sus caballos, los bordaban en su propio pecho, en la cota de sus escuderos, en la librea de sus criados, los pintaban en sus muebles, los grababan en su vajilla, marcaban con ellos a hombres, bestias y cosas que de algún modo dependieran de su voluntad o constituyeran sus bienes; para todos esos hombres tal desgarrón, una especie de excomunión laica, era aún más infamante que la hoguera, el arrastramiento y la horca. Y es que la muerte borra la falta, y el deshonor desaparece con el deshonrado.

«Pero mientras uno vive no puede considerar perdida la partida», se decía Roberto de Artois, errante fuera de su patria por rutas hostiles y pensando en mayores crímenes.

NOTAS

1. Las «exhortaciones» hechas al duque de Brabante fueron, en realidad, bastante serias, pues Juan de Luxemburgo, para complacer a Felipe VI, había organizado una coalición y amenazaba al duque con invadir sus tierras. El duque de Brabante prefirió expulsar a Roberto de Artois, no sin antes haber negociado un fructífero contrato: el matrimonio de su primogénito con la hija del rey de Francia. Por su parte, Juan de Bohemia recibió en agradecimiento por su intervención el concierto de matrimonio de su hija Bonne de Luxemburgo con el heredero de Francia, Juan de Normandía.

CUARTA PARTE

EL BELICOSO

1

El proscrito

Durante más de tres años, Roberto de Artois, como una gran fiera herida, anduvo errante por las fronteras del reino.

Emparentado con todos los reyes y príncipes de Europa, sobrino del duque de Bretaña, tío del rey de Navarra, hermano de la condesa de Namur, cuñado del conde de Hainaut y del príncipe de Tarento, primo del rey de Nápoles, del rey de Hungría y de muchos otros, se había convertido, a los cuarenta y cinco años, en un viajero solitario al que se le cerraban las puertas de los castillos. Tenía dinero suficiente gracias a las letras de cambio de las bancas sienesas, pero jamás acudía un escudero a su posada para invitarlo a cenar con el señor del lugar. Si se celebraba algún torneo en los alrededores, se buscaban pretextos para no convidar a Roberto de Artois, el proscrito, el falsario, que en otro tiempo hubiera ocupado el sitio de honor, y el capitán de la villa le entregaba con fría deferencia una orden en la que el conde feudal le rogaba que siguiera adelante. Porque el conde, el duque o el margrave no quería malquistarse con el rey de Francia y no tenía por qué tener consideraciones con un hombre tan deshonrado que hasta carecía de blasón y de estandarte.

Y Roberto partía de nuevo a la aventura, sin más escolta que su criado Gillet de Nelle, mal sujeto con méritos suficientes para balancearse en la horca de un patíbulo pero que, como antaño Lormet, demostraba a su dueño una fidelidad sin límites. Roberto lo compensaba con esa satisfacción más valiosa que un buen estipendio: la intimidad con un gran señor en la adversidad. ¡Cuántas noches de ese errático vagabundeo pasaron jugando a los dados en el rincón de una tabernucha! Y cuando los aguijoneaba la necesidad de bribonear un poco, entraban juntos en alguno de los numerosos burdeles de Flandes, que ofrecían una buena selección de rollizas rameras.

En esos lugares se enteraba Roberto de las noticias de Francia por boca de los mercaderes que volvían de las ferias o de alcahuetas que habían hecho hablar a los viajeros.

En el verano de 1332, Felipe VI había casado a su hijo Juan, duque de Normandía, con la hija del rey de Bohemia, Bonne de Luxemburgo. «He aquí por qué Juan de Luxemburgo me hizo expulsar de las tierras de su pariente de Brabante —se decía Roberto—; éste es el precio de sus servicios.» Por lo que contaban, las fiestas nupciales celebradas en Melun habían sobrepasado en esplendor a todas las del pasado.

Felipe VI había aprovechado esta gran reunión de príncipes y nobles para hacerse coser solemnemente la cruz en el manto real. Esta vez la Cruzada estaba decidida. Pedro de la Palud, patriarca de Jerusalén, la predicó en Melun, haciendo llorar a los seis mil invitados a la boda, de los que mil ochocientos eran caballeros de Alemania. El obispo Pedro Roger la predicaba en Ruan, cuya diócesis acababa de recibir después de las de Arras y de Sens. La travesía se había planeado para la primavera de 1334. En los puertos de Provenza, Marsella y Aigües-Mortes, se apresuraban en la construcción de una gran flota. ¡Ya se había enviado al obispo Juan de Marigny a manifestar el desafío al sultán de Egipto!

Pero si bien los reyes de Bohemia, Navarra, Mallorca y Aragón, que comían en la mesa de Felipe, y los duques, condes y grandes barones, así como ciertos caballeros ansiosos de aventuras, seguían con entusiasmo el ejemplo del rey de Francia, la pequeña nobleza del terruño parecía tener menos prisa en aceptar las cruces de paño rojo que les tendían los predicadores y en embarcarse rumbo a las arenas de Egipto. El rey de Inglaterra, por su parte, urgía la instrucción militar de su pueblo, pero no daba ninguna contestación sobre los proyectos de Tierra Santa. En cuanto al anciano papa Juan XXII que, por lo demás, estaba sosteniendo una grave controversia con la Universidad de París y su rector Buridan acerca de los problemas de la visión beatífica, se hacía el sordo. Había bendecido la Cruzada de modo muy reticente y fruncía el entrecejo cuando se le hablaba del reparto de gastos. En cambio, los mercaderes de especias, incienso, sederías y reliquias; los fabricantes de armaduras y los constructores de buques, hacían todo lo posible para fomentar la empresa.

Felipe VI había organizado ya la regencia para el período de su ausencia, haciendo jurar a los pares, barones y obispos que obedecerían en todo a su hijo Juan y le transmitirían sin discusión la corona si hallaba la muerte en ultramar.[1]

«Entonces es que Felipe no está tan seguro de su legitimidad —pensó Roberto de Artois—, cuando se empeña en que su hijo sea reconocido desde ahora.»

Acodado ante un jarro de cerveza, no osaba decir a sus informadores ocasionales que conocía a todos los grandes personajes de que le hablaban; no les decía que había combatido en justas contra el rey de Bohemia, que había conseguido la mitra para Pedro Roger, que había hecho que el rey de Inglaterra se arrodillara y que había cenado en la mesa del Papa. Pero él anotaba todo, para sacar provecho oportunamente.

El odio lo sostenía. El odio no lo abandonaría mientras viviera. Dondequiera que estuviera, era el odio lo que lo despertaba con el primer rayo de luz que se filtraba por los postigos de una habitación desconocida. El odio era la sal de sus comidas, el cielo de su camino.

Se dice que los hombres fuertes son quienes saben reconocer sus equivocaciones. Hay quizás hombres más fuertes: los que jamás los reconocen. Roberto era de éstos. Cargaba todas las culpas sobre los demás, muertos y vivos: sobre Felipe el Hermoso, Enguerrando y Mahaut; sobre Felipe de Valois, el duque de Borgoña y el canciller Sainte-Maure. Y de día en día, iba añadiendo nombres a su lista de enemigos: su hermana de Namur, su cuñada de Hainaut, Juan de Luxemburgo y el duque de Brabante.

En Bruselas contrató a un sospechoso procurador llamado Huy y a su secretario Berthelot. Con gentes de leyes empezaba a reconstruir su casa.

En Lovaina, el procurador Huy le procuró un monje de mal aspecto y de dudosa vida, fray Enrique de Sagebran, que entendía más de embrujamientos y maleficios que de letanías y obras de caridad. Con fray Enrique de Sagebran, y acordándose de las lecciones de Beatriz de Hirson, el antiguo par de Francia bautizó unos muñecos de cera y, clavándoles agujas, les dio los nombres de Felipe, Sainte-Maure y Mateo de Trye.

—Y ésta, fíjate bien, agujeréala desde la cabeza y a lo largo de todo el cuerpo; se llama Juana, la reina coja de Francia. Pero no es la reina, ¡es una arpía!

Asimismo se procuró tinta invisible para escribir ciertas fórmulas que, trazadas en un pergamino, producían el sueño eterno. ¡Pero había que meter el pergamino en el lecho de la persona de la que había que desembarazarse! Fray Enrique de Sagebran, con poco dinero y muchas promesas, salió para Francia como un bondadoso fraile mendicante y llevando bajo el hábito una buena provisión de pergaminos adormecedores.

Por su parte, Gillet de Nelle reclutaba asesinos a sueldo, ladrones de vocación, escapados de presidios, mocetones de mala ralea a quienes el crimen repugnaba menos que el trabajo cotidiano. Cuando Gillet hubo formado una pequeña tropa bien instruida, Roberto la envió al reino de Francia con la misión de actuar sobre todo durante las grandes reuniones o fiestas.

—Las espaldas son blanco fácil para el cuchillo cuando los ojos están fijos en las lizas, o los oídos están atentos a la predicación de la Cruzada.

Los largos caminos habían adelgazado a Roberto; las arrugas surcaban los músculos de su rostro, y la maldad de los sentimientos, que lo acuciaban desde la mañana a la noche y aun en sueños, había marcado definitivamente los rasgos de su cara. Pero a la vez, la aventura le rejuvenecía el espíritu. Se divertía probando, en estos países, nuevos alimentos y también nuevas mujeres.

Si lo expulsaron de Lieja, no fue por sus antiguos delitos, sino porque su Gillet y él mismo habían transformado una casa alquilada a un tal señor de Argenteau en un verdadero cubil de cortesanas, y el alboroto que allí se hacía no dejaba dormir a la vecindad.

Había días buenos y días malos, como cuando se enteró de que fray Enrique de Sagebran, con sus pergaminos adormecedores, había sido apresado en Cambrai, o cuando apareció uno de sus asesinos a sueldo para notificarle que sus compinches no habían pasado de Reims y se pudrían en las cárceles del «rey encontrado».

Después enfermó del modo más tonto; refugiado en una casa ante la que se celebraban justas de agua sobre un canal, sintió tal curiosidad que metió la cabeza hasta el cuello en un aparejo dedicado al arte de la pesca llamado nasa, que cubría la ventana. Tanto se introdujo, que después de grandes esfuerzos para retirarse, tuvo que despellejarse las mejillas al rozar con los mimbres entretejidos. Las heridas se infectaron; apareció la fiebre y Roberto se debatió cuatro días entre temblores al borde de la muerte.

Harto de las Marcas flamencas, partió hacia Ginebra. Cuando se paseaba a lo largo del lago, se enteró de la detención de la condesa de Beaumont, su esposa, y de sus tres hijos. Felipe VI tomaba represalias contra Roberto, y no dudaba en encerrar a su propia hermana, primero en la torre de Namur, luego en Château-Gaillard. ¡La prisión de Margarita! Realmente, Borgoña se vengaba bien.

De Ginebra, con nombre supuesto y vestido como cualquier burgués, Roberto se dirigió a Aviñón. Permaneció allí dos semanas, buscando cómo intrigar en bien de su causa. Encontró a la capital de la cristiandad más desbordante de riquezas y más disoluta que antes. Aquí las ambiciones, la vanidad y los vicios no se recubrían con armaduras de torneo, sino que se disimulaban bajo sotanas de prelado; los signos del poder no se exhibían en arneses de plata o yelmos empenachados, sino en mitras recamadas de piedras preciosas y en copones de oro más pesados que jarrones de rey. No se desafiaban en batallas, pero se detestaban en las sacristías. Los confesionarios no eran cosa segura; las mujeres se mostraban más infieles, malvadas y venales que en parte alguna, puesto que sólo podían alcanzar nobleza por el pecado.

Y no obstante, nadie quería comprometerse con el antiguo par de Francia. Apenas se acordaban de haberlo conocido. Incluso en aquel estercolero, Roberto era considerado un apestado. Y la lista de sus rencores iba aumentando.

Con todo, tuvo el consuelo de comprobar, escuchando a la gente, que los asuntos del primo Valois eran menos boyantes de lo que cabía suponer. La Cruzada inquietaba a la Iglesia. Una vez embarcados Felipe VI y sus aliados, ¿cuál sería la situación de Occidente, abandonado a merced del emperador y del rey inglés? Si llegaban a unirse esos dos soberanos... La travesía general ya se había aplazado dos años, y la primavera de 1334 había transcurrido sin que nada estuviera dispuesto. Ahora se hablaba de 1336.

Por su parte, Felipe VI, presidiendo personalmente

una asamblea plenaria de los doctores de París en el monte de Santa Genoveva, amenazaba violentamente con un decreto de herejía contra el viejo pontífice, que tenía noventa años, en caso de que éste no se retractara de sus tesis teológicas. Además, se consideraba inminente su muerte, ¡pero hacía dieciocho años que se anunciaba lo mismo!

«Seguir viviendo —se repetía Roberto—, he ahí la cuestión; durar y esperar a que llegue el día de la victoria.»

El fallecimiento de algunos de sus enemigos le devolvía la esperanza. El tesorero Forget había muerto a fines del año anterior; el canciller Guillermo de Sainte-Maure acababa de fallecer también. El duque Juan de Normandía, heredero del trono de Francia, estaba gravemente enfermo, y hasta Felipe VI, decían, tenía la salud algo quebrantada. Quizá los maleficios de Roberto no habían sido del todo inoperantes.

Para volver a Flandes, se vistió de religioso lego. ¡Extraño fraile, realmente, aquel gigante cuya capucha dominaba las multitudes como un campanario domina las casas, y que entraba en las abadías con paso marcial y solicitaba la hospitalidad debida a los hombres de Dios con la misma voz con que hubiera podido pedir su lanza a un escudero!

En un refectorio de Brujas, inclinada la cabeza sobre la escudilla en el extremo de una larga y pringosa mesa, mientras simulaba murmurar oraciones de las que ignoraba la primera palabra, escuchaba al fraile lector, que, instalado en una pequeña hornacina ahuecada a media altura del muro, leía la vida de los santos. Las bóvedas devolvían la monótona voz a la mesa de los monjes, y Roberto se decía: «¿Por qué no acabar así? La paz, la profunda paz de los conventos, la liberación de todo afán, la renuncia, una morada segura, unas horas regulares, el fin del vagabundeo...»

¿Qué hombre, por turbulento, ambicioso o cruel que haya sido, no ha sentido esa tentación del reposo, de la renuncia? ¿Para qué tantas luchas, tantas vanas empresas, puesto que todo debe terminar en el polvo de la tumba? Roberto pensaba en eso, del mismo modo que cinco años antes había proyectado retirarse con su mujer y sus hijos a una tranquila vida de pequeño señor terrateniente. Pero son pensamientos que no pueden durar. Y a Roberto le llegaban siempre tarde, en el mismo momento en que cualquier acontecimiento iba a empujarlo hacia su verdadera vocación, que era la acción y el combate.

Dos días después, en Gante, Roberto de Artois conocía a Jacobo de Artevelde.

De más o menos la misma edad que Roberto, cerca de cincuenta años, rostro cuadrado y abultado vientre, con la espalda bien plantada sobre las piernas, era comilón y buen bebedor, sin que nunca le diese vueltas la cabeza. En su juventud había formado parte de la comitiva de Carlos de Valois y había realizado otros viajes; conocía bien su Europa. Ese productor de miel y comerciante en paños se había casado en segundas nupcias con una mujer noble.

Altivo, duro e imaginativo, había adquirido mucha autoridad, primero en su ciudad de Gante, completamente dominada por él, y después en los principales municipios flamencos. Cuando los bataneros, los pañeros y los cerveceros, que constituían la verdadera riqueza del país, querían mandar representantes al conde o al rey de Francia, se dirigían a Jacobo de Artevelde para que hiciera valer sus derechos o expusiera sus reproches con voz fuerte y palabra clara. No tenía ningún título; era el señor Artevelde, ante quien todos se inclinaban. No le faltaban enemigos y no iba a ninguna parte si no era acompañado por sesenta mozos armados que lo esperaban a la puerta de las casas donde cenaba.

Jacobo de Artevelde y Roberto de Artois se percataron a la primera ojeada de que eran de la misma raza: valientes, hábiles, lúcidos, empujados por el ansia de dominar.

Poco significaba para Artevelde que Roberto fuera un proscrito; al contrario, podía ser una ventaja para el de Gante haberse topado con un gran señor, cuñado del rey, antes todopoderoso y ahora hostil a Francia. En cuanto a Roberto, aquel burgués ambicioso le parecía veinte veces más estimable que los hidalgüelos que le negaban su hospitalidad. Artevelde era enemigo del conde de Flandes, por lo tanto de Francia, y poderoso entre sus conciudadanos; eso era lo importante.

—No nos gusta Luis de Nevers, que sigue siendo nuestro conde simplemente porque en el monte Cassel el rey de Francia exterminó a nuestras milicias.

—Yo estuve allí —dijo Roberto.

—No viene más que para pedirnos el dinero que luego gasta en París; no comprende nada de las representaciones, ni quiere comprender nada; nunca ordena nada, no hace más que transmitir las perniciosas ordenanzas del rey de Francia. Acaban de obligarnos a echar a los comerciantes ingleses. ¡Nosotros no tenemos nada contra los comerciantes ingleses y nos reímos de los pleitos que el «rey encontrado» pueda tener con su primo de Inglaterra a propósito de la Cruzada o del trono de Escocia![2] Ahora Inglaterra, en represalia, nos amenaza con cortar las entregas de lana. Cuando llegue ese día, nuestros bataneros y tejedores, tanto de aquí como de toda Flandes, no tendrán más remedio que destruir los telares y cerrar las tiendas. Pero ese día también, mi señor, volverán a empuñar sus cuchillos..., y Hainaut, Brabante, Holanda y Zelanda se pondrán de nuestra parte, pues son países cuyo único vínculo con Francia son los matrimonios de sus príncipes, no el corazón del pueblo ni su estómago; no se reina mucho tiempo sobre gente a la que se hace pasar hambre.

Roberto escuchaba muy atentamente a Artevelde. He ahí por fin un hombre que hablaba claro, que conocía el asunto y que parecía apoyarse en una verdadera fuerza.

—¿Por qué —dijo Roberto—, si vais a rebelaros de nuevo, no aliaros francamente con el rey de Inglaterra? ¿Y por qué no hablar con el emperador de Alemania, que es enemigo del Papa, y por tanto de Francia que lo tiene en su poder? Vuestras milicias son valientes, pero están limitadas a pequeñas acciones porque les faltan tropas montadas. Haced que las apoye un cuerpo de caballeros ingleses, otro de caballeros alemanes, y dirigíos a Francia por la ruta del Artois. Allí, apuesto a que os recluto más gente...

Se imaginaba ya la coalición formada y a sí mismo cabalgando al frente de un ejército.

—Creed, mi señor, que a menudo he pensado en ello —respondió Artevelde—. Y no sería difícil hablar con el rey de Inglaterra, y hasta con el emperador Luis de Baviera, si nuestros burgueses accedieran a ello. La gente de las villas detesta al conde Luis; pero, no obstante, es al rey de Francia a quien se dirigen para obtener justicia. Le han jurado lealtad. Incluso cuando se levantan en armas contra él, sigue siendo su señor. Además, y ésa es una hábil maniobra de Francia, obligaron a nuestras villas a comprometerse a la entrega de dos millones de florines al Papa si se alzaban contra su soberano, y ello bajo amenaza de excomunión si no pagábamos. Las familias temen quedarse sin cura y sin misa.

—Es decir, que obligaron al Papa a amenazaros con la excomunión o la miseria para que vuestras villas se mantengan tranquilas durante la Cruzada. Pero ¿quién podrá obligaros a pagar cuando las huestes francesas estén en Egipto?

—Ya sabéis cómo es la gente del pueblo —arguyó Artevelde—, no conocen su fuerza hasta que ha pasado el momento de utilizarla.

Roberto vació su gran jarra de cerveza; decididamente, iba tomándole gusto. Estuvo callado unos instantes, con los ojos fijos en el arrimadero de madera.

Jacobo de Artevelde tenía una casa bella y cómoda; los cobres y los bronces estaban bien bruñidos y los muebles de roble relucían en la sombra.

—Entonces, ¿es el juramento de fidelidad al rey de Francia lo que os impide concertar alianzas y tomar las armas?

—Exactamente. —Artevelde asintió.

Roberto tenía una imaginación vivaz. Hacía tres años que satisfacía su sed de venganza con pequeños sorbos: embrujamientos, sortilegios, asesinos a sueldo que no lograban llegar hasta sus víctimas. De pronto, su esperanza tomaba nuevas dimensiones; una gran idea empezaba a germinar, una idea por fin digna de él.

—¿Y si el rey de Inglaterra se convirtiera en rey de Francia? —preguntó.

Artevelde miró a Roberto de Artois con incredulidad, como si dudara de haber oído bien.

—Os digo, señor, ¿y si el rey de Inglaterra fuera rey de Francia? —insistió Roberto—. ¿Si reivindicara la corona, impusiera sus derechos, demostrara que el reino francés es suyo y se presentara como legítimo soberano vuestro?

—¡Mi señor, estáis soñando!

—¿Soñando? —dijo Roberto—. ¡Pero si aquel pleito no se juzgó nunca ni está perdida la causa! Cuando mi primo Valois subió al trono, cuando yo lo llevé al trono, ¡ya veis lo agradecido que está!, los diputados ingleses vinieron a hacer valer los derechos de la reina Isabel y su hijo Eduardo. No hace tanto tiempo de eso, menos de siete años. No los escuchamos, porque no quisimos escucharlos, y yo mandé que los llevaran de nuevo a su barco. Llamáis a Felipe el «rey encontrado»; ¡tratad de encontrar otro! Pensad en lo que ocurriría si se replanteara el asunto y fuerais a decirles a vuestros bataneros, tejedores, comerciantes y concejales: «Vuestro conde no recibe sus derechos de una fuente legítima; no es al rey de Francia a quien debéis rendir homenaje. ¡Vuestro soberano es el de Londres!»

Era verdaderamente un sueño, pero un sueño que seducía a Jacobo de Artevelde. La lana que llegaba del noroeste por mar; las telas, bastas o preciosas, que volvían por el mismo camino; el tráfico de los puertos; todo hacía que Flandes volviera su mirada hacia el reino inglés. De París no llegaban más que los cobradores de impuestos.

—¿Pero creéis seriamente, mi señor, que habrá una persona en todo el mundo que pueda convencerse de lo que decís y consienta en semejante empresa?

—A una sola, señor, basta persuadir, a una sola persona: el rey de Inglaterra.

Días después, en Amberes, provisto de un pasaporte de mercader de paños y seguido por Gillet de Nelle, el cual, para guardar las formas llevaba varias anas de tela, Roberto de Artois se embarcaba para Londres.

NOTAS

1. Era el 2 de octubre de 1332. El juramento exigido por Felipe VI a sus barones era un juramento de fidelidad al duque de Normandía, «quien por derecho debe ser heredero y señor del reino de Francia». Como Felipe VI no era heredero directo de la corona, sino que la había recibido por elección de los pares, recuperaba la tradición de la monarquía electiva, la de los primeros capetinos.

2. El viejo rey leproso Roberto Bruce, que tanto tiempo había tenido en jaque a Eduardo II y Eduardo III, había muer-

to en 1329 dejando la corona a un hijo de siete años, David Bruce. La minoría edad de éste sirvió para que las diferentes facciones resucitaran su viejo litigio. Unos barones partidarios del pequeño David lo protegieron y se refugiaron con él en la corte de Francia, mientras que Eduardo III apoyaba las pretensiones de un hidalgo francés de origen normando, Eduardo de Baillol, pariente de los antiguos reyes de Escocia, que aceptaba que la corona escocesa se convirtiera en feudo de Inglaterra.

2

Westminster Hall

De nuevo un rey estaba sentado, con la corona en la cabeza y el cetro en la mano, rodeado de sus pares. De nuevo, a un lado y a otro del trono se alineaban los prelados, condes y barones. De nuevo veía ante sí a clérigos, doctores, juristas, consejeros y dignatarios en apretadas filas.

Pero no eran las flores de lis de Francia las que adornaban el manto real, sino los leones de los Plantagenet. No eran las bóvedas del palacio de la Cité las que devolvían a la gente el eco de su propio rumor, sino el admirable artesonado de roble, con inmensos arcos calados, de la gran sala de Westminster. Y eran seiscientos caballeros ingleses, llegados de todos los condados, los *squires* y *sheriffs* de las villas quienes, reunidos en pleno, cubrían las grandes losas cuadradas del Parlamento de Inglaterra.

Sin embargo, esa reunión había sido convocada para oír una voz francesa.

De pie, a media altura de la gradería de piedra del fondo de la sala, con su manto escarlata orlado de oro por la luz que caía tras de él de la gigantesca vidriera, el conde Roberto de Artois se dirigía a los delegados del pueblo de la Gran Bretaña.

Porque durante los años transcurridos desde que Roberto había partido de Flandes, la rueda del destino había dado un buen cuarto de vuelta. Y, en primer lugar, el Papa había muerto.

Hacia fines de 1334, el exagüe anciano que, en el

curso de uno de los más largos pontificados, había dotado a la Iglesia de una administración sólida y unas prósperas finanzas, se veía obligado, postrado en el lecho de la cámara verde de su gran palacio de Aviñón, a renunciar públicamente a la única tesis que su mente había defendido con convicción. Para evitar el cisma con que lo amenazaba la Universidad de París, para obedecer las órdenes de la corte de Francia por la que había arreglado tantos asuntos dudosos y había guardado silencio sobre tantos secretos, renegaba de sus escritos, sus predicaciones y sus encíclicas. Maese Buridan dictaba lo que convenía creer en materia de dogma: el infierno existía, repleto de almas que se asaban para asegurar mejor a los príncipes de este mundo la dictadura sobre sus súbditos; el paraíso estaba abierto, como una buena posada, a los leales caballeros que habían hecho verdaderas carnicerías por cuenta de su rey y a los prelados dóciles que habían bendecido las Cruzadas, y sin que a estos justos les fuera preciso esperar hasta el juicio final para gozar de la visión beatífica de Dios.[1]

¿Estaba todavía consciente Juan XXII cuando firmó esta forzada declaración? Al día siguiente moría, y hubo en el monte de Santa Genoveva doctores bastante malignos para llegar a decir, riendo:

—¡Ahora sabrá si hay infierno!

El cónclave se había reunido en medio de una maraña que amenazaba con hacer la elección más larga aún que las precedentes. Francia, Inglaterra, el emperador, el fogoso rey de Bohemia, el erudito rey de Nápoles, el de Mallorca, el de Aragón y la nobleza romana, los Visconti de Milán, las Repúblicas y todas las potencias presionaban sobre los cardenales.

Para ganar tiempo e impedir que progresara ninguna candidatura, todos los cardenales, una vez encerrados, se hicieron el mismo razonamiento: «Votaré por alguno de nosotros que no tenga la mínima probabilidad de ser elegido.»

¡La inspiración divina discurre por arcanos caminos! Hubo tal acuerdo sobre quién no podía ser Papa que todos los boletines aparecieron con el mismo nombre: Jacobo Fournier, el *Cardenal Blanco*, como lo llamaban, porque seguía llevando su hábito del císter. Los cardenales, el pueblo, y el mismo elegido quedaron igualmente estupefactos cuando les fue comunicado.

La primera frase del Papa fue para declarar a sus colegas que la elección había recaído sobre un asno.

Era demasiada modestia.

Benedicto XII, el elegido por equivocación, demostró bien pronto ser un Papa de paz. Consagró sus primeros esfuerzos a acabar con las luchas que ensangrentaban Italia y a restablecer, si era posible, la concordia entre la Santa Sede y el Imperio. Y no era imposible. Luis de Baviera respondió muy favorablemente a las sugerencias del Papa, y ya se disponían a llevarlas a término cuando Felipe de Valois montó en cólera. ¿Cómo? ¿Se prescindía de él, del primer monarca de la cristiandad, para unas negociaciones de tanta importancia? ¿Su influencia sobre la Santa Sede iba a ser reemplazada por otra? ¿Su querido pariente el rey de Bohemia debería, pues, renunciar a sus caballerescos proyectos sobre Italia?

Felipe VI ordenó a Benedicto XII que llamara a sus embajadores y suspendiera las conversaciones, bajo amenaza de confiscar a los cardenales todos sus bienes en Francia.

Después, a principios de 1336, y siempre acompañado por su querido rey de Bohemia, el rey de Navarra y una escolta de barones y caballeros tan numerosa que parecía un ejército, fue a celebrar la Pascua a Aviñón. Había citado en el mismo lugar al rey de Nápoles y al de Aragón. Era el modo de recordar al Papa sus obligaciones y hacerle comprender lo que se esperaba de él.

Pues bien, Benedicto XII iba a demostrar, con una de sus jugadas características, que no era en absoluto el asno que pretendía ser, y que un rey, antes que emprender una Cruzada, haría bien en asegurarse la amistad del Papa.

El Viernes Santo subió al púlpito para hablar de los sufrimientos de Nuestro Señor y recomendar el camino de la Cruz. ¿Podía hacer menos con cuatro reyes cruzados y dos mil lanzas acampando alrededor de la ciudad? Pero el domingo de Cuasimodo, Felipe VI, que había partido para las costas de Provenza a inspeccionar su gran flota, tuvo la desagradable sorpresa de recibir una bella carta en latín que lo dispensaba de su voto y de sus juramentos. Puesto que continuaba el estado de guerra entre las naciones cristianas, el Santo Padre no quería que se alejaran a tierras infieles los mejores defensores de la Iglesia.

La Cruzada de los Valois se detenía en Marsella.

Si el rey caballero tenía poder, de nada le servía porque el antiguo cisterciense tenía más aún. Su mano que bendecía podía también excomulgar, y una Cruzada excomulgada antes de su inicio era impensable.

«Arreglad, hijo mío, vuestras diferencias con Inglaterra, vuestras dificultades en Flandes, dejadme a mí resolver las cuestiones con el emperador; dadme seguridades de que reinará en esos países una benéfica paz, segura y duradera, y luego podréis ir a convertir a los infieles a las virtudes que vos mismo habréis mostrado tener.»

¡Bien! Puesto que el Papa se lo imponía, Felipe arreglaría sus diferencias.

En primer lugar con Inglaterra..., haciendo cumplir a Eduardo sus obligaciones de vasallo y conminándolo a entregarle sin tardanza a aquel felón de Roberto de Artois al que daba asilo. Los falsos grandes espíritus, cuando se les hiere, se entregan a tan miserables desquites.

Cuando la orden de extradición transmitida por el senescal de Guyena llegó a Londres, Roberto ya pisaba firme en la corte de Inglaterra. Su fuerza, sus modales, su recuperada facundia le habían valido muchos amigos; el viejo Cuello Torcido lo ensalzaba.

El joven rey necesitaba un hombre de experiencia que conociera bien los asuntos de Francia. ¿Quién los conocía mejor que el conde de Artois? Puesto que podía serles útil, sus desgracias inspiraban compasión.

—Señor, primo mío —dijo a Eduardo III—, si creéis que mi presencia en vuestro reino puede acarrearos peligros o contrariedades, entregadme al odio de Felipe, el rey mal encontrado. No me quejaré de vos, que tan generosa hospitalidad me habéis dispensado; el único culpable habré sido yo mismo por haber entregado ilegítimamente el trono a ese malvado de Felipe, en vez de hacer que os lo concedieran a vos, a quien yo conocía tan poco.

Y lo decía con la mano sobre el corazón y el busto inclinado.

Con calma, Eduardo III respondió:

—Primo, sois mi huésped, y vuestros consejos me son de gran utilidad. Entregándoos al rey de Francia, atentaría tanto contra mi honor como contra mi interés. Y, además, os acoge el reino de Inglaterra, no el ducado de Guyena... Aquí no vale la soberanía de Francia.

La petición de Felipe VI no obtuvo respuesta. Día tras día, Roberto proseguía su obra de persuasión, vertiendo el veneno de la tentación en los oídos de Eduardo o de sus consejeros. Entraba diciendo:

—¡Saludo al verdadero rey de Francia...!

Aprovechaba cualquier ocasión para demostrar que la ley sálica no había sido más que un invento de circunstancias y que los derechos de Eduardo a la corona de Hugo Capeto eran los más fundados.

Al segundo requerimiento que le fue hecho de entregar a Roberto, Eduardo III respondió concediendo al desterrado el usufructo de tres castillos y mil doscientos marcos de pensión.[2]

Era la época en que Eduardo daba profusas muestras de su gratitud a todos los que le habían servido bien, nom-

braba conde de Salisbury a su amigo Guillermo Montaigu y distribuía títulos y rentas entre los jóvenes lores que
lo habían ayudado en el asunto de Nottingham.

Por tercera vez, envió Felipe VI a su gran maestro de
ballesteros a notificar al senescal de Guyena, como representante del rey de Inglaterra, que si no entregaba a
Roberto de Artois, enemigo mortal del reino de Francia,
el ducado sería confiscado al cabo de una quincena.

—¡Lo esperaba! —exclamó Roberto—. A ese necio
de Felipe no se le ocurre otra idea que repetir la que tuve
yo antaño, querido Eduardo, contra vuestro padre: dar
una orden contraria a derecho, luego embargar por falta
de cumplimiento de la orden y, mediante este embargo,
imponer la humillación o la guerra. Solamente que Inglaterra tiene hoy un rey que verdaderamente reina, y
Francia ya no tiene a Roberto de Artois.

Pero se guardó bien de añadir: «Y en otro tiempo
había en Francia un desterrado que interpretaba el mismo papel que desempeño yo aquí, ¡Mortimer!»

Los hechos sobrepasaban las esperanzas de Roberto;
se convertía en la causa misma del conflicto en el que soñaba; su persona adquiría importancia capital y, para resolver el conflicto, proponía su doctrina: hacer que el rey
de Inglaterra reivindicara la corona de Francia.

He aquí por qué aquel día de septiembre de 1337,
en las gradas de Westminster Hall, Roberto de Artois,
desplegadas sus amplias mangas como alas ante la gran
vidriera, hablaba, a petición del rey, al Parlamento britá-
nico. Aleccionado por sus treinta años de práctica, se expresaba sin notas ni documentos.

Los delegados que no entendían perfectamente el
francés pedían a sus vecinos que les tradujeran algunos
pasajes.

A medida que el conde de Artois pronunciaba su discurso, se espesaba el silencio en la asamblea, o bien a veces
se intensificaban los murmullos cuando alguna revelación

conmovía a los asistentes. ¡Cuántas cosas sorprendentes! Dos pueblos viven separados tan sólo por un estrecho brazo de mar; los príncipes de ambas cortes se casan entre sí; los barones de un lado tienen tierras en el otro; los mercaderes van de una a otra nación... ¡y en el fondo no se sabe nada de lo que pasa en la tierra vecina!

«No se entregue Francia a mujer, ni por mujer sea transmitida.» Esa ley no procedía en absoluto de las costumbres antiguas; era simplemente la ocurrencia que un viejo condestable machacón había tenido veinte años antes cuando se discutía la sucesión de un rey asesinado. Sí, Luis X el Obstinado había sido asesinado. Así lo proclamaba Roberto de Artois, que además nombraba a la asesina. La conocía bien, era su tía y le había robado la herencia.

La historia de los crímenes cometidos por los príncipes franceses y la narración de los escándalos de la corte capetina servían a Roberto para sazonar su discurso, y los diputados del Parlamento de Inglaterra temblaban de indignación y pavor, como si para ellos nada contaran los horrores cometidos en su propio suelo y por sus propios príncipes.

Y Roberto proseguía su demostración, defendiendo la tesis exactamente inversa de la que antaño había sostenido a favor de Felipe de Valois, y con idéntica convicción.

Por lo tanto, a la muerte del rey Carlos IV, último hijo de Felipe el Hermoso, y aun teniendo en cuenta la repugnancia que a los barones franceses les inspiraba una mujer reinante, la corona de Francia debía recaer con toda justicia, a través de la reina Isabel, en el único varón de la línea directa...

Remolineó el enorme manto rojo ante los ojos de los impresionados ingleses; Roberto se había vuelto hacia el rey. De pronto se dejó caer de rodillas sobre la piedra.

—... Recaer en vos, noble señor, Eduardo, rey de Inglaterra, ¡a quien reconozco y saludo como verdadero rey de Francia!

Desde el matrimonio de York no se había sentido tan intensa emoción. ¡Se anunciaba a los ingleses que su soberano podía pretender un reino el doble de grande y el triple de rico! Era como si la fortuna y la dignidad de todos aumentaran en la misma proporción.

Pero Roberto sabía que no hay que dejar decaer el entusiasmo de la muchedumbre. Se levantó y recordó a los asistentes que en el momento de la sucesión de Carlos IV, el rey Eduardo había enviado a altos y respetados obispos para hacer valer sus derechos, entre ellos monseñor Adán Orleton, quien hubiera podido por sí mismo dar fe de ello de no estar en aquellos momentos en Aviñón con el mismo propósito y para obtener el apoyo del Papa.

Pero ¿iba a ocultar el papel que él mismo había desempeñado en el nombramiento de Felipe de Valois? A lo largo de su vida, nada había sido más útil al gigante que su falsa franqueza y, una vez más, iba a recurrir a ella.

¿Quién, pues, se había negado a escuchar a los doctores ingleses? ¿Quién había rechazado sus pretensiones?

¿Quién les había impedido que expusieran sus razones ante los barones de Francia? Con sus enormes puños, Roberto se golpeó el pecho:

—Yo, nobles lores y *squires*; yo, el que está ante vosotros; el que, creyendo actuar por el bien y la paz, escogió lo injusto en vez de lo justo, y que todavía no ha expiado bastante su falta pese a todas las desgracias que le han sobrevenido.

Su voz, devuelta por las bóvedas de madera, llegaba hasta los últimos rincones del amplio salón.

¿Podía aportar mejor argumento para demostrar su tesis? Se acusaba de haber hecho elegir a Felipe VI contra derecho; se confesaba culpable, pero presentaba su defensa. Antes de subir al trono, Felipe de Valois le había prometido que se arreglarían todas las cosas de modo equitativo, que se estabilizaría la paz definitiva y se dejaría al rey de Inglaterra el usufructo de toda Guyena; que en Flandes se concederían libertades que devolverían la prosperidad al comercio, y que el Artois le sería restituido. Por tanto, Roberto había actuado en pro de la conciliación y del bienestar general. Pero está demostrado que hay que fundarse en el derecho y no en las falsas promesas de los hombres, pues en la actualidad el heredero del Artois era un proscrito; Flandes estaba hambrienta y, Guyena, amenazada de embargo.

Pues bien, si había que ir a la guerra, que no fuera por vanas querellas de homenaje ligio o no ligio, de señoríos reservados o de definición de los términos de vasallaje; que la guerra tuviera un verdadero, grande y único motivo: la posesión de la corona de Francia. Y una vez ceñida por el rey de Inglaterra, ya no habría motivos de discordia; ni en Guyena, ni en Flandes. Y no faltarían aliados de toda Europa, tanto príncipes como pueblos, todos a una.

Y si para ello, para servir a esa gran aventura que cambiaría el destino de las naciones, el noble rey Eduardo necesitaba sangre, Roberto de Artois, sacando los brazos de sus mangas de terciopelo y tendiéndolos al rey, a los lores, a los comunes, a Inglaterra, ofrecía generoso la suya.

NOTAS

1. Juan Buridan, nacido hacia 1295 en Béthune, en el Artois, era discípulo de Occam. Sus enseñanzas filosóficas y teológicas le valieron una enorme reputación; a los treinta o treinta y dos años era rector de la Universidad de París. Su fama

aumentó con motivo de su controversia con el anciano papa Juan XXII y del cisma que estuvo a punto de acarrear. Más adelante se retiraría a Alemania, donde enseñó, sobre todo en Viena. Murió en 1360.

La creencia popular de su intervención en el asunto de la torre de Nesle es pura fantasía, y, además, sólo aparece en las crónicas de los dos siglos posteriores.

2. En las cuentas del tesorero del erario inglés y en los primeros meses de 1337, consta lo siguiente: en marzo, una orden de pago de doscientas libras a Roberto de Artois como donación del rey; en abril, una donación de trescientas ochenta y tres libras, otra de cincuenta y cuatro libras y la concesión de los castillos de Guilford, Wallingford y Somerton; en mayo, la asignación de una pensión anual de mil doscientos marcos esterlinos; en junio, el reembolso a la compañía de los Bardi de quince libras que les debía Roberto, etcétera.

3

El desafío de la torre de Nesle

Cuando el obispo Enrique de Burghersh, tesorero de Inglaterra, escoltado por Guillermo Montaigu, nuevo conde de Salisbury, Guillermo Bohun, nuevo conde de Northampton, y Roberto Ufford, nuevo conde de Suffolk, presentó a Felipe de Valois, en París, el día de Todos los Santos, las cartas de desafío que le dirigía Eduardo III Plantagenet, el rey francés, como el rey de Jericó ante Josué, se echó a reír.

¿Había oído bien? ¿Su primito Eduardo lo conminaba a entregarle la corona de Francia? Felipe miró al rey de Navarra y al duque de Borbón, sus parientes. Acababa de comer con ellos y estaba de buen humor; sus claras mejillas y su enorme nariz se tiñeron de rosa, y se desternillaba de risa.

Si el obispo, apoyado noblemente en su báculo, y los tres señores ingleses, tiesos en sus cotas de armas, hubieran venido a anunciarle algo más mesurado, por ejemplo la negativa de su señor a entregar a Roberto de Artois, o una protesta contra el embargo de Guyena, entonces Felipe, sin duda, se hubiera encolerizado. ¡Pero que pidieran su corona, su reino entero! ¡Verdaderamente, la embajada era una bufonada!

Pero sí, había oído bien: la ley sálica no existía, su coronación había sido irregular...

—Entonces, ¿que los pares me hicieran rey por su propia voluntad y que el arzobispo de Reims me consagrara hace ocho años, todo esto, señor obispo, no cuenta nada?

—Muchos de los pares y barones que os eligieron han muerto —respondió Burghersh—, ¡y otros se preguntan si ha aprobado Dios lo que hicieron entonces!

Felipe, que seguía descoyuntándose de risa, echó la cabeza atrás descubriendo las profundidades de su garganta.

Y cuando el rey Eduardo vino a rendirle homenaje a Amiens, ¿no lo había reconocido como rey?

—Nuestro rey era entonces menor de edad. El homenaje que os hizo y que, para ser válido, debía haber sido aprobado por el consejo de regencia, fue decidido por orden del traidor Mortimer, que más tarde fue ahorcado.

¡Pero, vamos! ¡No le faltaba descaro a ese obispo al que Mortimer había hecho canciller, que le había servido de primer consejero, que había acompañado a Eduardo a Amiens y había leído en la catedral, él mismo, la fórmula del homenaje!

¿Qué estaba diciendo ahora, con la misma voz? ¡Que era Felipe quien, como conde de Valois, debía rendir homenaje a Eduardo! Pues el rey de Inglaterra reconocía gustosamente a su primo de Francia sus derechos sobre Valois, Anjou, Maine e incluso la dignidad de par... ¡Verdaderamente, su magnanimidad era excesiva!

¿Pero dónde, Dios del cielo, dónde se oían tales barbaridades? En la mansión de Nesle. Porque, después de su estancia en Saint-Germain y antes de ir a Vincennes, el rey pasaba un día en esa mansión que había donado a su esposa. Pues, así como los señores menores decían «nos quedaremos en la sala grande» o «en el cuartito de los loros» o «cenaremos en la cámara verde», en cambio el rey decía «hoy cenaremos en el palacio de la Cité» o «en el Louvre» o bien «en casa de mi hijo el duque de Normandía, en la morada que fue de Roberto de Artois».

De modo que los viejos muros de la mansión de

Nesle y la torre, aún más vieja, que se veía por las ventanas, eran testigos de esa farsa. Parece como si determinados lugares estuvieran destinados a servir de escenario del drama de los pueblos disfrazado de comedia. En esta residencia en que Margarita de Borgoña se había divertido tanto engañando a Luis el Obstinado en brazos del caballero de Aunay, sin poder imaginar que tales devaneos cambiarían el curso de la monarquía francesa, ¡el rey de Inglaterra presentaba su desafío al rey de Francia y el rey de Francia se reía![1]

Reía tanto que estaba casi enternecido, pues intuía en tan insensata embajada la inspiración de Roberto. Aquel paso sólo podía haberlo inspirado él. Decididamente, el chico estaba loco. Había encontrado a otro rey más joven e ingenuo para prestarse a sus tremendas tonterías. Pero ¿dónde se detendría? ¿Un desafío de reino a reino? La sustitución de un monarca por otro... Pasado cierto límite de aberración, ya no se puede ser riguroso con la gente que lleva la insensatez en la sangre.

—¿Dónde os alojáis, monseñor? —preguntó Felipe VI cortésmente.

—En la mansión del Château Fétu, en la calle Tiroir.

—¡Bien!, volved allí, retozad unos días en nuestra buena ciudad de París y venid a vernos de nuevo, si así lo deseáis, con una oferta más sensata. La verdad es que no os recrimino nada; aún más, el veros encargado de tal misión y que la lleváis a cabo sin reíros, como observo, me induce a consideraros como el mejor embajador que jamás he recibido...

No sabía con cuánta razón. Pues Enrique de Burghersh, antes de llegar a París, había pasado por Flandes. Había sostenido entrevistas secretas con el conde de Hainaut, suegro del rey de Inglaterra; con el conde de Gueldre, el duque de Brabante, el marqués de Juliers, Jacobo de Artevelde y los concejales de Gante, Ypres y Brujas. Incluso había mandado parte de su séquito a ver al emperador Luis de Baviera. Felipe VI ignoraba aún ciertas palabras dichas y ciertos acuerdos tomados.

—Señor, os entrego las cartas del desafío.

—Eso es, eso es, entregádmelas —dijo Felipe—. Nos quedaremos con esas bonitas hojas para releerlas a menudo y disipar la tristeza cuando nos ataque. Y luego os servirán bebidas. Después de tanto hablar, tendréis la garganta seca.

Y dio unas palmaditas para llamar a un escudero.

—¡No quiera Dios —exclamó el obispo Burghersh— que me convierta en un traidor y beba del vino de un enemigo a quien estoy decidido, desde el fondo de mi corazón, a hacer todo el daño que pueda!

Entonces Felipe de Valois volvió a reir a carcajadas, y sin preocuparse más del embajador ni de los tres lores, tomó al rey de Navarra del brazo y volvió a sus habitaciones.

NOTAS

1. La imaginación del novelista vacilaría ante tal coincidencia, que parece verdaderamente demasiado burda y rebuscada, si no fuera que los hechos lo obligan a aceptarla. No termina el extraño destino de la mansión de Nesle con haber sido escenario de la representación del desafío de Eduardo III, acto que inició jurídicamente la guerra de los Cien Años.

El condestable Raúl de Brienne, conde de Eu, residió en la mansión de Nesle desde su detención en 1350, por orden de Juan el Bueno, y para ser condenado a muerte y decapitado.

También fue morada de Carlos el Malo, rey de Navarra (nieto de Margarita de Borgoña), que se alzó en armas contra la casa de Francia.

Posteriormente, Carlos VI el Loco lo donaría a su mujer,

Isabel de Baviera, que en un tratado entregó Francia a los ingleses al denunciar a su propio hijo, el delfín, por adulterio.

Apenas entregaba Carlos VII la mansión de Nesle a Carlos el Temerario cuando falleció aquél y el Temerario se querellaba con el nuevo rey Luis XI.

Francisco I cedió una parte de las edificaciones a Benvenuto Cellini; luego Enrique II hizo instalar allí un taller para la acuñación de moneda, y la Casa de la Moneda de París tiene todavía allí su sede. Por ello puede verse la extensión que tenía el conjunto del terreno y los edificios.

Para poder pagar a sus guardias suizos, Carlos IX puso en venta la mansión y la torre, que fueron adquiridos por el duque de Nevers, Luis de Gonzaga; éste lo hizo derribar todo y construyó sobre su solar el palacio de Nevers.

Por último, Mazarino adquirió el palacio de Nevers y lo hizo demoler para construir en el solar el Colegio de las Cuatro Naciones, que todavía existe, en él está la sede del Instituto de Francia.

4

En los alrededores de Windsor

En los alrededores de Windsor el campo es verde, ondulado, acogedor. El castillo, más que coronar la colina la envuelve, y sus redondas murallas parecen los brazos de una giganta que durmiera sobre la hierba.

Es un paisaje que recuerda el de Normandía, sobre todo parajes como Evreux, Beaumont o Conches.

Por la mañana, Roberto de Artois salía a caballo, al paso. En el puño llevaba un halcón peregrino que hundía las garras en el grueso cuero del guante. Lo precedía un escudero, costeando el río.

Roberto se aburría. La guerra de Francia no acababa de decidirse. A fines del año anterior, y como para confirmar mediante un acto bélico el desafío de la torre de Nesle, se habían apoderado de una pequeña isla del conde de Flandes, frente a Brujas y la Esclusa. Como respuesta, los franceses habían quemado algunas aldeas costeras del sur de Inglaterra. Inmediatamente, el Papa había impuesto una tregua a esta guerra no iniciada, y ambos bandos, por extrañas razones, la habían aceptado.

Felipe VI, aunque no acababa de tomar en serio las pretensiones de Eduardo a la corona de Francia, estaba muy impresionado por un consejo de su tío, el rey Roberto de Nápoles. Este príncipe, tan erudito que rayaba en lo pedante, y uno de los dos únicos soberanos del mundo, con un porfirogeneto bizantino, que mereció el sobrenombre de el Astrólogo, acababa de estudiar los cielos respectivos de Eduardo y Felipe. Lo que en ellos leyó lo conmovió tanto que se tomó el trabajo de escribir al rey de Francia diciéndole «que evitara todo combate con el rey inglés, pues a éste lo acompañaría la fortuna en todas las campañas que emprendiera». Tales predicciones son siempre desalentadoras y, por muy buen justador que uno sea, vacila antes de romper lanzas contra las estrellas.

Por su parte, Eduardo III parecía estar algo atemorizado de su propia audacia. Se había lanzado a una aventura que a los ojos de muchos parecía desmesurada. Temía que su ejército fuera demasiado reducido o estuviera poco entrenado; despachaba hacia Flandes y Alemania embajada tras embajada para reforzar su coalición. Enrique *Cuello Torcido*, ya casi ciego, lo exhortaba a la prudencia, todo lo contrario de lo que hacía Roberto de Artois, que preconizaba la acción inmediata. ¿Qué esperaba, pues, Eduardo, para ponerse en campaña? ¿Que se murieran los príncipes flamencos que había conseguido hacer suyos? ¿Que Juan de Hainaut, ahora desterrado de Francia después de haber gozado de tanto favor y que vivía de nuevo en la corte inglesa, no tuviera la fuerza suficiente en el brazo para levantar la espada? ¿Que los bataneros de Gante y Brujas se cansaran de esperar y vieran más ventajas en la obediencia al rey de Francia que en las promesas incumplidas del rey de Inglaterra? Eduardo deseaba recibir garantías del emperador, pero el emperador no iba a exponerse a ser excomulgado por segunda vez antes de que las tropas inglesas hubieran puesto un pie en el continente. Se hablaba, se parlamentaba, se daban pasos; faltaba valentía, ésa era la cuestión.

¿Tenía Roberto de Artois razón para quejarse? En apariencia, no. Le daban castillos y pensiones, cenaba a la mesa del rey, bebía al lado del rey, se le dispensaban todas las atenciones deseables. Pero estaba cansado, desde hacía tres años, de consumir sus esfuerzos por una gente que no quería correr riesgos, por un joven a quien tendía la corona, ¡y qué corona!, y no la tomaba. Y además, se sentía solo. El destierro, aunque dorado, le pesaba. ¿De qué tenía que hablar a la joven reina Felipa si no era sobre su abuelo Carlos de Valois o su abuela de Anjou-Sicilia? A veces tenía la sensación de ser él también un antepasado.

Le hubiera gustado ver a la reina Isabel, la única persona de Inglaterra con la que realmente tenía recuerdos comunes. Pero la reina madre ya no acudía a la corte, pues vivía en Castle-Rising, en Norfolk, adonde su hijo iba muy de tarde en tarde a visitarla. Desde la ejecución de Mortimer, no se interesaba ya por nada.[1]

Roberto era presa de las nostalgias del emigrado. Pensaba en la señora de Beaumont: ¿cómo sería su rostro, después de tantos años de reclusión? ¿Reconocería a sus hijos? ¿Volvería a ver su mansión de París, su castillo de Conches, volvería a ver Francia? ¡Al paso al que iba esa guerra que tanto le había costado fomentar, tendría que esperar a ser centenario para contar con alguna posibilidad de regresar a su patria!

Pues bien, aquella mañana, descontento, irritado, había salido a cazar solo, para pasar el tiempo y para olvidar. Pero la hierba, flexible bajo los cascos del caballo, la espesa hierba inglesa, estaba aún más tupida y empapada de agua que la hierba del país de Ouche. El cielo tenía un color azul pálido, con unas nubecitas deshilachadas que se deslizaban a mucha altura; la brisa de mayo acariciaba los setos de espino albar florido y los manzanos blancos, parecidos a los de Normandía.

Roberto de Artois tendría pronto cincuenta años, ¿y qué había hecho en su vida? Había bebido, comido, cazado, viajado; había hecho el crápula; había trabajado para sí y para los Estados; había pleiteado más que ningún otro hombre de su tiempo. Nadie había tenido una existencia tan llena de vicisitudes, alborotos y tribulaciones. Pero nunca había gozado del presente. Nunca se había detenido realmente en lo que hacía, para saborear el instante. Constantemente su alma vivía de cara al mañana, al futuro. Demasiado tiempo se había agriado su vino por el deseo de beberlo en el Artois; en el lecho de sus amores, era la derrota de Mahaut lo que había ocupado sus pensamientos; en el torneo más festivo la preocupación de las alianzas le frenaba los impulsos. Durante su vagabundeo de proscrito, los manjares de sus paradas y la cerveza de sus descansos estaban siempre mezclados con el agrio sabor del rencor y la venganza. Aquel mismo día, ¿en qué pensaba? En mañana, en más adelante. Una rabiosa impaciencia le impedía gozar de aquella hermosa mañana, de aquel bello horizonte, de aquel aire dulce de respirar, del pájaro dócil y salvaje a la vez cuya garra sentía apretarse en su puño... ¿A eso se llama vivir, y de cincuenta años pasados en la tierra no quedaba más que esa ceniza de esperanzas?

Fue sacado de sus amargas cavilaciones por los gritos de su escudero, apostado más adelante, en un altozano.

—¡Al vuelo, al vuelo! ¡Un ave, mi señor, un ave!

Roberto se irguió en la silla y entornó los ojos. El halcón peregrino, con la cabeza tapada por la capucha de cuero de la que sólo salía el pico, se había estremecido sobre el puño; también él conocía aquella voz. Se oyó un ruido de cañas agitadas y luego surgió una garza real de la margen del río.

—¡Al vuelo, al vuelo! —seguía gritando el escudero.

La gran ave, volando a poca altura, iba contra el viento y en dirección a Roberto. Éste la dejó pasar y, cuando estuvo a unos cien metros, liberó al halcón de su capucha y lo lanzó al aire con un amplio gesto.

El halcón describió tres círculos sobre la cabeza de su dueño, descendió a ras del suelo, vio la presa que se le destinaba y se lanzó recto como un dardo de ballesta. Al verse perseguida, la garza real estiró el cuello para arrojar los peces que acababa de tragar en el río y quitarse peso. Pero el peregrino se acercaba; remontaba el vuelo, dando vueltas en espiral. La otra ave, a grandes aletazos, se elevaba hacia el cielo para evitar que el ave de rapiña la sobrevolara. Subía y subía, empequeñeciéndose, pero perdía terreno porque remontaba contra el viento y su propio peso le quitaba velocidad. Tuvo que volver atrás; el halcón describió un nuevo giro en el aire y se lanzó sobre ella. La garza hizo un quiebro y las garras no pudieron aferrar la presa. Pero, aturdida por el choque, la zancuda cayó unos quince metros, como una piedra, y luego volvió a subir. El halcón cargaba de nuevo sobre ella.

Roberto y su escudero seguían, con la cabeza levantada, aquella batalla en que la agilidad se imponía al peso, la velocidad a la fuerza, y la belicosidad a los instintos pacíficos.

—¡Ved esa garza real! —gritaba Roberto con pasión—, ¡es el ave más cobarde que existe! ¡Cuatro veces mayor que mi pequeño alfaneque, podría matarlo con un solo golpe de su enorme pico y la muy cobarde huye, huye! ¡Vamos, mi pequeño valiente, hinca tus garras! ¡Ah, mi valiente pájaro! ¡Mira! ¡La garza cede, ya la ha apresado!

Puso su caballo a galope para alcanzar el lugar en que caerían las aves. La garza tenía el cuello entre las garras del halcón; se ahogaba; sus enormes alas batían débilmente y, al caer, arrastraba consigo a su vencedor. A unos pocos metros del suelo, el ave de presa abrió las garras y dejó caer a su víctima, para después echarse de nuevo sobre ella y rematarla con el pico que caía sobre los ojos y la cabeza una y otra vez. Roberto y su escudero ya estaban allí.

—¡El señuelo, el señuelo! —gritó Roberto.

El escudero desató una paloma muerta de su silla y la echó al halcón para atraerlo. En realidad, era un señuelo a medias; un halcón bien adiestrado debía contentarse con esta recompensa y no tocar la presa. Y el valiente halcón peregrino, con la cabeza cubierta de sangre, devoró la paloma muerta, manteniendo una pata sobre la garza. Del cielo descendían lentamente algunas plumas grises arrancadas durante el combate.

El escudero echó pie a tierra, recogió a la zancuda y la mostró a Roberto: era una garza real soberbia, que, colgando de la mano, alcanzaba desde las patas hasta el pico la talla de un hombre.

—¡Es un ave demasiado cobarde! —repitió Roberto—. No se disfruta apresándola. Estas garzas son bichos vocingleros que se asustan de su propia sombra y se echan a chillar cuando la ven. Es una caza que habría que dejar para los villanos.

El halcón, ya saciado y obedeciendo al silbido, se posó sobre el puño de Roberto, quien lo cubrió con la capucha. Luego, al trote corto, tomaron el camino del castillo.

De pronto, el escudero oyó que Roberto de Artois lanzaba una breve carcajada, sonora y aparentemente sin motivo, que hizo que los caballos se encabritaran.

Al entrar en Windsor, preguntó el escudero:

—¿Qué hago con la garza, mi señor?

Roberto alzó la mirada hacia la bandera real que ondeaba en el torreón de Windsor, y en su rostro se dibujó una expresión burlona y maligna.

—Tráela y acompáñame a la cocina —respondió—. Luego irás a buscar a uno o dos juglares de los que hay en el castillo.

NOTAS

1. La reina Isabel viviría aún veinte años, pero sin participar en los asuntos de su época. La hija de Felipe el Hermoso murió el 23 de agosto de 1358 en el castillo de Hertford, y su cuerpo fue inhumado en la iglesia de los franciscanos de Newgate, en Londres.

5

Los votos de la garza

Estaban ya en el cuarto de los seis platos, y el sitio del conde de Artois, a la izquierda de la reina Felipa, seguía vacío.

—¿Todavía no ha vuelto nuestro primo Roberto? —preguntó Eduardo III, que, ya al sentarse a la mesa, se había extrañado de su ausencia.

Uno de los muchos escuderos que circulaban detrás de los comensales respondió que hacía más de una hora que se había visto al conde Roberto volver de la cacería. ¿Qué significaba esa desconsideración? Aunque se hubiera sentido cansado o enfermo, podía haber enviado a un servidor para excusarse ante el rey.

—Señor, querido primo, Roberto se conduce en vuestra corte como si estuviera en la hostería. Además, viniendo de él, eso no tiene nada de sorprendente —comentó Juan de Hainaut, tío de la reina Felipa.

Juan de Hainaut, que se jactaba de ser maestro en la etiqueta cortesana, no quería mucho a Roberto, en quien veía al perjuro, proscrito de la corte de Francia por falsificación de sellos, y desaprobaba que Eduardo III le concediera tanta importancia. Además, Juan de Hainaut había estado en otro tiempo prendado de la reina Isabel, como Roberto, y sin más éxito, y lo hería la impertinencia con que Roberto hablaba en privado de la reina madre.

Eduardo no respondió; sus largas pestañas seguirían bajas hasta que amainara la irritación que sentía. Hacía esfuerzos por no emitir una opinión acalorada que pudiera dar pie a comentarios: «El rey habla sin conocimiento de causa; el rey ha pronunciado palabras injustas.» Luego levantó los ojos hacia la condesa de Salisbury, que era, con mucho, la dama más atractiva de la corte.

Alta, con sus hermosas trenzas negras, su ovalado rostro de cutis terso y pálido y sus ojos que se prolongaban en una sombra malva en el hueco de los párpados, la condesa de Salisbury parecía estar siempre soñando. Esas mujeres son peligrosas, ya que, bajo su apariencia de ensueño, piensan. Los ojos sombreados de malva se cruzaban a menudo con los del rey.

Guillermo Montaigu, conde de Salisbury, no prestaba atención a este intercambio de miradas; en primer lugar, porque tenía la virtud de su mujer por tan cierta como su lealtad al rey su amigo, y luego porque en esos momentos estaba cautivo de las risas, la vivacidad de palabra y la cháchara cantarina de la hija del conde de Derby. Llovían honores sobre Salisbury, acababa de ser nombrado guardián de las Cinco Puertas y mariscal de Inglaterra.

Pero la reina Felipa estaba inquieta. Una mujer se halla siempre inquieta cuando está encinta y advierte que los ojos de su esposo se vuelven con demasiada frecuencia hacia otro rostro. Felipa estaba de nuevo encinta y no veía en Eduardo la gratitud y el entusiasmo que le había mostrado en su primera maternidad.

Eduardo tenía veinticinco años; hacía unas semanas se había dejado crecer una ligera barba rubia que sólo le cubría el mentón. ¿Lo había hecho para agradar a la condesa de Salisbury o acaso para dar más autoridad a su rostro, que seguía siendo de adolescente? Con esa barba el joven rey se empeñaba en parecerse un poco a su padre; se diría que lo Plantagenet quisiera resucitar en él y luchar con lo capetino. El hombre, simplemente con vivir, se degrada y pierde en pureza lo que gana en poder. Un manantial, por transparente que sea, no puede dejar de arrastrar fango y limo al convertirse en río. Doña Felipa tenía motivos para inquietarse...

De pronto, se oyeron los sones de una viola de rueda y el agudo tañido de un laúd, tras las puertas, que se abrieron inmediatamente. Aparecieron dos pequeñas camareras no mayores de catorce años, coronadas de hojas y cubiertas por largas camisas blancas, que iban esparciendo lirios, margaritas y escaramujos que sacaban de un cestillo mientras cantaban *Voy al verdor, me lo pide el amor*. Las seguían dos juglares, acompañándolas con sus instrumentos. Detrás de ellos apareció Roberto de Artois, sobrepasándoles medio cuerpo y sosteniendo en los brazos su garza asada en una gran fuente de plata.

Toda la corte sonrió, luego rió con ganas ante esta entrada teatral. Roberto de Artois hacía de escudero trinchante. No podía haber ideado un modo más amable y alegre de hacerse perdonar la tardanza.

Los mozos interrumpieron su servicio, y con el cuchillo o el aguamanil en la mano se aprestaron a entrar en el cortejo para tomar parte en el juego.

Pero de súbito, la voz del gigante tapó canciones, laúd y viola.

—¡Paso, malditos fracasados! Vengo a entregar un presente a vuestro rey.

Los comensales seguían riendo. Esto de «malditos fracasados» era una buena ocurrencia. Roberto se detuvo ante Eduardo III, y esbozando una genuflexión, le ofreció el presente.

—Señor —exclamó—, aquí tengo una garza real apresada por mi halcón. Es el ave más cobarde que pueda encontrarse en todo el mundo, pues huye ante todas las otras. La gente de vuestro país, en mi opinión, debiera reconocerlo y yo la vería figurar en el escudo de Inglaterra mejor que los leones que en él aparecen. A vos, rey Eduardo, quiero haceros esta ofrenda, pues corresponde de derecho al príncipe más cobarde y poltrón del mundo, al que han desheredado del reino de Francia y al que le faltan arrestos para conquistar lo que le pertenece.

Todos se callaron. A la risa siguió un silencio, angustioso en unos y en otros indignado. El insulto era indudable. Salisbury, Suffolk, Guillermo de Mauny y Juan de Hainaut se disponían a levantarse de sus asientos y arrojarse sobre Roberto al menor gesto del rey. Roberto no parecía ebrio. ¿Estaría loco? Tenía que estarlo, pues jamás se había oído que nadie en corte alguna, y menos un extranjero proscrito de su país natal, se hubiera portado de tal modo.

Las mejillas del joven rey se habían teñido de púrpura. Eduardo miraba a Roberto fijamente a los ojos. ¿Lo echaría de la sala, lo echaría de su reino?

Eduardo solía tardar unos segundos en hablar, sabedor de que cada palabra de rey es importante, a no ser cuando dice «buenas noches» a su escudero. Cerrar una boca a la fuerza no borra el ultraje proferido por ella. Eduardo era prudente y era honrado. No se demuestra valentía retirando, en un arrebato de cólera, a un pariente al que se ha recogido y el cual os sirve, los favores que se le han concedido; no se demuestra valentía haciendo arrojar a la cárcel a un hombre sólo porque acaba de acusaros de debilidad. La valentía se demuestra probando la falsedad de la acusación. Se levantó.

—Puesto que se me trata de cobarde ante las damas y ante mis barones, más vale que diga lo que opino de ello, y para haceros ver, primo, que me habéis juzgado mal y que no es la cobardía lo que me retiene, os juro que antes de terminar el año habré cruzado el estrecho para desafiar al rey que pretende serlo de Francia y combatirlo aunque sean diez contra uno. Os doy gracias por esta garza que habéis apresado para mí y acepto con gratitud.

Los comensales seguían callados, pero sus sentimientos habían cambiado de naturaleza y magnitud. Todos ensancharon el pecho como si tuvieran necesidad de más aire. Una cuchara que cayó hizo un ruido exagerado en medio de aquel silencio. Las pupilas de Roberto brillaban con el fulgor de triunfo. Se inclinó y dijo:

—Señor, mi joven y valiente primo, no esperaba de vos otra respuesta. Ha hablado vuestro noble corazón. Siento una gran alegría por la gloria que recibiréis, y en cuanto a mí, Eduardo, por la esperanza de volver a ver a mi esposa y a mis hijos. Por Dios que nos está oyendo, juro precederos por doquier en el combate, y pido que se me conceda una vida lo bastante larga para serviros totalmente y totalmente vengarme. —Añadió luego, dirigiéndose a toda la mesa—: Mis nobles lores, ¿tenéis a bien hacer el mismo voto que el rey vuestro bien amado señor ha hecho?

Sosteniendo todavía la garza asada, en cuyas alas y rabadilla habían replantado los cocineros algunas de sus plumas, Roberto avanzó hacia Salisbury:

—¡Noble Montaigu, a vos me dirijo en primer lugar!

—Conde Roberto, haré lo que deseáis —contestó Salisbury, que momentos antes había estado dispuesto a lanzarse sobre él, y levantándose, anunció—: Puesto que el rey nuestro señor ha designado a su enemigo, yo elijo el mío, y como soy mariscal de Inglaterra, prometo no descansar hasta haber derrotado en combate al mariscal de Felipe, falso rey de Francia.

Entusiasmada, toda la mesa lo aplaudió.

—Yo también quiero hacer un voto —exclamó la damisela de Derby, palmoteando—. ¿Hay razón por la que las damas no tengan derecho a hacer votos?

—Claro que lo tienen, gentil condesa —respondió Roberto—, y mejor que sea así, pues los hombres cumplirán mejor la fe dada. Vamos, doncellitas —añadió dirigiéndose a las dos pequeñas coronadas—, volved a cantar en honor de la dama que quiere hacer un voto.

Juglares y doncellas repitieron *Voy al verdor, me lo pide el amor*. Y luego, ante la fuente de plata en la que la garza se estaba enfriando en su salsa, la damisela de Derby dijo con voz áspera:

—Hago voto y prometo a Dios que no tomaré marido, sea príncipe, conde o barón, hasta que se cumpla el voto que acaba de hacer el noble lord de Salisbury. Y cuando regrese, si escapa con vida, que le entregaré mi cuerpo, de todo corazón.

Este voto causó cierta sorpresa, y Salisbury se ruborizó.

Las hermosas trenzas negras de la condesa de Salisbury no se movieron ni un ápice; solamente sus labios se repulgaron con cierta ironía y sus ojos de sombras malvas trataron de atraer la mirada del rey Eduardo, como para hacerle comprender: «Nosotros no tenemos por qué preocuparnos.»

De esta suerte Roberto se fue deteniendo ante cada comensal mientras hacía tocar a los músicos y cantar a las muchachas a fin de darles tiempo para preparar su voto y escoger a su enemigo. El conde de Derby, padre de la damisela que había hecho una declaración tan atrevida, prometió desafiar al conde de Flandes; el nuevo conde de Suffolk designó al rey de Bohemia. El joven Gautier de Mauny, exaltado porque había sido armado caballero no hacía mucho, causó viva impresión en los comensales al prometer reducir a cenizas todas las ciudades de los alrededores de Hainaut que pertenecieran a Felipe de Valois, lo cual haría aunque tuviese que perder la vista de un ojo.

—¡Pues bien, que así sea! —exclamó la condesa de Salisbury, su vecina, poniéndole los dedos sobre el ojo derecho—. Y cuando vuestra promesa haya sido cumplida, que mi amor sea para quien más me ama; éste es mi voto.

Al mismo tiempo miraba al rey; pero el ingenuo de Gautier, que creía que esta promesa iba dirigida a él, mantuvo cerrado el párpado cuando la dama apartó los dedos.

Luego, sacando su pañuelo, que era rojo, se lo anudó sobre la frente de modo que quedara cubierto el ojo.

Habían pasado los momentos de exaltación. Ya se mezclaban algunas risas con aquella competición de bravura verbal. La garza llegó al señor Juan de Hainaut, quien había esperado un desenlace totalmente distinto de la provocación de Roberto. No le gustaba recibir lecciones de honor, y su pulido rostro ocultaba mal su despecho.

—Cuando estamos en la taberna y levantamos mucho el codo —dijo a Roberto—, poco nos cuesta hacer votos con tal de que nos miren las damas. Todos somos, entonces, Rolandos y Lanzarotes. Pero cuando estamos en campaña, sobre veloces corceles, con los escudos al cuello, las lanzas bajas y un intenso frío que nos hiela al ver acercarse al enemigo, entonces ¡cuántos fanfarrones preferirían estar en una cueva! El rey de Bohemia, el conde de Flandes y Bertrand el mariscal, son tan buenos caballeros como nosotros, primo Roberto, bien lo sabéis; pues aunque ambos estemos proscritos de la corte de Francia, si bien por diferentes razones, los hemos conocido suficientemente. Y aún no hemos pedido rescate por ello. Por mi parte, hago simplemente el voto de que si nuestro rey Eduardo quiere pasar por el Hainaut, yo estaré a su lado para contribuir a su causa. Y ésta será la tercera guerra en que lo serviré.

Roberto se acercó a la reina Felipa e hincó una rodilla en tierra. La redonda Felipa volvió hacia Eduardo su rostro moteado de rojeces.

—No puedo prometer nada —declaró— sin autorización de mi señor.

Con ello la reina daba una lección a las damas de su corte.

—Prometed lo que os plazca, querida, prometed con fervor; lo ratifico por anticipado, ¡y que Dios os ayude! —dijo el rey.

—Entones, mi dulce señor, si puedo prometer lo que me plazca —siguió Felipa—, puesto que tengo que dar a luz un niño al que siento agitarse dentro de mí, hago votos de que no salga de mi cuerpo hasta que me llevéis a ultramar, para cumplir vuestro voto. —Le temblaba ligeramente la voz, como el día de su boda—. Pero —añadió—, si me dejáis aquí y partís a ultramar con otros, ¡entonces me mataré con un gran cuchillo de acero para perder a la vez mi vida y mi fruto!

Esto fue pronunciado sin énfasis, pero lo bastante claro para que todos se dieran cuenta. Los comensales evitaban mirar a la condesa de Salisbury. El rey bajó sus largas pestañas, tomó la mano de la reina, se la llevó a los labios y dijo en medio del silencio, para romper la tirantez:

—Amiga mía, nos dais a todos una lección de deber. Después de vos, nadie más hará votos. —Luego, a Roberto—: Primo de Artois, ocupad vuestro lugar al lado de la señora reina.

Un escudero repartió la garza, cuya carne estaba dura por haber sido asada demasiado fresca, y fría por haber pasado tanto tiempo. No obstante, todos tomaron un bocado. Roberto le encontró un exquisito sabor: realmente, aquel día, la guerra había comenzado.

6

Los muros de Vannes

Y los votos pronunciados en el castillo Windsor fueron cumplidos.

El 16 de julio del mismo año 1338, Eduardo III se hacía a la mar en Yarmouth con una flota de cuatrocientos bajeles. Al día siguiente desembarcaba en Amberes. Lo acompañaba la reina Felipa. Muchos caballeros, imitando a Gautier de Mauny, llevaban el ojo derecho cubierto por un rombo de paño rojo.

No era aún la hora de las batallas, sino de las entrevistas. En Coblenza, el 5 de septiembre, Eduardo se encontraba con el emperador de Alemania.

Para la ceremonia, Luis de Baviera se había hecho confeccionar un extraño vestido, mitad de emperador, mitad de Papa, con dalmática de pontífice sobre la túnica de rey y corona con florones que relucían alrededor de la tiara. Con una mano sostenía el cetro y con la otra el globo con la cruz. Así se presentaba como soberano de toda la cristiandad.

Desde lo alto de su trono decidió la condena de Felipe VI, reconoció a Eduardo como rey de Francia y le entregó la vara de oro que lo convertía en vicario imperial. Fue ésta también una idea de Roberto de Artois, quien había recordado que Carlos de Valois, antes de sus expediciones personales, procuraba hacerse proclamar vicario pontificio. Luis de Baviera juró defender durante siete años los derechos de Eduardo, y todos los príncipes alemanes que lo acompañaban ratificaron el juramento.

Mientras tanto, Jacobo de Artevelde seguía instigando la rebelión de las poblaciones del condado de Flandes de donde Luis de Nevers había huido para no volver. Eduardo III iba de ciudad en ciudad y celebraba grandes reuniones en que se hacía reconocer como rey de Francia. Prometía unir a Flandes, Douai, Lille y el mismo Artois, para constituir una nación única con todos esos territorios de intereses comunes. Como se citaba el Artois en el gran proyecto, todos adivinaron quién era el inspirador y quién sería, bajo la tutela inglesa, el beneficiario.

Al mismo tiempo, Eduardo decidía aumentar los privilegios comerciales de las ciudades; en vez de reclamar subsidios, concedía subvenciones y sellaba sus promesas con un sello en que las armas de Inglaterra y Francia estaban grabadas conjuntamente.

En Amberes, la reina Felipa dio a luz a su segundo hijo, Lionel.

El papa Benedicto XII multiplicaba inútilmente en Aviñón sus esfuerzos por la paz. Había prohibido la Cruzada para impedir la guerra franco-inglesa, y ahora ésta parecía más que segura.

Empezaron a producirse entre vanguardias inglesas y guarniciones francesas abundantes escaramuzas en Vermandois y en Thiérache, a las que Felipe VI respondió enviando destacamentos a Guyena y otros hasta Escocia para fomentar la rebelión en nombre del pequeño David Bruce.

Eduardo III hacía de lanzadera entre Flandes y Londres, y daba en prenda a los bancos italianos las joyas de su corona, tanto para el mantenimiento de sus tropas como para satisfacer las exigencias de sus nuevos vasallos.

Felipe VI, que había levantado el ejército, tomó la oriflama en Saint-Denis y avanzó hasta más allá de San Quintín; entonces, a una jornada escasa de los ingleses, hizo dar media vuelta a todo su ejército y fue a devolver la oriflama al altar de Saint-Denis. ¿Cuál podía ser la razón de esta extraña huida del rey justador? Todos se lo preguntaban. ¿Encontraba el tiempo demasiado húmedo para iniciar el combate? ¿O habían vuelto de golpe a su mente las funestas predicciones de su tío Roberto el Astrólogo? Él declaraba que se había decidido por otro proyecto. La angustia, en una noche, le había hecho montar otro plan. Conquistaría el reino de Inglaterra. No sería la primera vez que los franceses pondrían el pie en él. ¿No había sido un duque de Normandía quien, tres siglos antes, había conquistado la Gran Bretaña? Pues bien, él, Felipe ocuparía esas mismas riberas de Hastings, y un duque de Normandía, su hijo, estaría a su lado. Cada uno de ambos reyes ambicionaba conquistar el reino del otro.

Pero tal empresa exigía el dominio del mar. Como Eduardo tenía la mayor parte de su ejército en el continente, Felipe decidió cortarle el camino de sus bases para impedirle el abastecimiento de sus tropas o su refuerzo. Destruiría la Marina inglesa.

El 22 de junio de 1340, ante la Esclusa, en el amplio estuario que separa Flandes de Zelanda, avanzaban doscientos navíos ornados con los más bellos nombres y con el gallardete de Francia ondeando al viento en lo alto del palo mayor: *La Peregrina, Nave de Dios, Micoleta, Enamorada, Presumida, Santa María de la Alegría...* Los bajeles transportaban veinte mil marinos y soldados, completados con un cuerpo de ballesteros; pero entre todos había poco más de ciento cincuenta hidalgos. A la caballería francesa no le gustaba el mar.

El capitán Barbavera, que estaba al mando de cincuenta galeras genovesas alquiladas por el monarca francés, dijo al almirante Béhuchet:

—Mi señor, el rey de Inglaterra y su flota vienen hacia nosotros. Salid a alta mar con todos vuestros navíos, pues si os quedáis aquí, encerrados como estáis en los grandes diques, los ingleses, que tienen el viento, el sol y los mares a su favor, os irán atenazando hasta impediros cualquier movimiento.

Podían haberlo escuchado; llevaba treinta años de experiencia naval, y el año anterior, por cuenta de Francia, había saqueado audazmente e incendiado Southampton. El almirante Béhuchet, antiguo responsable de las aguas y los bosques reales, le respondió con orgullo:

—¡Que caiga la infamia sobre el que abandone este lugar!

Formó sus fuerzas en tres líneas: primero, los marinos del Sena, luego los picardos y los de Dieppes y, detrás los de Cahen y del Cotentin; ordenó que ataran entre sí los navíos con sogas y dispuso a los hombres como si estuvieran en fortalezas.

El rey Eduardo, que había salido de Londres la antevíspera, mandaba una flota bastante parecida. No tenía más combatientes que los franceses pero había distribuido a dos mil hidalgos en sus bajeles, entre los cuales se encontraba Roberto de Artois, a pesar de su gran aversión a la mar.

Formaba parte de esta flota, asimismo, custodiada por ochocientos soldados, toda una nave de damas de honor para el servicio de la reina Felipa.

Al atardecer, Francia se había despedido del dominio de los mares.

Los incendiados bajeles franceses daban tanta luz que apenas se percibía la caída de la noche.

Los pescadores normandos, los picardos y los marinos del Sena habían sido hechos pedazos por los arqueros de Inglaterra y por los flamencos que habían venido en su ayuda, en sus barcas planas, desde el fondo del estuario, para sorprender por la retaguardia a las fortalezas de vela. No se oía otra cosa que crujidos de arboladuras, choques de armas y alaridos de degollados. Se luchaba a espada y hacha sobre un campo de pecios. Los supervivientes que buscaban escapar de la carnicería se hundían entre los cadáveres, y no se sabía si nadaban en agua o en sangre. Centenares de manos cortadas flotaban en el mar.

El cuerpo del almirante Béhuchet colgaba de la verga del navío de Eduardo. Hacía unas horas que Barbavera se había hecho a la mar con sus galeras genovesas.

Los ingleses, aunque maltrechos, salían triunfantes. Su mayor desastre: la pérdida de la nave de las damas, hundida entre horribles gritos. Los vestidos iban a la deriva en medio del gran cementerio marino, como aves muertas.

El joven rey Eduardo tenía una herida en el muslo y la sangre corría por su bota de cuero blanco; pero los próximos combates se librarían en tierras de Francia.

Inmediatamente, Eduardo envió a Felipe VI nuevas cartas de desafío. «Para impedir graves destrucciones a los pueblos y a los países, y una gran mortandad de cristianos, cosa que todo príncipe debe procurar evitar», el rey inglés proponía a su primo de Francia un encuentro en combate singular, puesto que el litigio sobre la herencia de Francia era un asunto personal. Y si Felipe de Valois no quería saber nada de este «duelo entre sus cuerpos», le proponía enfrentarse a él con sólo cien caballeros por bando, en campo cerrado: en suma, un torneo, pero con lanzas sin despuntar, con espadas afiladas, sin jueces que vigilaran la justa y cuyo premio no sería un brocamantón o un halcón peregrino, sino la corona de san Luis.

El rey justador respondió que la propuesta de su primo era inaceptable por estar dirigida a Felipe de Valois y no al rey de Francia, del que Eduardo era un vasallo traicioneramente rebelde.

El Papa logró que se negociara una nueva tregua. Los legados se desvivieron y se atribuyeron todo el mérito de una paz precaria que ambos príncipes no habían aceptado más que para darse un momento de respiro.

Esta segunda tregua tenía ciertas posibilidades de durar, cuando murió el duque de Bretaña.

No dejaba hijo legítimo ni heredero directo.

El ducado fue reclamado a la vez por el conde de Montfort-l'Amaury, su último hermano, y por Carlos de Blois, su sobrino. Otro asunto como el del Artois, y que jurídicamente, presentaba más o menos el mismo aspecto. Felipe VI apoyó las pretensiones de su pariente Carlos de Blois, que era Valois por alianza. Inmediatamente Eduardo III tomó partido a favor de Juan de Montfort. De modo que hubo dos reyes de Francia que tenían cada uno su duque de Bretaña, de la misma manera que tenían ya su rey de Escocia.

Este litigio sobre Bretaña afectaba a Roberto muy de cerca, pues su madre era hermana del difunto duque Juan. Eduardo III no podía hacer menos ni cosa mejor que entregar al gigante el mando del cuerpo de combate que iba a desembarcar en esa región.

La hora de Roberto de Artois había llegado.

Roberto tiene cincuenta y seis años. Los cabellos que enmarcan su rostro, de músculos endurecidos por un odio de años, se han teñido de ese indefinido color de sidra rebajada con agua que adquieren los hombres pelirrojos cuando encanecen. Ya no es el granuja que se imaginaba hacer la guerra cuando saqueaba los castillos de su tía Mahaut. Ahora sabe lo que es la guerra, y prepara cuidadosamente su campaña; tiene la autoridad que confiere la edad y todas las experiencias acumuladas a lo largo de una turbulenta existencia. Todos lo respetan. ¿Quién se acuerda ahora de que ha sido falsario, perjuro, asesino y algo brujo? ¿Quién osaría recordárselo? Es el conde Roberto, coloso envejecido pero de una fuerza sorprendente aún, todavía vestido de rojo y todavía seguro de sí, quien penetra en tierras francesas al frente de un ejército inglés. ¿Cuenta acaso para él que sus tropas sean extranjeras? ¿Es ésta una noción válida para condes, barones y caballeros? Sus guerras son pleitos familiares y sus combates, luchas por una herencia; el enemigo es un primo, pero el aliado es primo también. Es el pueblo al que se va a exterminar, cuyas casas serán quemadas, cuyas granjas serán saqueadas y cuyas mujeres serán ultrajadas, para quien la palabra «extranjero» significa «enemigo»; no así para los príncipes que defienden sus títulos y aseguran sus posesiones.

Para Roberto, esa guerra entre Francia e Inglaterra es «su guerra», él la ha querido, predicado, preparado; representa diez años de incesantes esfuerzos. Es como si hubiera nacido y vivido para ella. Antaño se quejaba de no haber podido saborear el momento presente; esta vez lo saboreaba al fin. Aspira el aire como un licor delicioso. Cada minuto es de plena felicidad. Sobre su alazán, la cara al viento y el yelmo colgando de la silla, jocundo, va hacia su mundo de grandes alegrías que le hacen temblar. Tiene a veintidós mil caballeros y soldados bajo sus órdenes, y cuando vuelve la mirada atrás, ve sus lanzas que se agitan hasta el horizonte, como un terrible trigal. Los pobres bretones huyen ante él, unos en carros, otros, la mayoría, a pie, con sus calzones de tela o de corteza, mientras las mujeres arrastran a sus niños y los hombres llevan al hombro un saquito de alforfón.

Roberto de Artois tiene cincuenta y seis años; pero del mismo modo que puede todavía cubrir sin fatiga etapas de quince leguas, igualmente puede soñar... Mañana se apoderará de Brest, luego de Vannes y más delante de Rennes; desde allí penetrará en Normandía y tomará Alençon, que es del hermano de Felipe de Valois; de Alençon irá a Evreux y Conches, ¡su querida Conches! Corre a Château-Gaillard y libera a la señora de Beaumont. Después cae, imparable, sobre París; ya está en el Louvre, en Vincennes, en Saint-Germain; apresa a Felipe de Valois, lo destrona y devuelve la corona a Eduardo, quien lo nombra teniente general del reino de Francia.

Su destino ha conocido las fortunas e infortunios más inconcebibles mientras no ha tenido todo un ejército tras de sí levantando el polvo de los caminos.

Y en efecto, Roberto toma a Brest y libera a la condesa de Montfort, de espíritu combativo y robusto cuerpo, que, mientras su marido está en las prisiones del rey de Francia, continúa resistiendo de espaldas al mar en los confines de su ducado. Y en efecto, Roberto atraviesa, triunfante, la Bretaña. En efecto sitia Vannes; emplaza trabuquetes, catapultas y bombardas de pólvora cuyo humo se disuelve en las nubes de noviembre, y abre una brecha en los muros. La guarnición de Vannes es numerosa, pero no parece muy resuelta a resistir; espera el primer asalto para poder rendirse de forma decorosa. Habrá que sacrificar, por una y otra parte, algunos hombres para que se cumpla esta formalidad. Roberto se hace atar su yelmo de acero, monta su enorme corcel, que se hunde un poco bajo su peso; da a gritos sus últimas órdenes, cubre su rostro con la visera del casco y voltea por encima de su cabeza los tres kilos de su maza. Los heraldos que hacen flamear su bandera claman a voz en grito: «¡Artois a la batalla!»

Unos infantes corren al lado de los caballos llevando, entre seis, unas largas escaleras; otros llevan en la punta de un palo estopa encendida; es como un trueno que corre hacia el desmoronamiento de piedras donde ha cedido la muralla, y la cota ondeante del conde de Artois, bajo los pesados nubarrones grises, se enrojece como un relámpago...

Una flecha de ballesta disparada desde una almena le atraviesa la cota de seda, la armadura, el cuero y la tela de la camisa. El choque no es más fuerte que el de una lanza en las justas. Roberto de Artois se arranca la flecha, su caballo sigue avanzando, y entonces, sin comprender lo que ocurre, ni por qué el cielo se ennegrece de repente, ni por qué sus piernas ya no aprietan los flancos del caballo, se desploma en el barro.

Mientras sus tropas saqueaban Vannes, el gigante, sin yelmo, extendido en una escalera, era trasladado al campamento; la sangre goteaba por debajo de la improvisada angarilla.

Era la primera vez que Roberto resultaba herido. Dos campañas en Flandes, su propia expedición al Artois, la guerra de Aquitania: Roberto había salido sin un solo rasguño. Ni una lanza quebrada en cincuenta torneos, ni siquiera un colmillo de jabalí le había rozado la piel.

¿Por qué ante Vannes, ante esa ciudad que no ofrecía verdadera resistencia, que no era sino una etapa secundaria en el camino de su epopeya? Ninguna predicción funesta sobre Vannes o Bretaña se le había hecho a Roberto. El brazo que había tensado la ballesta era el de un desconocido que ni siquiera sabía sobre quién tiraba.

Cuatro días estuvo luchando, no ya contra los príncipes o los parlamentos, no ya contra las leyes de sucesión, las costumbres de los condados, las ambiciones o la avidez de las familias reales; luchaba contra su propia carne. La muerte penetraba en él por una llaga de labios negruzcos abierta entre el corazón, que tanto había latido, y el vientre que tanto había comido; no la muerte que hiela, sino la que incendia. El fuego se había introducido en sus venas. La muerte tenía que quemar en cuatro días las fuerzas que aún quedaban en aquel cuerpo para veinte años de vida.

No quiso hacer testamento, y gritaba que al día siguiente volvería a montar a caballo. Hubo que atarlo para administrarle los últimos sacramentos, pues quería apalear al capellán, en el que creía ver a Thierry de Hirson. Estaba delirando.

Roberto de Artois siempre había detestado el mar; se fletó un buque para llevarlo a Inglaterra. Se pasó toda la noche, en medio del balanceo de las olas, hablando como en un juicio, extraño juicio en verdad, en el que se dirigía a los barones de Francia llamándolos «mis nobles lores» y requería de Felipe el Hermoso que ordenara el embargo de todos los bienes de Felipe de Valois, incluidos el manto, el cetro y la corona, en ejecución de una bula papal de excomunión. Su voz, que salía del castillo de popa, llegaba hasta el estrave y se elevaba hasta los vigías de las cofas.

Antes del alba se tranquilizó un poco y pidió que acercaran su colchón a la puerta para poder mirar las últimas estrellas. Pero no vio salir el sol. En el momento de su muerte, aún se imaginaba que curaría. La última palabra salida de sus labios fue «¡jamás!», sin que nadie supiera si se dirigía a los reyes, al mar o a Dios.

Todo hombre viene al mundo destinado a cumplir una función, ínfima o importante, que generalmente desconoce y que su naturaleza, las relaciones con sus semejantes y las circunstancias de su existencia lo incitan a cumplir inconscientemente, pero con apariencia de libertad. Roberto de Artois había prendido fuego al Occidente del mundo: su misión estaba cumplida.

Cuando el rey Eduardo III se enteró en Flandes de su muerte, sus párpados se humedecieron y envió a la reina Felipa una carta en que le decía:

Mi dulce corazón, nuestro primo Roberto de Artois ha vuelto a Dios; por el afecto que sentíamos por él y por nuestro honor, hemos escrito a nuestro canciller y a nuestro tesorero encargándoles que lo sepulten en nuestra ciudad de Londres. Os rogamos, dulce corazón, que veléis por el buen cumplimiento de esta nuestra voluntad. Que Dios os guarde. Dado bajo nuestro sello privado en la ciudad de Grandchamp el día de Santa Catalina, el decimosexto año de nuestro reinado de Inglaterra y tercero de Francia.

A principios de enero de 1343, la cripta de la catedral de San Pablo de Londres recibió el féretro más pesado de todos los que a ella habían descendido.

... Y AQUÍ, EL AUTOR, OBLIGADO POR LA HISTORIA A MATAR A SU PERSONAJE PREDILECTO, CON QUIEN HA CONVIVIDO SEIS AÑOS, SIENTE IDÉNTICA TRISTEZA A LA DEL REY EDUARDO DE INGLATERRA; LA PLUMA, COMO DICEN LOS VIEJOS CRONISTAS, SE LE CAE DE LA MANO, Y NO SIENTE DESEOS DE PROSEGUIR, AL MENOS INMEDIATAMENTE, SINO PARA QUE CONOZCA EL LECTOR EL FIN DE ALGUNOS DE LOS PRINCIPALES HÉROES DE ESTE RELATO.

AVANCEMOS ONCE AÑOS, Y CRUCEMOS LOS ALPES...

EPÍLOGO

JUAN EL DESCONOCIDO

1

El camino a Roma

El lunes 22 de septiembre de 1354, en Siena, Giannino Baglioni, notable de la ciudad, recibió en el palacio Tolomei, donde su familia tenía una compañía de banca, una carta del célebre Cola de Rienzi, que se había apoderado del gobierno de Roma y retomado el antiguo título de tribuno. En esta carta, fechada el jueves anterior en el Capitolio, Cola de Rienzi escribía al banquero:

> Muy querido amigo:
> Tiempo ha os enviamos mensajeros con la misión de rogaros, en caso de que os encontraran, que os sirvierais venir a Roma, a nuestra casa. Dichos mensajeros nos han informado que os encontraron, en efecto, en Siena, pero no pudieron persuadiros de que vinierais a vernos. Como no había seguridad de que os encontraran, no os escribimos, pero ahora que sabemos dónde estáis, os rogamos que vengáis a vernos con toda diligencia, tan pronto como recibáis esta carta, y con el mayor secreto, para tratar de un asunto que concierne al reino de Francia.

¿Por qué motivo el tribuno, criado en una taberna del Trastevere pero que afirmaba ser hijo ilegítimo del emperador Enrique VII de Alemania —y, por lo tanto, hermanastro del rey Juan de Bohemia— y al que Petrarca celebraba como restaurador de la antigua grandeza de Italia; por qué motivo Cola de Rienzi quería entrevistarse urgente y secretamente con Giannino Baglioni? Éste no dejaba de hacerse aquella pregunta en los días que siguieron, mientras se dirigía a Roma en compañía de su amigo el notario Angelo Guidarelli, a quien había pedido que lo acompañara; primero, porque así el camino se haría más corto, y también porque el notario era un muchacho avisado que conocía a fondo los asuntos de banca.

En septiembre, el sol todavía calienta en el campo sienés, y los rastrojos del trigo cubren la campiña con una piel leonada. Es uno de los más bellos paisajes del mundo: Dios quiso trazar con soltura en esta campiña la curva de las colinas y esparcir una vegetación rica y diversa en la que el ciprés reina señorial. El hombre ha sabido trabajar esta tierra, y por doquier ha levantado sus viviendas, que poseen todas la misma gracia y armonía, desde la villa más principesca hasta el más humilde caserío, con su color ocre y sus tejas redondeadas. El camino nunca aburre, serpentea, sube, desciende hacia nuevos valles entre cultivos en bancales y olivares milenarios. En Siena, tanto Dios como el hombre han demostrado su genio.

¿Cuáles eran esos asuntos de Francia de los que el tribuno de Roma quería hablar al banquero de Siena? ¿Por qué lo había hecho ir a buscar dos veces y le había enviado esa apremiante carta en que lo llama «muy querido amigo»? Sin duda, nuevos préstamos para el rey de París o rescates para algunos grandes señores que estaban prisioneros en Inglaterra... Giannino Baglioni ignoraba que Cola de Rienzi se interesara tanto por la suerte de los franceses.

Y aunque así fuera, ¿por qué no se dirigía el tribuno a los otros miembros de la compañía, a los más antiguos, Tolomei, Andrea, Giaccomo, que entendían mejor de esos asuntos y habían ido a París antaño a liquidar la herencia del viejo tío Spinello, cuando hubo que cerrar las oficinas de Francia? Cierto que Giannino era hijo de francesa, una damisela de la nobleza, a la que evocaba a veces en sus vagos recuerdos de infancia: una hermosa joven, algo triste, en una vetusta mansión de un país lluvioso. Cierto que su padre, Guccio Baglioni, que había muerto hacía ya catorce años, el buen hombre, en un viaje a Campania... Y Giannino, balanceándose por el paso del caballo, se santiguó discretamente. Su padre, cuando vivía en Francia, se había visto metido en grandes asuntos de la corte entre París, Londres, Nápoles y Aviñón. Había tratado a reyes y reinas, y hasta había asistido al famoso cónclave de Lyon...

Pero Giannino prefería no acordarse de Francia, precisamente a causa de aquella madre que no había vuelto a ver, de la cual ignoraba si vivía o había muerto; a causa de su nacimiento, legítimo según su padre, ilegítimo para los otros miembros de la familia, para aquellos parientes encontrados de repente cuando tenía nueve años: el abuelo Mino Baglioni, los tíos Tolomei y los innumerables primos... Durante mucho tiempo Giannino se había sentido extraño entre ellos. Lo había hecho todo para borrar esa diferencia, para integrarse en la comunidad, para convertirse en sienés, banquero y Baglioni.

Se especializó en el negocio de las lanas; quizá porque sentía cierta nostalgia de los corderos, de los verdes prados y de las mañanas brumosas. Dos años después de la muerte de su padre, se casó con una heredera de buena familia sienesa, Giovanna Vivoli, de la que tuvo tres hijos y con la que vivió muy felizmente seis años, hasta que murió víctima de la epidemia de peste negra de 1348. Contrajo nuevas nupcias al año siguiente con Francesca Agazzano, quien le dio dos hijos más y estaba esperando el tercero.

Sus compatriotas lo estimaban, era honrado en los negocios y la consideración pública de que gozaba le valió el cargo de camarlengo del hospital de Nuestra Señora de la Misericordia.

San Quirico de Orcia, Radicofani, Acquapendente, el lago de Bolsena, Montefiascone; las noches transcurridas en las posadas de amplios pórticos y la continuación del viaje por la mañana... Giannino y Guidarelli habían salido de Toscana. A medida que avanzaba, Giannino se sentía cada vez más decidido a responder al tribuno Cola, con toda la cortesía posible, que no quería en modo alguno mezclarse en los asuntos de Francia. El notario Guidarelli lo aprobaba plenamente. Las compañías italianas guardaban demasiado mal recuerdo de las expoliaciones, y el reino de Francia había empeorado demasiado, desde el principio de la guerra de Inglaterra, para exponer allí la mínima cantidad de dinero. ¡Mejor era vivir en una pequeña república, como Siena, donde prosperaban las artes y el comercio, que en esos enormes reinos gobernados por dementes![1]

Porque Giannino, desde el palacio Tolomei, había seguido atentamente los asuntos franceses de los últimos años; ¡tenían allí demasiadas cartas de crédito que sin duda no cobrarían jamás! Verdaderamente, esos franceses eran unos locos, empezando por su rey Valois, que había conseguido perder en primer lugar Bretaña y Flandes, luego Normandía, después Saintonge, y al que los ingleses acorralaban, como a un corzo en una cacería, en los alrededores de París. Aquel héroe de torneo, que quería arrastrar al universo a una Cruzada, se negaba a aceptar el desafío por el cual su enemigo le ofrecía un combate en la llanura de Vaugirard, casi a las puertas de su palacio; luego, creyendo que los ingleses huían puesto que se retiraban hacia el norte —¿por qué tenían que huir si vencían en todas partes?—, Felipe, de pronto, agotando a sus tropas, se lanzaba en pos de Eduardo a marchas forzadas y lo alcanzaba más allá del Somme; allí acabó su gloria.

Los ecos de Crécy llegaron hasta Siena. Se sabía que el rey de Francia había obligado a sus infantes a atacar, sin haber recobrado el aliento, después de una etapa de cinco leguas, y que la caballería francesa, irritada contra aquella infantería que no avanzaba suficientemente rápido, había cargado a través de su propia gente de a pie, atropellándola, derribándola y pisoteándola bajo los cascos de los caballos, para ser luego destrozada por los tiros cruzados de los arqueros ingleses.

—Dijeron, para justificar su derrota, que eran los tiros de pólvora, suministrados por los italianos a los ingleses, lo que había sembrado el desorden y el terror entre sus filas, a causa del estruendo. Pero no, Guidarelli, no fueron los tiros de pólvora; fue su estupidez.

Pero, ¡ah!, tampoco podía negarse que se habían realizado bellas hazañas de guerra. Por ejemplo, Juan de Bohemia, ciego a los cincuenta años, que exigió ser llevado al combate con su corcel ligado a derecha e izquierda a las monturas de dos de sus caballeros. El rey ciego irrumpió en la refriega blandiendo su maza, ¿para golpear a quién?: para descargarla sobre la cabeza de los dos desgraciados que lo acompañaban. Fue encontrado muerto, atado todavía a sus dos maltrechos compañeros, símbolo perfecto de esa casta caballeresca encerrada en la noche de sus yelmos que, menospreciando al pueblo, se destruía a sí misma casi con fruición.

La noche de Crécy, Felipe VI erraba por el campo con sólo seis hombres y llamaba a la puerta de un pequeño caserío gimiendo: «¡Abrid, abrid al infortunado rey de Francia!»

Maese Dante, no había que olvidarse de ello, había maldecido en otro tiempo a la raza de los Valois a causa del primo de éstos, el conde Carlos, saqueador de Siena y de Florencia. Todos los enemigos del divino poeta acababan mal.

Y tras Crécy, la peste. La introdujeron los genoveses. ¡De ésos tampoco había que esperar nada bueno! Sus buques trajeron de Oriente el espantoso mal que alcanzó primero Provenza y luego se abatió sobre Aviñón, sobre aquella ciudad podrida y libertina. Bastaba haber oído los comentarios de Petrarca acerca de esta nueva Babilonia para comprender que su hedionda infamia y los pecados de los que hacía gala la destinaban a ser pasto de calamidades vengativas.[2]

El toscano jamás está contento, de nada ni de nadie, salvo de sí mismo. Si no pudiera criticar no podría vivir, y Giannino era en eso muy toscano. En Viterbo, él y Guidarelli aún no habían terminado de hablar mal de todo el universo.

En primer lugar, ¿qué hacía el Papa en Aviñón, en vez de residir en Roma, lugar designado por san Pedro? ¿Y por qué elegían siempre papas franceses como ese Pedro Roger, antiguo obispo de Arras, que había sucedido a Benedicto XII y reinaba ahora con el nombre de Clemente VI? ¿Por qué él, a su vez, no creaba más que cardenales franceses y se negaba a volver a Italia? Dios los castigaba a todos. En una sola estación se cerraron siete mil casas en Aviñón, despoblada por la peste; los cadáveres se recogían a carretadas. Luego la peste había subido hacia el norte por un país agotado por la guerra y había llegado a París, donde morían mil personas al día; grandes y pequeños, no perdonaba a nadie. La mujer del duque de Normandía, hija del rey de Bohemia, había muerto víctima de la peste. La reina Juana de Navarra, la hija de Margarita de Borgoña, murió de la peste. La reina mala de Francia, Juana la Coja, murió de la peste, y los franceses, que la detestaban, decían que su muerte era un justo castigo.

Pero ¿por qué la peste se había llevado también a Giovanna Baglioni, la primera mujer de Giannino; Giovanna la del cuello de alabastro y los hermosos ojos almendrados? ¿Era justo eso? ¿Era justo que la epidemia hubiera devastado Siena? Verdaderamente, Dios no mostraba mucho discernimiento y eran demasiadas las veces en que imponía sacrificios a los buenos para compensar las faltas de los malos.

¡Afortunados los que escaparon de la peste! ¡Afortunado maese Giovanni Boccaccio, hijo de un amigo de los Tolomei, de madre francesa también, como Giannino, y que había podido ponerse a salvo como huésped de un rico señor en una hermosa villa junto a Florencia! Durante el tiempo que duró el contagio, para distraer a los refugiados de la villa Palmieri y hacerles olvidar que la muerte rondaba a sus puertas, Boccaccio había escrito aquellos hermosos y divertidos cuentos que ahora repetía Italia entera. El valor demostrado ante la muerte por los invitados del conde Palmieri y por maese Boccaccio, ¿no valía cien veces más que la estúpida bravura de los caballeros de Francia? El notario Guidarelli compartía plenamente esta opinión.

El rey Felipe se había casado sólo treinta días después de la muerte de la mala reina. Giannino también le recriminaba esto; no el nuevo matrimonio, pues él había hecho otro tanto, sino la indecente prisa con que lo había contraído. ¡Treinta días! ¿Y a quién escogió Felipe VI? ¡Aquí empezaba a ser sabrosa la historia! Le había quitado la novia a su hijo primogénito, también viudo, que tenía que casarse por segunda vez con su prima Blanca, hija del rey de Navarra, y a la que daban el nombre de Bella Prudencia.

Cuando esta doncella de dieciocho años apareció en la corte, Felipe quedó deslumbrado y exigió a su hijo, Juan de Normandía, que se la cediera, y Juan se dejó casar con la condesa de Borgoña, viuda de veinticuatro años por la que no sentía mucho entusiasmo. A decir verdad, no lo sentía por dama alguna, pues el heredero de Francia parecía más bien aficionado a los escuderos.

El rey, de cincuenta y seis años, volvió a encontrar entonces, entre los brazos de la Bella Prudencia, el ardor de la juventud. ¡Bella Prudencia! En realidad, el nombre le cuadraba a las mil maravillas. Giannino y Guidarelli se desternillaban de risa sobre sus caballos. ¡Bella Prudencia! Maese Boccaccio hubiera podido escribir uno de sus sabrosos cuentos. En tres meses la doncella acababa con el rey justador y Saint-Denis recibía los huesos de aquel soberbio imbécil que no había reinado un tercio de siglo más que para llevar a su reino de la riqueza a la ruina.

Juan II, el nuevo rey, de treinta y seis años y al que llamaban el Bueno sin que nadie supiera por qué, tenía visos, según decían los viajeros, de poseer las mismas sólidas cualidades de su padre y la misma fortuna. Solamente que era algo más derrochador, inestable e inútil; pero recordaba a su madre por la socarronería y la crueldad. Creyéndose constantemente traicionado, ya había hecho decapitar a su condestable.

Como el rey Eduardo III, hallándose en Calais, ciudad conquistada por él, había instituido la Orden de la Jarretera el día en que se había complacido en sujetar él mismo la liga de su amante, la bella condesa de Salisbury, el rey Juan II, que no quería ser menos en asuntos de caballería, fundó la Orden de la Estrella para honrar a su favorito español, el joven Carlos de la Cerda.

Sus proezas no pasaron de aquí.

El pueblo se moría de hambre; faltaba mano de obra en el campo y en la industria a consecuencia de la peste y de la guerra; escaseaban los productos y los precios subían vertiginosamente; se perdían empleos y se imponía sobre todas las transacciones una tasa de casi un sueldo por libra.

Recorrían el país bandas errabundas parecidas a las de los pastorcillos de otro tiempo, pero más dementes aún; miles de harapientos, hombres y mujeres, se flagelaban entre sí con cuerdas o cadenas, aullando lúgubres salmos a lo largo de los caminos; y de repente se enfurecían y se dedicaban a matar, como siempre, a judíos e italianos.

Mientras tanto, la corte de Francia continuaba con un derroche de lujo insultante; gastaba en un solo torneo lo que hubiera bastado para alimentar durante un año a todos los pobres de un condado, y se vestía de manera poco cristiana, especialmente los hombres, que llevaban más joyas que las mujeres, con cotas bien apretadas al talle y tan cortas que dejaban ver las nalgas, y zapatos terminados en puntas tan largas que dificultaban el andar.

¿Podía una compañía de banca un poco seria conceder nuevos préstamos a tales gentes o suministrarles lanas? Desde luego que no. Y Giannino Baglioni, al entrar en Roma el 2 de octubre por el puente Milvio, estaba completamente decidido a decírselo así al tribuno Cola de Rienzi.

NOTAS

1. A pesar de las luchas políticas, las revueltas y las rivalidades entre las clases sociales o con las ciudades vecinas que caracterizan las repúblicas italianas de esta época, Siena conoció en el siglo XIV su mayor período de prosperidad y de gloria, tanto en lo referente a sus artes como a su comercio. Entre la ocupación de la ciudad por Carlos de Valois, en 1301, y su conquista, en 1399, por Juan Galeazzo Visconti, duque de Milán, la única desventura por la que pasó Siena fue la epidemia de peste de 1347-1348.

2. Durante todo el tiempo que pasó en Aviñón, Petrarca no dejó de expresar, con raro talento de libelista, su odio por esta ciudad. Sus cartas, al margen de la exageración poética, nos han dejado un sobrecogedor retrato de Aviñón en tiempos de los papas.

... Ahora vivo en Francia, en la Babilonia de Occidente, lo más horrendo que hay bajo el sol, a orillas del Ródano indomado, parecido al Cocito o al Aqueronte del Tártaro, donde reinan los sucesores, míseros antaño, del Pescador, que han olvidado su origen. Confunde ver, en vez de una santa soledad, una afluencia criminal y bandas de infames satélites esparcidas por doquier; en vez de austeros ayunos, festines rebosantes de sensualidad; en vez de piadosas peregrinaciones, un ocio cruel e impúdico; en vez de los pies desnudos de los Apóstoles, los rápidos corceles de los ladrones, blancos como la nieve, cubiertos de oro, descansando sobre oro, con bocados de oro y cuyas herraduras serán también pronto de oro. Diríase, en suma, que son los reyes de los persas o de los partos, a los que hay que adorar y a los que no se puede visitar sin ofrecerles regalos...

Carta V

... Hoy Aviñón ya no es una ciudad, es la patria de las larvas y los lémures; para decirlo en una palabra, es la sentina de todos los crímenes y todas las infamias; es aquel infierno de los vivos del que nos habló David...

Carta VIII

... Sé por propia experiencia que no hay ninguna piedad, ninguna caridad, ninguna fe, ningún respeto, ningún temor de Dios, nada santo, nada justo, nada equitativo, nada sagrado, nada humano en fin... Manos dulces, actos crueles; voces angélicas, actos diabólicos; cantos armoniosos, corazones de hielo...

Carta XV

... Es el único lugar de la Tierra donde no hay sitio para la razón, donde todo se mueve irreflexiblemente y al azar, y de todas las miserias de este lugar, cuyo número es infinito, el colmo de la decepción es que en él todo está lleno de ajonje y de garfios, de manera que, cuando creemos escapar, nos encontramos más estrechamente atrapados y encadenados. Además, no hay ni luz ni guía... Y, para emplear la frase de Lucano, «una noche negra de crímenes»... No es un pueblo, sino una polvareda juguete del viento...

Carta XVI

... Satán contempla riendo este espectáculo y se regodea en esa danza desigual, sentado como un árbitro entre estos decrépitos y estas jóvenes... Había entre ellos [los cardenales] un viejecito capaz de fecundar cualquier animal; tenía la lascivia de un macho cabrío o de algo más lascivo y hediondo si cabe. Tal vez por miedo a las ratas o a los espectros no osaba dormir solo. Para él, nada era más triste ni más aciago que el celibato. Todos los días celebraba un nuevo himeneo. Ya hacía tiempo que había pasado de los setenta años y le quedaban, todo lo más, siete dientes...

Carta XVIII

PETRARCA
Cartas sin título
(a Cola de Rienzi, tribuno de Roma, y otros)

2

La noche del Capitolio

Los viajeros se instalaron en una hostería del Campo dei Fiori en el momento en que las chillonas vendedoras liquidaban sus manojos de rosas y desembarazaban la plaza del tapiz multicolor y aromático de sus azafates.

Al caer la noche, Giannino Baglioni, tomando al posadero como guía, se dirigió al Capitolio.

¡Admirable ciudad esta de Roma, donde nunca había estado y que iba descubriendo, tentado de detenerse a cada paso! Inmensa en comparación con Siena y Florencia, incluso mayor que París y que Nápoles según le parecía a Giannino, a juzgar por los relatos de su padre. El dédalo de callejuelas se abría mostrando maravillosos palacios, surgidos de pronto, y cuyos porches y patios estaban iluminados con antorchas y linternas. Por las calles se veían grupos de muchachos que cantaban, tomados del brazo. La gente se daba empujones, pero sin mal humor; sonreían a los extranjeros; abundaban las tabernas por cuyas puertas salían apetitosos olores de aceite hirviente, azafrán, frituras de pescado y carne asada. Parecía que la animación no cesaba con la noche.

Giannino subió por la colina del Capitolio al resplandor de las estrellas. Ante un porche de iglesia crecía la hierba; las columnas caídas y una estatua que alzaba un brazo mutilado denotaban la presencia de la ciudad antigua. Augusto, Nerón, Tito, Marco Aurelio habían pisado aquel suelo...

Cola de Rienzi estaba cenando en numerosa compañía, en una espaciosa sala construida sobre los mismos cimientos del templo de Júpiter. Giannino se le acercó, hincó una rodilla en tierra y se presentó. Inmediatamente, el tribuno, tendiéndole las manos, lo levantó y lo hizo conducir a una habitación vecina, donde instantes después se reunió con él.

Rienzi se había adjudicado el título de tribuno, pero tenía la fisonomía y el porte de un emperador. El púrpura era su color; se envolvía en el manto como en una toga. El escote de su vestido rodeaba un cuello firme y redondo; su macizo rostro de grandes ojos claros, cabello corto y mentón voluntarioso, parecía destinado a agregarse a la serie de bustos de los Césares. El tribuno tenía un leve tic, un temblor de la ventana derecha de la nariz, que le daba una expresión de impaciencia. Su paso era autoritario. Aquel hombre demostraba, a primera vista, que había nacido para mandar, que tenía grandes proyectos para su pueblo y que era preciso mostrarse rápido en comprender su pensamiento y adaptarse a él. Hizo sentar a Giannino a su lado y ordenó a los sirvientes que cerraran las puertas y que no se los molestara; luego, sin más, empezó a hacer preguntas que nada tenían que ver con los asuntos bancarios.

El comercio de lanas, los préstamos y las letras de cambio no le interesaban. Era Giannino, la persona de Giannino, lo que centraba su interés. ¿A qué edad había llegado de Francia? ¿Dónde había pasado sus primeros años? ¿Quién lo había criado? ¿Había llevado siempre el mismo nombre?

Después de cada pregunta, Rienzi aguardaba la respuesta, escuchaba, movía la cabeza e interrogaba de nuevo.

Pues bien, Giannino había nacido en un convento de París. Su madre, María de Cressay, lo crió hasta la edad de nueve años, en Île-de-France, cerca de una aldea llamada Neauphle-le-Vieux. ¿Sabía si su madre había estado alguna vez en la corte de Francia? El sienés se acordaba de lo que su padre, Guccio Baglioni, le había dicho: María de Cressay, después del parto, había sido llamada a la corte para ser nodriza del hijo de la reina Clemencia de Hungría; pero estuvo allí poco tiempo, ya que el hijo de la reina murió a los pocos días, según se decía, envenenado.

Y Giannino sonrió. Había sido hermano de leche de un rey de Francia: nunca pensaba en ello, pero de pronto le parecía algo increíble, casi risible, cuando se miraba a sí mismo, cerca ya de los cuarenta años, con su tranquila existencia de burgués italiano.

Pero ¿por qué le hacía Rienzi todas esas preguntas? ¿Por qué el tribuno de grandes ojos claros, el hijo bastardo del penúltimo emperador, lo observaba con tan reflexiva atención?

—Sois vos... —dijo por fin Cola de Rienzi—, verdaderamente sois vos...

Giannino no comprendía lo que quería decir; y aún fue mayor su sorpresa cuando vio al imponente tribuno arrodillarse e inclinarse hasta besarle el pie derecho.

—Sois el rey de Francia —declaró Rienzi—, y como tal debe trataros todo el mundo desde ahora.

Giannino sintió como si las luces oscilaran alrededor de él.

Cuando la casa en que tranquilamente está uno cenando se derrumba de pronto a causa de un deslizamiento de tierra; cuando el barco en que estamos durmiendo choca contra un arrecife en plena noche, tampoco comprendemos, de momento, lo que sucede.

Giannino Baglioni estaba sentado en una sala del Capitolio; el dueño de Roma se arrodillaba a sus pies, ¡y le aseguraba que era rey de Francia!

—Se cumplieron nueve años, en el mes de junio, de la muerte de María de Cressay...

—¿Mi madre ha muerto? —exclamó Giannino.

—Sí, grandísimo señor..., o, mejor dicho, la que

creíais que era vuestra madre. La antevíspera de su muerte confesó...

Era la primera vez que lo llamaban «grandísimo señor»; estaba aún más boquiabierto y estupefacto que cuando le habían besado el pie.

—Pues bien, sintiéndose morir, María de Cressay llamó a su cabecera a un monje agustino de un convento cercano, fray Jordán de España, y se confesó a él.

Giannino se remontaba a sus primeros recuerdos. Veía en la habitación de Cressay a su madre, rubia y hermosa... Hacía nueve años que había fallecido, y él no lo sabía. Y ahora resultaba que no era su madre.

Fray Jordán, a petición de la moribunda, hizo constar por escrito aquella confesión que era la revelación de un extraordinario secreto de Estado y de un no menos extraordinario crimen.

—Os mostraré la confesión, así como la carta de fray Jordán; lo tengo todo —dijo Cola de Rienzi.

El tribuno estuvo hablando cuatro horas enteras. No necesitaba menos para poner al corriente a Giannino de los viejos acontecimientos de hacía cuarenta años, que formaban parte de la historia del reino de Francia: la muerte de Margarita de Borgoña, las segundas nupcias del rey Luis X con Clemencia de Hungría.

—Mi padre formó parte de la embajada que fue a buscar a la reina de Nápoles; me lo contó varias veces —dijo Giannino—; pertenecía al séquito de un tal conde de Bouville...

—¿El conde de Bouville, decís? ¡Todo se va confirmando! Es el mismo Bouville que era curador del vientre de la reina Clemencia, vuestra madre, nobilísimo señor, y que fue a buscar a la dama de Cressay, para que os criara, al convento donde acababa de dar a luz. Esto es lo que ella contó precisamente.

A medida que hablaba el tribuno, su visitante sentía que perdía la razón. Era un completo trastorno, las sombras se aclaraban y el día se oscurecía. Con frecuencia obligaba a Rienzi a repetir sus frases, como cuando se repasa una operación de cálculo muy complicada. De golpe se enteraba de que su padre no era su padre y su madre no era su madre; y de que su verdadero padre, un rey de Francia asesino de su primera mujer, había acabado él también asesinado. Ya no era hermano de leche de un rey de Francia muerto en la cuna; era el rey mismo de pronto resucitado.

—Siempre os han llamado Juan, ¿no es verdad? Vuestra madre la reina os dio este nombre por una promesa. Juan o Giovanni, que hace Giovannino o Giannino... Sois Juan I el Póstumo.

¡El Póstumo! Siniestro apodo, una de esas palabras que huelen a cementerio y que los toscanos no oyen sin hacer los cuernos con la mano izquierda.

De golpe, el conde Roberto de Artois, la condesa Mahaut, todos aquellos nombres que pertenecían a los recuerdos de su padre..., no, su padre no, el otro, Guccio Baglioni, surgían en el relato del tribuno, desempeñando terribles papeles. La condesa Mahaut, que ya había envenenado al padre de Giannino, ¡sí, al rey Luis!, se encargó también de dar muerte al recién nacido.

—Pero el conde de Bouville, prudentemente, había cambiado al hijo de la reina por el de la nodriza, que, además, se llamaba también Juan. Éste fue el asesinado y enterrado en Saint-Denis...

Y Giannino experimentó un incremento de su malestar, pues no podía desacostumbrarse de ser Giannino Baglioni, el hijo del comerciante sienés; era como si le dijeran que había dejado de existir a los cinco días y que, desde entonces, su vida, todos sus pensamientos, sus actos, su propio cuerpo no era más que una ilusión. Era como desvanecerse, llenarse de sombras, convertirse en fantasma de sí mismo. ¿Dónde se encontraba realmente, bajo la losa de Saint-Denis, o allí, en el Capitolio?

—A veces me llamaba «principito mío» —murmuró Giannino.

—¿Quién?

—Mi madre... quiero decir, la dama de Cressay. Cuando estábamos solos. Yo creía que era el nombre que dan las madres francesas a sus hijos, y me besaba las manos y se echaba a llorar... ¡Oh, cuántas cosas me vuelven a la memoria...! Y la pensión que enviaba el conde de Bouville, la que hacía que los tíos Cressay, el barbudo y el otro, se mostraran más amables conmigo los días en que llegaba la bolsa...

¿Qué había sido de toda esa gente? En su mayoría habían muerto hacía tiempo: Mahaut, Bouville, Roberto de Artois...

Los hermanos Cressay habían sido armados caballeros la víspera de la batalla de Crécy, con algún juego de palabras de Felipe VI.

Debían ser ya bastante viejos...

Pero, entonces, si María de Cressay nunca quiso volver a ver a Guccio Baglioni, no era porque lo odiase, tal como él creía amargamente, sino para mantener el juramento que había pronunciado casi a la fuerza al serle entregado el pequeño rey salvado.

—Por miedo a represalias también, contra ella o su marido —explicó Cola de Rienzi—. Pues se habían casado secreta pero realmente ante un fraile. También lo dijo ella en su confesión. Y un día Baglioni fue para llevaros con él, cuando teníais nueve años.

—Me acuerdo bien de ese viaje... Y ella, mi... la dama de Cressay, ¿no se volvió a casar?

—No, puesto que estaba casada.

—Tampoco él.

Giannino permaneció pensativo un momento, esforzándose por imaginarse a la muerta de Cressay y al muerto en Campania como si fueran sus padres adoptivos.

De pronto preguntó:

—¿Tenéis un espejo?

—Sí —asintió el tribuno un poco sorprendido.

Dio unas palmadas y mandó a un servidor traer el espejo.

—Vi a la reina Clemencia una vez... precisamente cuando me sacaron de Cressay pasé unos días en París, con el tío Spinello. Mi padre... adoptivo, como decís... estaba muy orgulloso de haberla conocido y me llevó a saludarla para que tuviera un recuerdo. Ella me dio unos confites... Entonces, ¿ella era mi madre?

Las lágrimas le subían a los ojos. Se metió la mano por el cuello del vestido, sacó un pequeño relicario que colgaba de un cordelito de seda y dijo:

—Esta reliquia de san Juan era suya...

Trataba desesperadamente de reconstruir los rasgos exactos del rostro de la reina hasta donde le permitiera la memoria de su infancia. Recordaba solamente la aparición de una mujer maravillosamente bella, toda vestida de blanco, como las reinas viudas, que le había puesto distraídamente su blanca mano sobre la frente... «Y yo no sabía que estaba ante mi madre. Y ella siguió creyendo que su hijo había muerto...»

¡Ah, qué grandísima malvada esa condesa Mahaut, que no sólo había asesinado a un inocente recién nacido sino que, además, había sumido a tantas personas en la confusión y en la desdicha!

La impresión de irrealidad de su persona desapareció de Giannino para dar paso a una sensación de desdoblamiento, igualmente angustiosa. Era él y otro a la vez, el hijo del banquero sienés y el hijo del rey de Francia.

¿Y su mujer, Francesca? De pronto pensó en ella. ¿Con quién se había casado ella? ¿Y sus hijos? ¿Descendían de Hugo Capeto, de san Luis, de Felipe el Hermoso?

—El papa Juan XXII debió de barruntar este asunto —dijo Cola de Rienzi—. Me han dicho que algunos cardenales de su séquito rumoreaban que el pontífice dudaba que el hijo del rey Luis X hubiera muerto. Simple presunción, pensaban, como tantas otras, y que parecía sin fundamento hasta la aparición de la confesión *in extremis* de vuestra madre adoptiva, vuestra nodriza, que hizo prometer al agustino que os buscaría para deciros la verdad. Toda su vida, con su silencio, había obedecido las órdenes de los hombres; pero en el momento de aparecer ante Dios, y como los que le habían impuesto el silencio habían muerto sin relevarla de su promesa, quiso descargarse de su secreto.

Y fray Jordán de España, fiel a lo prometido, se puso a buscar a Giannino; pero la guerra y la peste le impidieron pasar de París. Los Tolomei ya no tenían oficinas allí y fray Jordán no se sentía en edad de emprender largos viajes.

—Entregó entonces la confesión y el relato de los hechos —prosiguió Rienzi— a otro religioso de su orden, fray Antonio, hombre muy piadoso que hizo varias veces la peregrinación a Roma y me vino a ver en anteriores viajes. Fue este fray Antonio el que, hace dos meses, estando enfermo en Porto Venere, me hizo saber todo lo que acabo de deciros y me envió los documentos y su propio relato. Al principio dudé, lo confieso, de la veracidad de todas esas cosas; pero, al reflexionar, me parecieron demasiado fantásticas y extraordinarias para ser inventadas; la imaginación humana no llega a tanto. A menudo es la verdad lo que nos sorprende. Comprobé fechas, recogí diversos indicios y mandé que os buscaran; primero os envié aquellos emisarios que, como no llevaban documento alguno, no pudieron persuadiros de que vinierais a verme, pero finalmente os mandé esa carta gracias a la cual, grandísimo señor, os encontráis aquí. Si queréis hacer valer vuestros derechos a la corona de Francia, estoy dispuesto a ayudaros.

Acababan de traer un espejo de plata. Giannino se acercó a los grandes candelabros y se miró en él un buen rato. Nunca le había gustado su rostro; aquella redondez algo fofa, aquella nariz recta pero sin carácter, aquellos ojos azules bajo unas cejas demasiado desvaídas, ¿era aquél el rostro de un rey de Francia?

Giannino se esforzaba, en el fondo del espejo, en disipar el fantasma, en reconstruirse a sí mismo...

El tribuno le puso la mano sobre el hombro.

—Mi nacimiento —dijo gravemente— también estuvo rodeado de un extraño misterio. Me he criado en una taberna de esta ciudad y he servido vino a los mozos de cuerda. No supe hasta muy tarde de quién era hijo.

Su bello semblante de emperador, en el que sólo se movía la ventana derecha de la nariz, se había derrumbado ligeramente.

3

«Nos, Cola de Rienzi...»

Giannino, al salir del Capitolio, cuando los primeros resplandores de la aurora empezaban a ribetear con un contorno cobrizo las ruinas del Palatino, no volvió a dormir al Campo dei Fiori. Una guardia de honor que le proporcionó el tribuno lo condujo al otro lado del Tíber, al castillo de Sant'Angelo, donde le habían preparado habitaciones.

Al día siguiente, buscando la ayuda de Dios para calmar la gran agitación que sentía, pasó varias horas rezando en una iglesia cercana: luego volvió al castillo de Sant'Angelo. Pidió ver a su amigo Guidarelli, pero le rogaron que no hablara con nadie sin haber visto antes al tribuno. Estuvo solo hasta el atardecer, esperando que vinieran a buscarlo. Parecía que el tribuno no se ocupaba de sus asuntos más que por la noche.

Giannino volvió entonces al Capitolio, donde el tribuno tuvo con él más atenciones aún que la víspera. Y se encerraron de nuevo juntos.

Cola de Rienzi expuso su plan de campaña: iba a enviar inmediatamente al Papa, al emperador y a todos los soberanos de la cristiandad cartas invitándolos a mandarle sus embajadores para un comunicado de la mayor trascendencia, pero sin dejar adivinar nada del contenido de dicho comunicado. Luego, cuando todos los embajadores se hubieran reunido, haría aparecer ante ellos a Giannino, con las insignias reales, y se lo presentaría como verdadero rey de Francia... Si el nobilísimo señor estaba de acuerdo, naturalmente.

Giannino era rey de Francia desde la víspera pero banquero sienés desde hacía veinte años, y se preguntaba qué razones podía tener Rienzi para interesarse por él de tal manera, con una impaciencia casi febril que agitaba todo el corpachón del potentado. ¿Por qué quería abrir un nuevo litigio cuando ya se habían sucedido cuatro reyes en el trono de Francia desde la muerte de Luis X? ¿Era simplemente, como afirmaba, para denunciar una monstruosa injusticia y restablecer en su lugar a un príncipe desposeído? El tribuno no tardó mucho en revelar lo que pensaba. El verdadero rey de Francia podría traer el Papa a Roma. Aquellos falsos reyes tenían papas falsos.

Rienzi calculaba a largo plazo. La guerra entre Francia e Inglaterra, que amenazaba convertirse en una guerra de la mitad de Occidente contra la otra mitad, se debía en origen, o por lo menos se fundaba jurídicamente en una disputa sucesoria y dinástica. Haciendo surgir al verdadero y legítimo titular del trono de Francia, los otros dos reyes ya no tendrían base para sus pretensiones. Los soberanos de Europa, al menos los pacíficos, se reunirían en Roma, destituirían al rey Juan II y entregarían al rey Juan I su corona. Y Juan I decidiría la vuelta del Santo Padre a la Ciudad Eterna. No habría más injerencias de la corte de Francia en las tierras imperiales de Italia; se acabarían las luchas entre güelfos y gibelinos; Italia, recobrada su unidad, podría aspirar a recuperar la grandeza de otros tiempos y, finalmente, el Papa y el rey de Francia, si así lo deseaban, podrían incluso nombrar emperador al artífice de esta grandeza y esta paz, a Cola de Rienzi, hijo de emperador, y no emperador a la alemana, sino a la antigua. La madre de Cola era del Trastevere, donde todavía vagaban las sombras de Augusto, Trajano y Marco Aurelio, hasta en las tabernas, e incitaban a las gentes a soñar...

Al día siguiente, 4 de octubre, en el curso de una entrevista, esta vez de día, Rienzi entregaba a Giannino, al que ahora llamaba Giovanni di Francia, todos los documentos de su extraordinario expediente: la confesión de la falsa madre, el relato de fray Jordán de España, la carta de fray Antonio; luego llamó a uno de sus secretarios y empezó a dictarle el acta que autentificaba la entrega:

Nos, Cola de Rienzi, caballero por la gracia de la Sede Apostólica, senador ilustre de la Ciudad Santa, capitán y tribuno del pueblo romano, hemos examinado a fondo los documentos que nos entregó fray Antonio y a los que hemos dado crédito, mayormente por cuanto, después de todo lo que hemos sabido y entendido, fue, en efecto, por la voluntad de Dios por lo que el reino de Francia ha tenido que padecer, durante largos años, tanto los desastres de la guerra como muchos flagelos de toda suerte, las cuales cosas Dios ha permitido, creemos, para expiación del fraude que se cometió respecto a este hombre, y que ha hecho que haya estado largo tiempo en la humillación y la pobreza...

El tribuno parecía más nervioso que la víspera; detenía su dictado cada vez que llegaba a su oído algún ruido anormal; o, al contrario, cuando se producía un silencio prolongado. Sus grandes ojos se dirigían con frecuencia hacia las ventanas abiertas; como si espiara la ciudad.

... Giannino se presentó ante nos, respondiendo a nuestra invitación, el jueves 2 de octubre. Antes de hablarle de lo que teníamos que decirle, le preguntamos cuál era su estado y condición, su nombre, el de su padre y todas cuantas cosas le concernían. Por lo que nos respondió, encontramos que sus palabras coincidían con lo que decían las cartas de fray Antonio, por lo que le revelamos respetuosamente todo lo que habíamos sabido. Pero como no ignoramos que se prepara en Roma un movimiento contra nos...

Giannino tuvo un sobresalto. ¡Cómo! Cola de Rienzi, tan poderoso que hablaba de enviar embajadores al Papa y a todos los príncipes del mundo, temía... Levantó los ojos hacia el tribuno; éste se lo confirmó bajando lentamente los párpados sobre sus ojos claros; la ventana derecha de su nariz temblaba.

—Los Colonna —dijo, sombrío.

Luego volvió a dictar...

... Como tememos perecer antes de que hayamos podido darle apoyo o medios para recobrar su reino, hicimos sacar copia de todas esas cartas y se las entregamos por nuestra propia mano el sábado 4 de octubre de 1354, habiéndolas sellado con nuestro sello marcado con la gran estrella rodeada de otras ocho pequeñas, con el circulito en medio, así como las armas de la Santa Iglesia y del pueblo romano, para que así ofrezcan mayor garantía las verdades en ellas contenidas y para que lleguen a conocimiento de todos los fieles. Que Nuestro Piadosísimo y Graciosísimo Señor Jesucristo nos conceda una vida lo bastante larga para que nos sea dado ver triunfar en este mundo causa tan justa. ¡Amén, Amén!

Hecho eso, Rienzi se acercó a la ventana abierta y, poniéndole una mano sobre el hombro con gesto casi paternal, le mostró a Juan I el gran desorden de ruinas del antiguo foro, treinta metros más abajo, los arcos de triunfo y los templos derruidos. El sol poniente teñía de oro rosado aquella fabulosa cantera que diez siglos de saqueos por parte de vándalos y pontífices no habían logrado agotar. Desde el templo de Júpiter se veía la casa de las Vestales, el laurel que cruzaba al templo de Venus...

—Allí —dijo el tribuno señalando la plaza de la antigua Curia Romana—, allí asesinaron a César... ¿Queréis hacerme un gran favor, noble señor? Nadie os conoce aún, nadie sabe quién sois, y podéis andar tranquilo como un simple burgués de Siena. Os voy a ayudar con todo mi poder, pero para ello hace falta que esté con vida. Sé que están tramando una conspiración contra mí. Sé que mis enemigos quieren poner fin a mis días. Sé que vigilan a los mensajeros que envío fuera de Roma. Partid para Montefiascone y visitad de mi parte al cardenal Albornez, y decidle que me envíe tropas con la máxima urgencia.

¡En qué aventura se encontraba enredado Giannino en tan pocas horas! ¡Reivindicar el trono de Francia! Y apenas era príncipe pretendiente, partir como emisario del tribuno para buscarle ayuda. No había dicho sí a nada, y a nada podía decir que no.

Al día siguiente, 5 de octubre, después de una carrera de doce horas, llegaba a aquel mismo Montefiascone por el que había pasado cinco días antes, maldiciendo de todo corazón Francia y a los franceses. Habló con el cardenal Albornez, quien inmediatamente decidió marchar sobre Roma con los soldados de que disponía. Demasiado tarde: el martes 7 de octubre, Cola de Rienzi moría asesinado.

4

Juan I el Desconocido

Y Giovanni de Francia volvió a Siena, siguió con su comercio de banca y lanas y se mantuvo quieto durante dos años. Simplemente, se miraba con frecuencia al espejo. No se dormía sin pensar que era el hijo de la reina Clemencia de Hungría, pariente de los soberanos de Nápoles, bisnieto de san Luis. Pero le faltaba audacia; no sale uno así de pronto de Siena, a los cuarenta años, para gritar al mundo «Soy el rey de Francia» sin exponerse a que se le tome por loco. El asesinato de Cola de Rienzi, su protector de tres días, lo hizo meditar seriamente. Y en primer lugar, ¿a quién iría a ver?

Con todo, no mantuvo el secreto al extremo de no contarle algo a su esposa Francesca, curiosa como todas las mujeres; a su amigo Guidarelli, curioso como todos los notarios y, sobre todo, a fra Bartolomeo, dominico curioso como todos los confesores.

Fra Bartolomeo era un fraile italiano, entusiasta y dicharachero, que ya se veía convertido en confesor del rey. Giannino le había enseñado los documentos entregados por Rienzi, y comenzó a hablar por la ciudad, y los sieneses, enseguida, a cuchichear sobre aquel milagro: ¡El legítimo rey de Francia estaba entre ellos! Se amontonaban ante el palacio Tolomei; cuando iban a encargar lanas a Giannino, se inclinaban exageradamente; se sentían muy honrados de firmarle una letra; lo señalaban cuando paseaba por las estrechas calles. Los viajantes de comercio que habían estado en Francia aseguraban que tenía el mismo semblante de los príncipes de allí: rubio, de abultadas mejillas y con las cejas algo separadas.

Y ya tenemos a los comerciantes sieneses pregonando la noticia a sus corresponsales de todas las oficinas de Europa. Y he aquí que se descubre que fray Jordán de España y fray Antonio, los agustinos que en sus relatos se habían descrito como tan viejos y enfermizos que todo el mundo los creía muertos, seguían vivos y en perfecto estado de salud, e incluso se disponían a partir en peregrinación a Tierra Santa. Y he aquí que ambos frailes escriben al Consejo de la República de Siena para confirmar sus anteriores declaraciones, y fray Jordán hasta se dirige a Giannino para hablarle de las desdichas de Francia y exhortarlo a que tenga valor.

Efectivamente, las desdichas habían sido grandes. El rey Juan II —«el falso rey», como lo llamaban ahora los sieneses—, había mostrado la medida de su genio en una gran batalla que se libró al oeste de su reino, cerca de Poitiers. Dado que su padre Felipe VI se había dejado derrotar en Crécy por los infantes, Juan II, el día de Poitiers, decidió hacer desmontar a sus caballeros, pero sin dejar que se quitaran la armadura, y lanzarlos a pie al asalto del enemigo que los esperaba en lo alto de una colina. Los caballeros fueron troceados dentro de sus corazas como langostas crudas.

El primogénito del rey, el delfín Carlos, que mandaba un cuerpo de combate, se alejó de la batalla por orden de su padre, según decían, pero con demasiada diligencia en el cumplimiento de dicha orden. También contaban que al delfín se le hinchaban las manos, por lo que no podía sostener mucho tiempo la espada. En todo caso, su prudencia salvó algunos caballeros de Francia, mientras que Juan II, aislado con su hijo pequeño Felipe, que le gritaba «¡Padre, esquivad a la derecha; padre, esquivad a la izquierda!», en un momento en que tenía que esquivar a todo un ejército, acabó rindiéndose a un caballero picardo que se había pasado a los ingleses.

Ahora el rey Valois era prisionero del rey Eduardo III. ¿No se proponía como precio de su rescate la fabulosa cifra de un millón de libras? ¡Ah, pero que no contaran con los banqueros sieneses para contribuir!

Se comentaban muy animadamente todas estas noticias una mañana de octubre de 1356, ante el Municipio de Siena, en la hermosa plaza en anfiteatro bordeada de palacios ocre y rosados; se discutía gesticulando tanto que se espantaban las palomas cuando, de pronto, fra Bartolomeo se dirigió con su hábito blanco hacia el grupo más numeroso y, dando prueba de su fama de fraile predicador, comenzó a hablar como si estuviera en el púlpito:

—¡Vamos a ver por fin quién es ese rey prisionero y cuáles son sus derechos a la corona de san Luis! Ha llegado la hora de la justicia; las calamidades que aplastan a Francia desde hace veinticinco años no son más que el castigo de una infamia, y Juan de Valois no es más que un usurpador... *Usurpatore, usurpatore!* —gritaba fra Bartolomeo ante la muchedumbre que iba engrosándose—. No tiene derecho alguno al trono que ocupa. El verdadero, el legítimo rey de Francia, se encuentra en Siena, y todo el mundo lo conoce: se llama Giannino Baglioni...

—Y su índice señalaba por encima de los tejados en dirección al palacio Tolomei—. ¡Se le tiene por hijo de Guccio, hijo de Nino, pero en realidad nació en Francia, del rey Luis y de la reina Clemencia de Hungría!

Fue tal la conmoción que este discurso produjo en la ciudad, que el Consejo de la República se reunió inmediatamente en el Municipio, pidió a fra Bartolomeo que trajera los documentos, los examinó y, tras largas deliberaciones, decidió reconocer a Giannino como rey de Francia. Le ayudarían a recuperar su reino; se nombraría un consejo formado por seis de los ciudadanos más prudentes y ricos para que velaran por sus intereses e informaran al Papa, al emperador, a los soberanos y al Parlamento de

París de que existía un hijo de Luis X, desposeído pero legítimo. Y para empezar, le asignaron una guardia de honor y una pensión.

Giannino, asustado por tanta agitación, comenzó rehusándolo todo. Pero el consejo insistía, el consejo exhibía ante él sus propios documentos y exigía que se decidiera. Giannino acabó por relatar sus entrevistas con Cola de Rienzi, cuya muerte seguía obsesionándolo, y entonces el entusiasmo no tuvo límites; los más nobles jóvenes sieneses se disputaban el honor de pertenecer a su guardia; parecían a punto de disputárselo por barrios, como hacían con el Palio.

Tal agitación duró casi un mes, durante el cual Giannino recorrió la ciudad con séquito principesco. Su esposa no sabía qué actitud tomar y se preguntaba si, como simple burguesa, podría ser ungida en Reims. En cuanto a los niños, iban vestidos toda la semana con sus trajes de domingo. ¿Debía considerarse a Gabriel primogénito del primer matrimonio, como heredero del trono? Gabriel Primo, rey de Francia... sonaba algo raro. ¿O caso (y la pobre Francesca Agazzano temblaba sólo de pensarlo) el Papa no se vería forzado a anular un matrimonio tan poco en consonancia con la augusta persona del esposo, para permitir que éste contrajera nuevas nupcias con una princesa real? Comerciantes y banqueros fueron apaciguados rápidamente por sus corresponsales. ¿No iban bastante mal los negocios en Francia para que hicieran aparecer un rey más? ¡Bien se burlaban los Bardi de Florencia de que el soberano legítimo fuera un sienés! Francia tenía ya un rey Valois prisionero en Londres donde sobrellevaba su dorado cautiverio en la mansión de Saboya, sobre el Támesis, y se consolaba en compañía de jóvenes escuderos del asesinato de su querido. Francia tenía también un rey inglés que dominaba la mayor parte del país. Y ahora el nuevo rey de Navarra, nieto de Margarita de Borgoña, y al que llamaban Carlos el Malo, reivindicaba también el trono. Y todos estaban endeudados con los bancos italianos... ¡Ah, los sieneses iban a ser bien felicitados por apoyar las pretensiones de su Giannino!

El Consejo de la República no envió carta alguna a los soberanos, ni embajadores al Papa, ni representantes al Parlamento de París; y pronto dejó a Giannino sin pensión y sin guardia de honor.

Pero era él ahora, empujado a esta aventura contra su voluntad, quien la quería continuar. Estaba en juego su honor y, aunque tarde, lo devoraba la ambición. Ya no admitía que no se tuviera en cuenta que había sido recibido en el Capitolio, que había dormido en el castillo de Sant'Angelo y que había marchado sobre Roma en compañía de un cardenal. Se había estado paseando un mes con una escolta principesca, y no podía soportar que el domingo, cuando entraba en el Duomo, cuya hermosa fachada blanca y negra acababa de ser terminada, la gente murmurara: «Mirad, ¡ése es el que pretendía ser heredero de Francia!» Puesto que se había decidido que era rey, seguiría siéndolo. Y por sí mismo escribió al papa Inocencio VI, que había sucedido en 1352 a Pedro Roger; escribió al rey de Inglaterra, al rey de Navarra y al rey de Hungría enviándoles copias de sus documentos y pidiéndoles que se reconocieran sus derechos. Quizá todo hubiera acabado aquí si Luis de Hungría, el único entre toda su parentela, no le hubiera respondido. Era sobrino directo de la reina Clemencia; ¡en su carta daba a Giannino el título de rey y lo felicitaba por su realeza!

Entonces, el 2 de octubre de 1357, tres años día por día desde su primera entrevista con Cola de Rienzi, Giannino, llevando consigo toda su documentación, doscientos cincuenta escudos de oro y dos mil seiscientos ducados cosidos en los vestidos, partió para Buda a pedir protección a aquel primo lejano que lo reconocía. Iba acompañado por cuatro escuderos que tenían fe en su fortuna.

Pero al llegar a Buda, dos meses después, Luis de Hungría estaba ausente. Todo el invierno esperó Giannino, gastando sus ducados.

Allí descubrió a un sienés, Francesco del Contado, que había sido nombrado obispo.

Por fin volvió el primo de Hungría a su capital, pero no recibió a Giovanni di Francia. Hizo que lo interrogaran varios de sus señores, quienes primero se declararon convencidos de su legitimidad, pero ocho días después daban media vuelta y afirmaban que su historia no era más que una patraña. Giannino protestó; se negaba a salir de Hungría. Constituyó un consejo, presidido por el obispo sienés; llegó incluso a reclutar, entre la fantasiosa nobleza húngara siempre dispuesta a las aventuras, a cincuenta y seis hidalgos que se comprometieron a seguirlo con mil caballeros y cuatro mil arqueros, y que llevaron su ciega generosidad hasta ofrecerse a servirlo a su propia costa en tanto no estuviera en condiciones de recompensarlos.

Pero les faltaba, para equiparse y partir, la autorización del rey de Hungría. Éste, que se hacía llamar «el Grande» pero que no parecía brillar precisamente por la claridad de juicio, quiso examinar por sí mismo los documentos de Giannino; los juzgó auténticos, y proclamó que lo ayudaría en la empresa; luego, a la semana siguiente, anunció que había reflexionado y que abandonaba el proyecto.

Y sin embargo, el 15 de mayo de 1359, el obispo Francesco del Contado entregaba al pretendiente una carta fechada el mismo día y sellada con el sello de Hungría, por la cual Luis el Grande, «iluminado al fin por el sol de la verdad», certificaba que el señor Giannino di Guccio, criado en la ciudad de Siena, procedía de la familia real de sus antepasados y era hijo del rey Luis de Francia y de la reina Clemencia de Hungría, de honroso recuerdo. La carta confirmaba asimismo que la Divina Providencia, valiéndose de la nodriza real, había querido que se sustituyera al joven príncipe por otro niño a cuya muerte debía Giannino la vida: «Tal como en otro tiempo la Virgen María, huyendo a Egipto, salvaba a su hijo dejando creer que ya no vivía...»

De todos modos, el obispo Francesco aconsejaba al pretendiente que marchara enseguida, antes de que el rey de Hungría se echase atrás, amén de que no era absolutamente seguro que la carta hubiera sido dictada por él, ni que el sello hubiera sido puesto por orden suya...

Al día siguiente, Giannino salía de Buda, sin haber tenido tiempo de reunir todas las tropas que se habían ofrecido a servirlo, pero con un séquito bastante nutrido para un príncipe con tan pocas tierras.

Giovanni di Francia fue entonces a Venecia, donde se hizo confeccionar vestidos reales; luego a Treviso, Padua, Ferrara, Bolonia y, finalmente, volvió a Siena, después de una ausencia de dieciséis meses, para presentarse a las elecciones del Consejo de la República.

Pues bien, aunque su nombre salió el tercero, el consejo invalidó su elección, precisamente porque era hijo de Luis X, porque el rey de Hungría lo reconocía como tal y porque no era de la ciudad. Por lo tanto, le quitaron la ciudadanía sienesa.

Sucedió que el gran senescal del reino de Nápoles pasó por Toscana camino de Aviñón. Giannino se apresuró a visitarlo. ¿No era acaso Nápoles la cuna de su familia materna? El senescal, prudentemente, le aconsejó que fuera a ver al Papa.

Sin escolta esta vez —los nobles húngaros ya se habían cansado— llegó a la ciudad papal la primavera de 1360, vestido de simple peregrino. Inocencio VI se negó obstinadamente a recibirlo. Francia causaba ya al Santo Padre bastantes molestias para preocuparse de aquel extraño rey póstumo.

Juan el Bueno seguía prisionero; París continuaba agitada por la revuelta en la que el preboste de los comerciantes, Esteban Marcel, acabó asesinado tras su intento de establecer un poder popular. También había motines en el campo, donde la miseria hacía sublevarse a los campesinos. Había asesinatos por doquier; ya no se distinguía al amigo del enemigo. El delfín de las manos hinchadas, sin tropas ni hacienda, luchaba contra los ingleses, contra los navarros e incluso contra los parisienses, ayudado por Bretón du Guesclin, al que había entregado la espada que él no podía empuñar. Se dedicaba, además, a reunir el rescate de su padre.

Reinaba un completo desorden en las facciones, todas igualmente agotadas; en los caminos, compañías que se llamaban de soldados, pero que no eran sino de bandidos a las órdenes de aventureros, saqueaban a los viajeros y mataban por simple vocación criminal.

La residencia en Aviñón empezaba a ser, para el jefe de la Iglesia, tan poco segura como la de Roma, incluso con los Colonna. Había que negociar, negociar cuanto antes; imponer la paz a aquellos combatientes extenuados y conseguir que el rey de Inglaterra renunciara a la corona de Francia aunque tuviera que quedarse con medio país por derecho de conquista, y que el rey de Francia fuera restablecido en la otra mitad para imponer una apariencia de orden. ¿Qué hacer pues con aquel exaltado peregrino que reclamaba el reino blandiendo increíbles relatos de monjes desconocidos y una carta del rey de Hungría que este mismo refutaba?

Entonces Giannino empezó a vagar errante, buscando apoyo, pidiendo subsidios, tratando de interesar en su historia a compañeros de posada que tuvieran una hora que perder entre dos jarras de vino, atribuyendo influencia a gentes que no tenían ninguna, entrevistándose con intrigantes, malandrines, forajidos, jefes de banda ingleses que habían llegado hasta allí y pirateaban por Provenza. Se decía que estaba loco y, realmente, iba en camino de estarlo.

Un día de enero de 1361 los notables de Aix lo detuvieron en su ciudad, donde sembraba la agitación. Sin saber qué hacer con él, lo entregaron al magistrado de Marsella, que lo encarceló. Al cabo de ocho meses se escapó para ser apresado de nuevo al poco tiempo, y ya que decía pertenecer a tan alta familia de Nápoles, ya que con tanta vehemencia afirmaba ser hijo de doña Clemencia de Hungría, el magistrado lo mandó a Nápoles.

Precisamente entonces se estaba negociando el matrimonio de la reina Juana, heredera de Roberto el Astrólogo, con el hijo menor de Juan el Bueno. Éste, recién llegado de su alegre cautiverio, y recién firmada la paz de Brétigny por el delfín, corría por Aviñón, donde Inocencio VI acababa de morir. Y el rey Juan II proponía al nuevo pontífice Urbano V un magnífico proyecto: ¡La famosa Cruzada que ni su padre ni su abuelo habían logrado poner en marcha!

En Nápoles, Juan el Póstumo, Juan el Desconocido, fue encerrado en el Castel dell'Ovo. Por el tragaluz de su calabozo podía ver el Castel Nuovo, el Maschio Angioino, de donde había partido su madre, tan gozosa, cuarenta y seis años antes, para ser reina de Francia.

Allí murió, el mismo año, después de compartir, por las más extrañas vicisitudes del destino, los infortunios de los Reyes Malditos.

Cuando desde lo alto de su pira, Jacobo de Molay había lanzado su anatema, ¿conocía ya, gracias a las ciencias adivinatorias de los templarios, el futuro que les esperaba a Felipe el Hermoso y a los de su estirpe? ¿O bien fue la humareda en medio de la cual moría lo que trajo a su mente aquella visión profética?

Los pueblos sufren el peso de las maldiciones durante más tiempo que los príncipes que las atrajeron.

De los descendientes varones del Rey de Hierro,

ninguno había escapado del trágico destino. Nadie sobrevivía; sólo el rey Eduardo III de Inglaterra, que jamás reinaría en Francia.

Pero las calamidades del pueblo no habían terminado. Le faltaba por conocer un rey prudente, un rey loco, un rey débil y setenta años de calamidades antes de que la maldición del gran maestre se disipara en las aguas del Sena, al resplandor de otra hoguera encendida para el sacrificio de una hija de Francia.

París, 1954-1960
Essendiéras, 1965-1966

LISTA BIOGRÁFICA

LITTERA BANK

Árbol genealógico

Lista biográfica

JACOBO DE ARTEVELDE (c. 1285-1345)

Pañero de Gante. Desempeñó un papel fundamental en los asuntos de Flandes. Fue asesinado durante una revuelta de tejedores.

MAHAUT DE ARTOIS (?-27 de noviembre de 1329)

Hija de Roberto II de Artois. Condesa de Borgoña por su matrimonio en 1291 con el conde palatino Otón IV (fallecido en 1303). Condesa-par de Artois por decisión real en 1309. Madre de Juana de Borgoña, esposa de Felipe de Poitiers, futuro Felipe V, y de Blanca de Borgoña, esposa de Carlos de Francia, futuro Carlos IV.

ROBERTO III DE ARTOIS (1287-1342)

Hijo de Felipe de Artois y nieto de Roberto II de Artois. Conde de Beaumont-le-Roger y señor de Conches (1309). Se casó en 1318 con Juana de Valois, hija de Carlos de Valois y de Catalina de Courtenay. Par del reino por su condado de Beaumont-le-Roger (1328). Desterrado del reino en 1332, se refugió en la corte de Eduardo III de Inglaterra. Fue herido mortalmente en Vannes. Está enterrado en San Pablo de Londres.

BAGLIONI, GUCCIO (c. 1295-1340)

Banquero sienés emparentado con la familia de los

Tolomei. En 1315 tenía una sucursal de banca en Neauphle-le-Vieux. Se casó en secreto con María de Cressay. Tuvieron un hijo, Giannino (1316), cambiado en la cuna con Juan I el Póstumo. Murió en Campania.

BENEDICTO XII (c. 1285- abril de 1342)

Jacobo Fournier era cisterciense. Fue abad de Fontfroide y obispo de Pamiers (1317) y, posteriormente, de Mirepoix (1326). Lo nombró cardenal, en diciembre de 1327, Juan XXII, Papa al cual sucedió en 1334.

ROBERTO DE BERTRAND (?- 1348)

Barón de Briquebec, vizconde de Roncheville. Lugarteniente del rey en Guyena, Saintonge, Normandía y Flandes. Mariscal de Francia (1325). Se casó con María de Sully, hija de Enrique, gran vinatero de Francia.

LUIS DE BORBÓN (c. 1280-1342)

Señor y, posteriormente, duque de Borbón. Era el primogénito del conde Roberto de Clermont (1256-1318) y de Beatriz de Borgoña, hija de Juan, señor de Borbón. Nieto de san Luis. Gran custodio del tesoro de Francia a partir de 1312. Nombrado duque y par en septiembre de 1327.

BLANCA DE BORGOÑA (c. 1296-1326)

Hija menor de Otón IV, conde palatino de Borgoña, y de Mahaut de Artois. Casada en 1307 con Carlos de Francia, tercer hijo de Felipe el Hermoso. Acusada de adulterio (1314), juntamente con Margarita de Borgoña, fue encerrada en Château-Gaillard, luego en el castillo de Gournay, cerca de Coutances. Tras la anulación de su matrimonio (1322), tomó los hábitos en la abadía de Maubuisson, donde falleció.

EUDES IV DE BORGOÑA (c. 1294-1350)

Hijo de Roberto II, duque de Borgoña, y de Inés de Francia, hija de san Luis. Sucedió en mayo de 1315 a su hermano Hugo V. Hermano de Margarita, esposa de Luis X el Obstinado, de Juana, esposa de Felipe de Valois, futuro Felipe VI, de María, esposa del conde de Bar, y de Blanca, esposa del conde Eduardo de Saboya. Se casó el 18 de junio de 1318 con Juana, la primogénita de Felipe V (que falleció en 1347).

HUGO III DE BOUVILLE (?-1331)

Hijo de Hugo II de Bouville y de María de Chambly. Chambelán de Felipe el Hermoso. Se casó en 1293 con Margarita des Barres, de la cual tuvo un hijo, Carlos, que fue chambelán de Carlos V y gobernador del Delfinado.

JUAN III EL BUENO DE BRETAÑA (1286-1341)

Hijo de Arturo II, duque de Bretaña, al que sucedió en 1312. Se casó tres veces. Murió sin descendencia.

RAÚL DE BRIENNE (?-1345)

Conde de Eu y de Guines. Condestable de Francia (1330). Lugarteniente del rey en Hainaut (1331), Languedoc y Guyena (1334). Murió durante un torneo. Su hijo lo sucedió en el cargo de condestable.

ENRIQUE DE BURGHERSH (1282-1340)

Obispo de Lincoln (1320). Recogió, junto a Orleton, la abdicación de Eduardo II (1327). Negoció la paz con los escoceses (1328). Sucedió a Orleton en el cargo de tesorero (marzo de 1328). Acompañó a Eduardo III a Amiens para rendir homenaje (1328) en calidad de canciller. De nuevo fue tesorero de 1334 a 1337. Llevó a cabo numerosas misiones diplomáticas en Francia.

CARLOS IV DE FRANCIA (1294-1 de febrero de 1328)

Tercer hijo de Felipe IV el Hermoso y de Juana de Champaña. Conde de la Marche (1315). Sucedió, con el nombre de Carlos IV, a su hermano Felipe V (1322). Se casó sucesivamente con Blanca de Borgoña (1307), María de Luxemburgo (1322) y Juana de Evreux (1325). Murió en Vincennes, sin heredero varón. Último rey del linaje de los Capetos.

GAUCHER DE CHÂTILLON (c. 1250-1329)

Conde de Porcien. Condestable de Champaña (1284), luego de Francia y, posteriormente, de Courtrai (1302). Hijo de Gaucher IV y de Isabel de Villehardouin. Aseguró la victoria de Mons-en-Pévèle. Hizo coronar a Luis el Obstinado como rey de Navarra en Pamplona (1307). Ejecutor testamentario de Luis X, Felipe V y Carlos IV. Participó en la batalla de Cassel (1328) y murió al año siguiente, habiendo ocupado el cargo de condestable de Francia durante el reinado de cinco monarcas. Se casó con Isabel de Dreux, Melisenda de Vergy e Isabel de Rumigny.

GUY DE CHÂTILLON (?-1342)

Hijo de Hugo VI de Châtillon, conde de Saint-Pol, y de Beatriz de Dampierre, hija del conde de Flandes. Se casó en 1311 con Margarita, hija de Carlos de Valois y de Margarita de Anjou-Sicilia, hermana de Felipe VI, rey de Francia. Su hijo Carlos aspiró a la sucesión de Bretaña a la muerte del duque Juan III.

JUAN DE CHERCHEMONT (?-1328)

Señor de Venours en Poitou. Clérigo del rey (1318). Canónigo de Notre-Dame de París. Canciller de Francia a partir de 1320 y hasta el final del reinado de Felipe V; fue restablecido en sus funciones en noviembre de 1323.

CLEMENCIA DE HUNGRÍA (c. 1293-12 de octubre de 1328)

Reina de Francia. Hija de Carlos Martel de Anjou, rey titular de Hungría, y de Clemencia de Habsburgo. Sobrina de Carlos de Valois por parte de su primera esposa, Margarita de Anjou-Sicilia. Hermana de Carlos Roberto de Hungría y de Beatriz, esposa del delfín Juan II. Se casó con Luis el Obstinado, rey de Francia y Navarra, el 13 de agosto de 1315, y fue coronada junto a él en Reims. Quedó viuda en junio de 1316 y dio a luz un hijo en noviembre del mismo año, Juan I. Murió en el Temple.

MARÍA DE CRESSAY (c. 1298-1345)

Hija de Eliabel de Cressay y del caballero Juan de Cressay. Casada en secreto con Guccio Baglioni y madre, en 1316, de un niño cambiado en la cuna por Juan I el Póstumo, del cual era nodriza. Fue enterrada en el convento de los Agustinos, cerca de Cressay.

HUGO LE DESPENSER *EL JOVEN* (c. 1290-24 de noviembre de 1326)

Caballero (1306). Chambelán y favorito de Eduardo II a partir de 1312. Se casó con Leonor de Clare, hija del conde de Gloucester (hacia 1309). Sus abusos de poder causaron la revuelta de los barones de 1326. Ejecutado en Hereford.

HUGO LE DESPENSER *EL VIEJO* (1262-27 de octubre de 1326)

Hijo de Hugo Le Despenser, gran juez de Inglaterra. Barón, miembro del Parlamento (1295). Principal consejero de Eduardo II a partir de 1312. Conde de Winchester (1322). Apartado del poder por la revuelta de los barones de 1326, murió ahorcado en Bristol.

JUANA DE DIVION (?- 6 de octubre de 1331)
Hija de un hidalgo de la castellanía de Béthune. Fue acusada de falsificación en el proceso del Artois y quemada viva.

EDUARDO II PLANTAGENET (1284-21 de septiembre de 1327)
Nació en Carnarvon. Hijo de Eduardo I y de Leonor de Castilla. Primer príncipe de Gales y conde de Chester (1301). Duque de Aquitania y conde de Ponthieu (1303). Fue armado caballero en Westminster (1306). Rey de Inglaterra en 1307. Se casó en 1308 con Isabel de Francia, hija de Felipe el Hermoso. Fue coronado en Westminster el 25 de febrero 1308. Destronado (1326) por una revuelta de los barones dirigida por su esposa, fue encarcelado y murió asesinado en el castillo de Berkeley.

EDUARDO III PLANTAGENET (13 de noviembre de 1312-1377)
Nacido en Windsor. Hijo de Eduardo II y de Isabel de Francia. Conde de Chester (1320). Duque de Aquitania y conde de Ponthieu (1325). Fue coronado en Westminster en 1327 tras la abdicación de su padre. Se casó en 1328 con Felipa, hija de Guillermo, conde de Hainaut, de Holanda y de Zelanda, con la que tuvo doce hijos. Sus pretensiones al trono de Francia fueron el origen de la guerra de los Cien Años.

FELIPA DE HAINAUT (1314?-1369)
Reina de Inglaterra. Hija de Guillermo de Hainaut, conde de Holanda y de Zelanda, y de Juana de Valois. Se casó el 30 de enero de 1328 con Eduardo III de Inglaterra, con quien tuvo doce hijos. Fue coronada en 1330.

FELIPE DE EVREUX

Hijo de Luis de Evreux. Hermanastro de Felipe el Hermoso y de Margarita de Artois. Se casó en 1318 con Juana de Francia, hija de Luis X el Obstinado y de Margarita de Borgoña, heredera de Navarra, que falleció en 1349. Padre de Carlos el Malo, rey de Navarra, y de Blanca, segunda esposa de Felipe VI de Valois, rey de Francia.

FELIPE IV EL HERMOSO (1268-20 de noviembre de 1314)

Nació en Fontainebleau. Hijo de Felipe III el Atrevido y de Isabel de Aragón. Se casó (1284) con Juana de Champaña, reina de Navarra. Padre de los reyes Luis X, Felipe V y Carlos IV, y de Isabel de Francia, reina de Inglaterra. Reconocido como rey en Perpignan (1285) y coronado en Reims (6 de febrero de 1286). Murió en Fontainebleau y fue enterrado en Saint-Denis.

FELIPE V EL LARGO (1291-3 de enero de 1322)

Hijo de Felipe IV el Hermoso y de Juana de Champaña. Hermano de los reyes Luis X y Carlos IV, y de Isabel de Inglaterra. Conde palatino de Borgoña, señor de Salins por su matrimonio (1307) con Juana de Borgoña. Conde usufructuario de Poitiers (1311). Par de Francia (1315). Regente tras la muerte de Luis X y más tarde rey a la muerte del hijo póstumo de éste (noviembre 1316). Muerto en Longchamp sin heredero varón. Enterrado en Saint-Denis.

FELIPE VI (1293- 1350)

Conde de Valois y rey de Francia. Primogénito de Carlos de Valois y de su primera esposa, Margarita de Anjou-Sicilia. Sobrino de Felipe IV el Hermoso y primo hermano de Luis X, Felipe V y Carlos IV. Fue regente del reino a la muerte de Carlos IV el Hermoso, y luego rey cuando nació la hija póstuma de este último (abril de 1328). Coronado en Reims el 29 de mayo de 1328. Su subida al trono, a la que Inglaterra se negaba, fue el origen de la segunda guerra de los Cien Años. Se casó en primeras nupcias (1313) con Juana de Borgoña la Coja, hermana de Margarita, que falleció en 1348. Tomó por segunda esposa (1349) a Blanca de Navarra, nieta de Luis X y de Margarita.

FITZALAN, EDMUNDO (1285-1326)

El conde de Arundel era hijo del también conde de Arundel Ricardo I. Se casó con Alicia, hermana de Juan, conde de Warenne, con quien tuvo un hijo, Ricardo, el cual se casó a su vez con la hija de Hugo Le Despenser *el Joven*. Juez supremo de Gales (1323-1326). Murió decapitado en Hereford.

LUIS DE FLANDES (?- 1346)

Señor de Crécy, conde de Nevers y de Flandes. Hijo de Luis de Nevers. Sucedió a su abuelo, Roberto de Béthune, como conde en 1322. Se casó en 1320 con Margarita, la segunda hija de Felipe V y de Juana de Borgoña. Asesinado en Calais.

FOURNIER, JACOBO (c. 1285-abril de 1342)

Abad cisterciense de Fontfroide. Obispo de Pamiers (1317) y, posteriormente, de Mirepoix (1326). Nombrado cardenal en diciembre de 1327 por el papa Juan XXII, al cual sucedió en 1334 con el nombre de Benedicto XII.

GUILLERMO DE HAINAUT (?-1337)

Guillermo de Avesnes *el Bueno*, conde de Holanda, Zelanda y Hainaut. Hijo de Juan II de Avesnes, conde de Hainaut, y de Filipina de Luxemburgo. Sucedió a su padre en 1304. Se casó en 1305 con Juana de Valois, hija de Carlos de Valois y de Margarita de Anjou-Sicilia. Padre de Felipa, reina de Inglaterra, y de Guillermo, su sucesor.

JUAN DE HAINAUT (?-1356)

Señor de Beaumont. Hermano de Guillermo de Hainaut. Participó en diversas expediciones militares en Inglaterra y Francia.

BEATRIZ DE HIRSON

Dama de compañía de la condesa Mahaut de Artois y sobrina de su canciller, Thierry de Hirson.

PEDRO Y DIONISIO DE HIRSON

Hermanos de Thierry de Hirson. Tesorero y baile, respectivamente, de la condesa Mahaut de Artois.

THIERRY DE HIRSON (c. 1270-17 de noviembre de 1328)

Clérigo de Roberto II de Artois, acompañó a Nogaret a Anagni y Felipe el Hermoso le encomendó diversas misiones. Canónigo de Arras (1299). Canciller de Mahaut de Artois (1303). Obispo de Arras (abril de 1328).

INÉS DE FRANCIA (c. 1268-1325)

Duquesa de Borgoña. La pequeña de los once hijos de san Luis. Se casó en 1273 con Roberto II de Borgoña. Madre de Hugo V y de Eudes IV, duques de Borgoña; de Margarita, esposa de Luis X el Obstinado, rey de Navarra y de Francia, y de Juana la Coja, esposa de Felipe VI de Valois.

ISABEL DE FRANCIA (1292-23 de agosto de 1358)

Reina de Inglaterra. Hija de Felipe IV el Hermoso y

de Juana de Champaña. Hermana de los reyes Luis X, Felipe V y Carlos IV. Se casó con Eduardo II de Inglaterra (1308). Dirigió (1325), con Rogelio Mortimer, la revuelta de los barones ingleses que condujo al derrocamiento de su marido. La Loba de Francia gobernó de 1326 a 1328 en nombre de su hijo Eduardo III. Desterrada de la corte (1330). Murió en el castillo de Hertford.

JUAN II DE FRANCIA (1319- 8 de abril de 1364)
Duque de Normandía y rey de Francia. Hijo de Felipe VI y de Juana la Coja de Borgoña. Coronado en 1350. Se casó con Bonne de Luxemburgo, hija del rey de Bohemia (1332). Enviudó en 1349 y volvió a casarse en 1350 con Juana de Boulogne. Tuvo cuatro hijos de su primer matrimonio (uno de ellos el futuro Carlos V) y cinco hijas. Murió en Londres.

JUAN XXII (1244- diciembre de 1334)
Jacobo Duèze era hijo de un burgués de Cahors. Cursó estudios en esa localidad y en Montpellier. Arcipreste de Saint-André de Cahors. Canónigo de Saint-Front de Périgueux y de Albi. Arcipreste de Sarlat. En 1289 viajó a Nápoles, donde no tardó en ser íntimo del rey Carlos II de Anjou, que lo nombró secretario de los consejos privados y luego canciller. Obispo de Fréjus (1300) y de Aviñón (1310). Secretario del concilio de Vienne (1311). Cardenal obispo de Porto (1312). Elegido Papa en agosto de 1316, adoptó el nombre de Juan XXII. Fue coronado en Lyon en septiembre de 1316. Murió en Aviñón.

JUANA DE BORGOÑA (c. 1293-21 de enero de 1330)
Hija primogénita de Otón IV, conde palatino de Borgoña, y de Mahaut de Artois. Hermana de Blanca, esposa de Carlos de Francia, futuro Carlos IV.

Condesa de Poitiers por su matrimonio en 1307 con Felipe, segundo hijo de Felipe el Hermoso. Acusada de complicidad en los adulterios de su hermana y de su cuñada (1314), fue encerrada en Dourdan, luego liberada en 1315. Madre de tres hijas: Juana, Margarita e Isabel, que se casaron respectivamente con el duque de Borgoña, el conde de Flandes y el delfín de Vienne.

JUANA DE BORGOÑA (c. 1296-1348)

Condesa de Valois y reina de Francia. Hija de Roberto II, duque de Borgoña, y de Inés de Francia. Hermana de Eudes IV, duque de Borgoña, y de Margarita, esposa de Luis X el Obstinado. Se casó en 1313 con Felipe de Valois, futuro Felipe VI. Madre de Juan II, rey de Francia. Murió de la peste.

JUANA DE EVREUX (?- marzo de 1371)

Hija de Luis de Francia, conde de Evreux, y de Margarita de Artois. Hermana de Felipe, conde de Evreux, futuro rey de Navarra. Tercera esposa de Carlos IV el Hermoso (1325), con quien tuvo tres hijas: Juana, María y Blanca, nacida póstuma el primero de abril de 1328.

JUANA DE FRANCIA (1308-1347)

Duquesa de Borgoña. Primogénita de Felipe V y de Juana de Borgoña. Prometida en julio de 1316 a Eudes IV, duque de Borgoña. Se casó en junio de 1318.

JUANA DE FRANCIA (c. 1311-8 de octubre de 1349)

Reina de Navarra. Hija de Luis X el Obstinado y de Margarita de Borgoña. Presunta bastarda. Eliminada de la sucesión del trono de Francia, heredó el de Navarra. Se casó en 1318 con Felipe de Evreux. Madre de Carlos el Malo, rey de Navarra, y de Blanca, segunda mujer de Felipe VI de Valois, rey de Francia. Murió de la peste.

EDMUNDO DE KENT (1301-1329)

Edmundo de Woodstock, conde de Kent, era hijo de Eduardo I, rey de Inglaterra, y de su segunda esposa, Margarita de Francia, hermana de Felipe el Hermoso. Hermanastro de Eduardo II, rey de Inglaterra. En 1321 fue nombrado gobernador del castillo de Douvres, guardián de los cinco puertos y conde de Kent. Lugarteniente de Eduardo II en Aquitania en 1324. Fue decapitado en Londres.

ENRIQUE DE LEICESTER (c. 1281-1345)

Conde de Lancaster y de Leicester. Hijo de Edmundo de Lancaster y nieto de Enrique III, rey de Inglaterra. Participó en la rebelión contra Eduardo II. Armó caballero a Eduardo III el día de su coronación y fue nombrado jefe del consejo de regencia. Se unió luego a la oposición a Mortimer.

LUIS X EL OBSTINADO (octubre de 1289-5 de junio de 1316)

Hijo de Felipe IV el Hermoso y de Juana de Champaña. Hermano de los reyes Felipe V y Carlos IV, y de Isabel, reina de Inglaterra. Rey de Navarra (1307). Rey de Francia (1314). Se casó (1305) con Margarita de Borgoña, de la cual tuvo una hija, Juana, nacida hacia 1311. Después del escándalo de la torre de Nesle y de la muerte de Margarita, se volvió a casar (agosto de 1315) con Clemencia de Hungría. Fue coronado en Reims (agosto de 1315). Murió en Vincennes. Su hijo, Juan el Póstumo, nació cinco meses después (noviembre de 1316).

JUAN DE LUXEMBURGO (1296-1346)

Rey de Bohemia. Hijo de Enrique VII, emperador

de Alemania. Hermano de María de Luxemburgo, segunda esposa (1322) de Carlos IV, rey de Francia. Se casó en 1310 con Isabel de Bohemia, de la que tuvo una hija, Bonne, que contrajo matrimonio en 1332 con Juan, duque de Normandía, futuro Juan II, rey de Francia. Murió en Crécy.

MALTRAVERS, JUAN (1290-1365)

Barón y caballero (1306). Guardián del rey Eduardo II en Berkeley (1327). Senescal (1329). Jefe de la casa real (1330). Tras la caída de Mortimer, fue condenado a muerte como responsable del asesinato de Eduardo II y huyó al continente. Fue autorizado a volver a Inglaterra en 1345 y rehabilitado en 1353.

MARGARITA DE BORGOÑA (c. 1293-1315)

Hija de Roberto II, duque de Borgoña, y de Inés de Francia. Casada (1305) con Luis, rey de Navarra, primogénito de Felipe el Hermoso, futuro Luis X, del cual tuvo una hija, Juana. Acusada de adulterio (suceso de la torre de Nesle, 1314), fue encerrada en Château-Gaillard, donde murió asesinada).

JUAN DE MARIGNY (?-1350)

El pequeño de los tres hermanos Marigny. Canónigo de Notre-Dame y, posteriormente, obispo de Beauvais (1312). Canciller (1329). Lugarteniente del rey en Gascuña (1342). Arzobispo de Rouen (1347).

GUILLERMO DE MAUNY (?-1372)

Nacido en Hainaut, se trasladó a Inglaterra con Felipa, esposa de Eduardo III. Caballero (1331). Participó en todas las campañas de Eduardo III, de las que fue un destacado capitán. Se casó con Margarita, hija de Tomás de Brotherton, conde de Norfolk, tío de Eduardo III.

GUILLERMO DE MELTON (?-1340)

Amigo de Eduardo II desde su infancia. Clérigo del rey y, posteriormente, guardasellos (1307). Secretario real (1310). Arzobispo de York (1316). Tesorero de Inglaterra (1325-1327). Nuevamente tesorero (1330-1331) y posteriormente guardasellos en (1333-1334).

GUILLERMO DE MONTAIGU (1301-1344)

Hijo mayor de Guillermo, segundo barón de Montaigu, al que sucedió en 1319. Armado caballero en 1325. Gobernador de las islas anglonormandas y condestable de la Torre (1333). Conde de Salisbury (1337). Mariscal de Inglaterra (1338). Fallecido a causa de las heridas sufridas en un torneo, en Windsor.

MORTIMER, JUANA (1286-1356)

Hija de Pedro de Joinville y de Juana de Lusignan. Sobrina nieta del senescal compañero de san Luis. Se casó con sir Rogelio Mortimer, barón de Wigmore, en 1305 y tuvo con él once hijos.

MORTIMER, ROGELIO (c. 1256-1326)

Barón de Chirk. Lugarteniente del rey Eduardo II y gran juez de Gales (1307-1321). Fue hecho prisionero en Shrewsbury en 1322. Murió en la Torre de Londres.

MORTIMER, ROGELIO (1287-20 de noviembre de 1330)

Octavo barón de Wigmore. Primogénito de Rogelio Mortimer y de Margarita de Fiennes. Lugarteniente del rey Eduardo II y gran juez de Irlanda (1316-1321). Cabecilla de la rebelión que destronó a Eduardo II. Gobernó Inglaterra de hecho, con la reina Isabel, hasta la mayoría de edad de Eduardo III. Primer conde de March (1328). Fue arrestado por Eduardo III y condenado por el Parlamento. Fue ahorcado en el cadalso de Tyburn, en Londres.

NORFOLK, TOMÁS (1300-1338)

Tomás de Brotherton, conde de Norfolk, primer hijo del segundo matrimonio de Eduardo I, rey de Inglaterra, con Margarita de Francia. Hermanastro de Eduardo II y hermano de Edmundo de Kent. Nombrado duque de Norfolk en diciembre de 1312 y mariscal de Inglaterra en febrero de 1316. Se unió al partido de Mortimer, una de cuyas hijas se casó con su hijo.

MILES DE NOYERS (?-1350)

Mariscal de Francia (1303-1315). Fue, sucesivamente, consejero de Felipe V, Carlos IV y Felipe VI. Tuvo un papel muy importante en estos tres reinados. Encargado de las bodegas de Francia (1336).

ORLETON, ADÁN (?-1345)

Obispo de Hereford (1317), de Worcester (1328) y de Winchester (1334). Uno de los ideólogos de la conspiración contra Eduardo II. Tesorero de Inglaterra (1327). Llevó a cabo numerosas misiones y embajadas en la corte de Francia y en Aviñón.

BELTRÁN DE POUGET (?-1352)

Sobrino de Juan XXII, nombrado cardenal por éste en diciembre de 1316.

SPINELLO TOLOMEI

Jefe en Francia de la compañía sienesa de los Tolomei, fundada en el siglo XII por Tolomeo Tolomei y que se enriqueció rápidamente con el comercio internacional y el control de las minas de plata de Toscana. Todavía existe en Siena el palacio Tolomei.

MATEO DE TRYE (?-1344)

Sobrino del chambelán de Luis X el Obstinado. Señor de Araines y de Vaumain. Mariscal de Francia hacia 1320. Lugarteniente general en Flandes (1342).

CARLOS DE VALOIS (12 de marzo de 1270-diciembre de 1325)

Hijo de Felipe III el Atrevido y de su primera mujer, Isabel de Aragón. Hermano de Felipe IV el Hermoso. Armado caballero a los catorce años. Investido rey de Aragón por el legado del Papa el mismo año. Jamás pudo ocupar el trono y renunció al título en 1295. Conde de Valois y de Alençon (1285). Conde de Anjou, del Maine y de Perche (marzo 1290) por su primer matrimonio con Margarita de Anjou-Sicilia; emperador titular de Constantinopla por su segundo matrimonio (enero 1301) con Catalina de Courtenay; nombrado conde de Romaña por el papa Bonifacio VIII. Se casó en terceras nupcias (1308) con Mahaut de Châtillon-Saint-Pol. De sus tres matrimonios tuvo abundante descendencia; su primogénito fue Felipe VI, primer rey de la dinastía Valois. Luchó en Italia por cuenta del Papa en 1301, mandó dos expediciones en Aquitania (1297 y 1324) y fue candidato al Imperio alemán. Falleció en Nogent-le-Roi y fue enterrado en la iglesia de los Jacobinos de París.

JUANA DE VALOIS (c. 1304-1363)

Condesa de Beaumont. Hija de Carlos de Valois y de la segunda esposa de éste, Catalina de Courtenay. Hermanastra de Felipe VI, rey de Francia. Esposa de Roberto de Artois, conde de Beaumont-le-Roger (1318). Estuvo encerrada con sus tres hijos en Château-Gaillard durante el destierro de Roberto y luego fue rehabilitada.

JUANA DE VALOIS (c. 1295-1352)

Condesa de Hainaut. Hija de Carlos de Valois y de la primera esposa de éste, Margarita de Anjou-Sicilia. Hermana de Felipe VI, rey de Francia. Se casó en 1305 con Guillermo, conde de Hainaut, de Holanda y de Zelanda. Madre de Felipa, reina de Inglaterra.

WATRIQUET

Originario de Couvin, en Hainaut, población cercana a Namur. Trovador de las grandes casas de la familia Valois. Se hizo muy famoso por sus trovas, compuestas entre 1319 y 1329. Su obra se conservó en bellos manuscritos iluminados, escritos bajo su dirección por las princesas de su tiempo.

Índice

CUARTA PARTE
EL BELICOSO

EPÍLOGO
JUAN I EL DESCONOCIDO

LISTA BIOGRÁFICA

consuelo Siesta
3 10 48 1 30 5 0